ALBERT DAHM

DER GERICHTSGEDANKE IN DER VERSÖHNUNGSLEHRE
KARL BARTHS

KONFESSIONSKUNDLICHE
UND KONTROVERSTHEOLOGISCHE STUDIEN

BAND XLVII

HERAUSGEGEBEN VOM
JOHANN-ADAM-MÖHLER-INSTITUT

ALBERT DAHM

DER GERICHTSGEDANKE
IN DER VERSÖHNUNGSLEHRE
KARL BARTHS

VERLAG BONIFATIUS-DRUCKEREI PADERBORN

CIP-Kurztitelaufnahme der Deutschen Bibliothek

Dahm, Albert:

Der Gerichtsgedanke in der Versöhnungslehre Karl Barths / Albert Dahm. –
Paderborn: Verlag Bonifatius-Druckerei, 1983.
(Konfessionskundliche und kontroverstheologische Studien; Bd. 47)

ISBN 3-87088-335-9

NE: GT

ISBN 3 87088 335 9

GESAMTHERSTELLUNG: BONIFATIUS-DRUCKEREI PADERBORN

INHALTSVERZEICHNIS

TEIL II

Die inhaltliche Entfaltung des Gerichtsgedankens durch Barth 83

VORWORT

Die vorliegende Studie ist im Wintersemester 1981/82 von der Theologischen Fakultät Trier als Dissertation angenommen worden.

An dieser Stelle darf ich allen Dank sagen, die die Entstehung und das Zustandekommen der Arbeit gefördert haben. In ganz besonderer Weise schulde ich meinem Lehrer, Herrn Prof. DDr. Reinhold Weier, Dank, der die Untersuchung angeregt und mit seinem kritischen Interesse begleitet hat. Sein Rat und seine sachlichen Hinweise waren mir besonders wertvoll und hilfreich.

Der Bibliothek des Priesterseminars Trier danke ich für die stets rasche und umgehende Besorgung der umfangreichen Literatur.

Dem Johann-Adam-Möhler-Institut Paderborn gilt mein aufrichtiger Dank für die Aufnahme der Arbeit in die Reihe „Konfessionskundliche und kontroverstheologische Studien".

Frau Oberstudiendirektorin a. D. Dr. Annemarie Kray, die mich in der Durchsicht der Korrekturfahnen unterstützt hat, möchte ich ebenfalls herzlich danken.

Merzig, im Februar 1983

Albert Dahm

SIGLENVERZEICHNIS

Außer den in LThK² und RGG³ angegebenen Abkürzungen werden folgende Siglen verwandt:

Antwort	Antwort. Karl Barth zum siebzigsten Geburtstag am 10. Mai 1956, hrsg. E. Wolf, Ch. von Kirschbaum u. R. Frey, Zollikon-Zürich 1956.
BTh I	K. Barth – E. Thurneysen, Briefwechsel, Bd. 1, 1913-1921, hrsg. E. Thurneysen: Karl Barth – Gesamtausgabe, Abt. V, Zürich 1973.
BTh II	K. Barth – E. Thurneysen, Briefwechsel, Bd. 2, 1921-1930, hrsg. E. Thurneysen: Kárl Barth – Gesamtausgabe, Abt. V, Zürich 1974.
Cur deus homo	Anselm von Canterbury, Cur deus homo: Opera omnia, Bd. 2, hrsg. F. S. Schmitt, Rom 1940, 37-133.
DThA	Die Deutsche Thomas-Ausgabe. Vollständige, ungekürzte deutsch-lateinische Ausgabe der Summa Theologiae. Übersetzt und kommentiert von Dominikanern und Benediktinern Deutschlands und Österreichs. Hrsg. von der Albertus-Magnus-Akademie, Walberberg bei Bonn, Salzburg/Leipzig (seit 1941: Heidelberg; seit 1950: Heidelberg/Graz) 1933ff.
DS	H. Denzinger – A. Schönmetzer, Enchiridion Symbolorum, Definitionum et Declarationum de rebus fidei et morum, Barcelona/Freiburg/Rom/New York ³⁴1967.
HThG	Handbuch theologischer Grundbegriffe, hrsg. H. Fries, 2 Bde. München 1962/63.
KD	K. Barth, Die Kirchliche Dogmatik, Bd. I/1-IV/4, München/Zollikon/Zürich 1932ff.
LThK²	Lexikon für Theologie und Kirche. Zweite völlig neu bearbeitete Auflage, hrsg. J. Höfer u. K. Rahner, 10 Bde. u. 1 RegBd., Freiburg 1957-67.
ProtTh	K. Barth, Die protestantische Theologie im 19. Jahrhundert. Ihre Vorgeschichte und ihre Geschichte, Zollikon-Zürich 1947; ²1952.

RGG³	Die Religion in Geschichte und Gegenwart. Dritte, völlig neu bearbeitete Auflage, hrsg. K. Galling, 6 Bde. u. 1 RegBd., Tübingen 1957-65.
Röm¹	K. Barth, Der Römerbrief, Bern 1919.
Röm²	K. Barth, Der Römerbrief, München ²1922, 11. unveränderter Abdruck der neuen Bearbeitung von 1922, Zürich 1976.
S. th.	Thomas von Aquin, Summa theologiae.

EINFÜHRUNG

K. Barth beschreitet in seiner Darstellung der Heilsmysterien des Leidens und Sterbens Jesu Christi einen Weg, den die traditionelle katholische Theologie bislang gemieden hat. Er versteht die Ereignisse des Karfreitags als Vollzug eines Gerichts: Gott selbst liefert seinen eigenen Sohn seinem Zorngericht aus. Was hier geschieht, läßt sich umschreiben mit den Worten: „Ein Zorn ist entbrannt, ein Urteil wird gesprochen, eine Strafe wird vollzogen, eine Verwerfung findet statt."[1] Gerade so bereitet Gott der Sünde ihr Ende und stellt die durch den Fall des Menschen bedrohte Gemeinschaft mit seinem Geschöpf wieder her.

Auch die traditionelle katholische Erlösungslehre erkennt im Kreuzesleiden Jesu Christi einen pönalen Aspekt an,[2] richtet jedoch ihr Hauptaugenmerk auf die innere Disposition des Erlösers.[3] Sie sieht das Entscheidende nicht im Strafcharakter des Kreuzesleidens,[4] sondern im moralischen Wert des Todesgehorsams Jesu Christi, letztlich in seiner Erlöserliebe.[5]

1 KD II/2, 131.

2 J. Rivière, Le dogme de la Rédemption. Étude théologique, Paris ²1914, 229: „En effet, les deux notions qui sont à la base du système, savoir la justice divine et la substitution du Christ au pécheur, sont pour un chrétien des verités incontestables, et tout autant le caractère douloureux de la Rédemption telle que Dieu a voulu la réaliser. Dès lors, il n'est pas douteux que l'expiation pénale ne doive entrer dans une théologie de la Rédemption, comme elle appartient à la foi catholique sur ce mystère." Vgl. auch a.a.O., 251f. 254. 284f. 288. 304. 314. 374.

3 A.a.O., 313: „Où donc faut-il chercher ... le sens de la Passion et la raison formelle de sa valeur rédemptrice? Pas ailleurs que dans les dispositions intimes de l'âme du Sauveur et la dignité infinie de sa personne."

4 A.a.O., 261« „Tout autre, à des rares exceptions près, est la direction de la théologie catholique. Chez ses meilleurs représentants, anciens et modernes, l'idée d'expiation joue un rôle tout à fait accessoire; elle est retenue comme un élément de fait, mais elle n'est point érigée en théorie explicative de la Rédemption. Aussi, tandis que les théologiens qui la prennent pour base exclusive n'aboutissent qu'à des systèmes insuffisants, quand ce n'est pas à des exagérations funestes, la doctrine des Pères de l'Église et des grands scolastiques fournit à qui sait la comprendre une explication autrement large et satisfaisante du mystère." Vgl. auch a.a.O., 230, 295. Vgl. ferner B. Catao, Salut et Rédemption chez S. Thomas d'Aquin. L'acte sauveur du Christ, Paris 1965, 89: „Passion et Croix, cet acte humain historique ne doit pas être réduit au seul support de la peine. Il doit être pris dans sa totalité, comme un acte d'amour du Fils de Dieu incarné."

5 Rivière, a.a.O., 277f.: „De toutes les façons, si nous voulons suivre le grand courant de la tradition catholique, ce que nous devons retenir dans la Passion du Christ, c'est moins la matérialité de ses souffrances que la réalité de ses sentiments. Lors donc que le théologien s'attache à définir, en dernière analyse, le pourquoi de son efficacité salutaire, ce n'est pas dans son caractère pénal qu'il doit le chercher, mais dans sa valeur morale comme sacrifice." Vgl. a.a.O., 291: „En un mot, c'est dans l'ordre moral qu'il faut chercher le sens dernier de la mort de Jésus non moins que de sa vie." Vgl. ferner a.a.O., 189. 262f. 267. 270. 290. 292f. 295. 305. 307. 313. 315. 376. Auch Catao, a.a.O., 12, sieht im Anschluß an Thomas von Aquin den entscheidenden Aspekt des Heilswerks Christi in dessen moralischem Wert: „Partout donc et toujours c'est á la valeur morale de l'acte humain du Christ qu'il faut remonter, pour se rendre compte du sens salutaire de son œuvre." Vgl. auch a.a.O., 45-94: „Chapitre II – La valeur morale de l'action du Christ."

Neuerdings liegen jedoch auch auf katholischer Seite Versuche vor, den Gerichtsgedanken für die Erlösungslehre fruchtbar zu machen. So fügt M. Schmaus in seiner Dogmatik der Darstellung der Erlösungswirklichkeit ein Kapitel ein, in dem er den „Tod Christi als gnädiges Gericht Gottes"[6] beschreibt. Darin führt er aus: „Was die Sicht des Todes Christi von Gott her betrifft, so ließ der Vater, der die Welt von der Sünde befreien wollte, dem Fluche der Sünde an seinem menschgewordenen Sohne freien Lauf. Der Sohn Gottes hat es, als er Mensch wurde, auf sich genommen, den Fluch der Sünde zu tragen, bis zum Opfertod am Kreuze. So hat der Vater im Kreuzestod seines Sohnes über die Sünde Gericht gehalten. Es war ein furchtbares Strafgericht."[7]

Für Schmaus enthüllt sich der Sinn dieses Strafgerichts freilich ganz von der Liebe Gottes her: „So unheimlich das Gericht war, in welchem der heilige Gott Christus in den Tod hineinsandte, so war es doch ein Gericht der Liebe. Dies zeigt sich in zweifacher Weise: Einmal hat Gott den Schrecken und die Qual des Todes niemandem anderen zugemutet als seinem geliebten Sohne. Zweitens hat er auf Grund des Todes dem menschgewordenen Logos die Verklärung und Erhöhung seiner eigenen menschlichen Natur und allen übrigen Menschen die Befreiung von der Sünde und unsterbliches Leben geschenkt."[8]

H. Küng bietet in seiner Darstellung der Rechtfertigungslehre K. Barths einen längeren Auszug aus dem zitierten Kapitel bei Schmaus und stützt darauf sein Urteil, daß die Soteriologie (objektive Erlösungslehre) Barths „aufs Ganze gesehen mit der katholischen Lehre übereinstimmt".[9]

Ganz aus der Perspektive des Gerichts entwirft auch H. U. von Balthasar seine im Rahmen der Beschreibung des Mysterium Paschale vorgetragene Schau des Karfreitags.[10] Für ihn hellt sich die Tiefendimension des heilbringenden Todes Jesu erst auf, wenn man ganz ernst nimmt, daß es hier um das „Tragen der Weltsünde"[11] geht. Schon die hypostatische Union müsse verstanden werden „als Bedingung der Möglichkeit eines realen In-sich-Tragens der Gesamtschuld".[12] Von Balthasar will bewußt die in der Tradi-

---

6 M. Schmaus, Katholische Dogmatik, Bd. II/2, München [6]1963, 372-375 (372!); vgl. ders., Der Glaube der Kirche. Handbuch der katholischen Dogmatik, Bd. 1, München 1969, 496f.; ders., Der Glaube der Kirche, Bd. IV/1, St. Ottilien [2]1980, 250-252.

7 Ders., Katholische Dogmatik, Bd. II/2, 372.

8 A.a.O., 373.

9 H. Küng, Rechtfertigung. Die Lehre Karl Barths und eine katholische Besinnung. Mit einem Geleitbrief von Karl Barth: Horizonte, Bd. 2, Einsiedeln 1957, 224.

10 H. U. von Balthasar, Mysterium Paschale. In: Mysterium Salutis. Grundriß heilsgeschichtlicher Dogmatik, hrsg. J. Feiner u. M. Löhrer, Bd. III/2, Einsiedeln/Zürich/Köln 1969, 185-226.

11 A.a.O., 198.   12 A.a.O., 194.

tion vorherrschende distanzierte Zurückhaltung überwinden.[13] Entsprechend verschärft sich bei ihm die Sicht der Abgründigkeit und Furchtbarkeit des Todes Jesu. Das Kreuz ist nicht so „zu verharmlosen, als habe der Gekreuzigte in ungestörter Gottverbundenheit Psalmen gebetet und sei im Gottesfrieden verstorben".[14] Vielmehr gilt, wenn Jesus Christus die Gesamtschuld aller Menschen aufgeladen ist, daß das Kreuz „vor allem Vollzug des göttlichen Gerichts über die im Sohn zusammengefaßte, an den Tag gebrachte und durchlittene ‚Sünde'"[15] ist.

Die Hauptaufgabe der vorliegenden Arbeit besteht in einer Darlegung der unter dem Aspekt des Gerichts entfalteten Versöhnungslehre K. Barths. Vorbereitet wird diese Darlegung durch eine Einordnung des Barthschen Entwurfs in den Zusammenhang der evangelischen Tradition. Sie wird ergänzt in einer Stellungnahme vom katholischen Standpunkt aus. Wir versuchen dabei, die schwebende Frage zu klären, wie sich Barths Gerichtstheologie zur katholischen Position verhält. Dazu greifen wir insbesondere zurück auf die Position des Thomas von Aquin. In diesem Zusammenhang soll auch Barths Versuch, den Gerichtsgedanken auf die Ebene der Vorstellung des Opfers zu transponieren, näher beleuchtet werden. Ferner soll Barths Stellung zu den traditionellen Deutungen des Werkes Christi als Genugtuung und Verdienst geprüft werden.

13 A.a.O., 212f., Anm. 1; 223f., Anm. 1.
14 A.a.O., 210.
15 A.a.O., 208. In ähnlicher Weise wie von Balthasar hatte sich schon R. Guardini in einer Betrachtung zu Gethsemane geäußert. Vgl. R. Guardini, Der Herr. Betrachtungen über die Person und das Leben Jesu Christi, Würzburg 1937, 520f.: „Wer will wissen, wie Gott, der Vater, ihm damals entgegentrat? Immer war Er sein Vater, und immer ging vom Vater zum Sohne die unendliche Liebe, welche der Geist ist; dennoch ist einmal der Augenblick gekommen, den das Wort ausdrückt: ‚Gott, mein Gott, warum hast du mich verlassen?' (Mt. 27,46) Wenn wir vor diesem Wort nicht lieber schweigen wollen, dann werden wir sagen müssen, der Vater habe sich Jesus so zu erfahren gegeben, als wäre er der von Gott wegverlorene und verworfene Mensch ... Das war die Stunde von Gethsemane: Daß Jesu Menschenherz und -geist in die letzte Erfahrung dessen eintrat, was die Sünde vor dem richtenden und rächenden Antlitz Gottes bedeutet. Daß sein Vater von ihm forderte, er solle diese Sünde als die seine aufnehmen. Und daß er, wenn man so sagen darf, den Zorn des Vaters wider die Sünde gegen sich, der sie auf sich genommen, gerichtet sah und die Abwendung des ihn verlassenden heiligen Gottes erfuhr." – Auch wenn es sich hier nicht um einen wissenschaftlichen Beitrag zur Erlösungslehre handelt, sondern um eine meditative Entfaltung der Todeserfahrung Jesu, so haben wir doch einen weiteren Beleg dafür vor uns, daß sich auf katholischer Seite eine im Vergleich zur Tradition größere Aufgeschlossenheit gegenüber dem Gerichtsgedanken bemerkbar macht.

TEIL I

DER THEOLOGIEGESCHICHTLICHE HINTERGRUND
DES BARTHSCHEN GERICHTSGEDANKENS

I. ANLIEGEN UND PROBLEMATIK
DER FRAGESTELLUNG

1. Anknüpfungspunkte in der theologischen Tradition

Die Frage, die sich uns zunächst stellt und der wir uns im Rahmen des ersten Teils unserer Untersuchung widmen wollen, zielt auf die theologiegeschichtlichen Voraussetzungen der Barthschen Konzeption der Versöhnungslehre.

K. Barth hat, wie im zweiten Teil dieser Arbeit ausführlich darzulegen sein wird, die Versöhnung in Jesus Christus, d. h. die Bedeutung von Jesu Leiden und Sterben, den Sinn des Kreuzes also, streng vom Gedanken des Gerichts her zu denken versucht: Im Kreuz vollzieht sich Gottes Gericht.

Wenn wir nun nach den theologiegeschichtlichen Voraussetzungen der Versöhnungslehre Barths bzw. seiner besonderen Sicht der im Kreuz gewirkten Versöhnung fragen, versuchen wir herauszufinden, ob bzw. von welcher Seite Barth Anregungen bezogen haben kann oder tatsächlich bezogen hat für diese Darstellung der Versöhnungswirklichkeit. Wir wollen prüfen, ob Barth, wenn er vom Kreuz als Gericht spricht, aus einer bestimmten Tradition der reformatorischen Theologie schöpft bzw. an sie anknüpft und ob sich gewisse Querverbindungen Barths zu solchen theologischen Denkern aufzeigen lassen, die die Versöhnung im gleichen Sinn verstanden und ausgelegt haben.

Man könnte die Frage folgendermaßen formulieren: Steht Barth in der Kontinuität einer bestimmten Tradition reformatorischer Theologie, wenn er die Versöhnung in Jesus Christus als Gericht auslegt, und lassen sich bestimmte Traditionslinien sichtbar machen, die Barth mit solchen Theologen verbinden, die in der Versöhnungslehre dem gleichen gerichtstheologischen Ansatz verpflichtet sind, dem auch er folgt?

Unsere in diese Richtung zielende Frage, ausschließlich darum bemüht, Barths Soteriologie theologiegeschichtlich einzuordnen, eine mögliche Herkunft seines Denkens gerade in diesem Bereich zu ergründen, hebt sich damit ab von dem Versuch, den philosophischen Hintergrund des Denkens K. Barths zu erhellen, einem Anliegen, dem sich etwa H. U. von Balthasar im Rahmen seiner Barth-Studie zuwendet.[1] Unser Interesse gilt nicht der Ermittlung des philosophischen Hintergrunds der Theologie Barths, wir versuchen lediglich zu klären, ob und wo (bei welchen Autoren) Barth in Berührung gekommen ist mit einer Soteriologie, die im Gedanken des Gerichts bzw. des Zorns Gottes den theologischen Ansatz zur Deutung des Kreuzes gesucht hat.

Unser Bemühen, den theologiegeschichtlichen Horizont des soteriologischen Entwurfs K. Barths zu beleuchten, grenzt sich nach der anderen Seite hin ab von einer soziologischen Fragestellung, die danach trachtet – wie etwa die Studie F. W. Marquardts[2] –, das soziale Umfeld des seelsorglichen und theologischen Wirkens Barths aufzuhellen und die Gestalt seines theologischen Denkens von der Reaktion auf ein gesellschaftliches Spannungsfeld her verständlich zu machen bzw. auf die Wirkung einer bestimmten sozialen Problemstellung zurückzuführen.

Unsere Frage ist damit abgegrenzt: Sie zielt auf möglicherweise vorliegende theologiegeschichtliche Anknüpfungspunkte der Versöhnungslehre Barths bzw. des sie beherrschenden Gerichtsgedankens. Ein philosophiegeschichtliches und soziologisches Frageinteresse ist damit ausgeklammert.

2. Die Schwierigkeit der Quellenfrage

Die in der dargelegten Weise präzisierte Frage involviert nun eine Reihe von Schwierigkeiten, die sich insbesondere aus zwei Tatbeständen ergeben:

a) Im frühen Stadium seines theologischen Denkens,[3] der unmittelbar vordialektischen und dialektischen Phase, also etwa der Phase des ersten und

---

1 H. U. von Balthasar, Karl Barth. Darstellung und Deutung seiner Theologie, Einsiedeln [4]1976, 79-93, 210-259. Zur Kritik an dem Ergebnis, das von Balthasar hier vorlegt, vgl. A. Quadt, Gott und Mensch. Zur Theologie Karl Barths in ökumenischer Sicht: Abhandlungen zur Philosophie, Psychologie, Soziologie der Religion und Ökumenik, H. 34 der Neuen Folge, München/Paderborn/Wien 1976, 190-192. Zum Problem des philosophischen Hintergrunds der Theologie Barths äußert sich auch W. Härle, Die Theologie des „frühen" Karl Barth in ihrem Verhältnis zur Theologie Martin Luthers, Diss. Bochum 1969, 29 (hier weitere Literatur!).

2 F. W. Marquardt, Theologie und Sozialismus. Das Beispiel Karl Barths: Gesellschaft und Theologie, Abt.: Systematische Beiträge, Nr. 7, München/Mainz 1972.

3 Vgl. zum folgenden: H. Bouillard, Karl Barth, Bd. I: Études publiées sous la direction de la faculté de théologie S. J. de Lyon-Fourvière, Bd. 38, Paris 1957, 17-118; Th. F. Torrance, Karl Barth. An Introduction to his Early Theology, 1910-1931, London 1962, 33-132; von Balthasar, a.a.O., 71-93. Die genannten Autoren unterrichten gründlich und umfassend über die frühe Theologie Barths.

zweiten Römerbriefs,[4] ist Barth zu sehr in die grundsätzliche Auseinandersetzung mit der ihm überkommenen Gestalt liberaler Theologie vertieft bzw. um eine Distanzierung von der mit diesem Stichwort signalisierten Ebene theologischen Denkens bemüht, als daß er einer so speziellen Frage wie der nach dem objektiven Werk der Versöhnung seine Aufmerksamkeit hätte zuwenden können. Es geht Barth zunächst um die Rückgewinnung des eigentlichen Objekts der Theologie, das aus dem Auge verloren zu haben, er dem im Bannkreis Schleiermachers stehenden Neuprotestantismus vorwirft.[5]

Barths theologischer Eifer konzentriert sich zunächst auf eine Durchbrechung der engen Grenzen einer Theologie des frommen Selbstbewußtseins, auf eine Überwindung des lediglich um das fromme Subjekt kreisenden Denkens, eines Psychologismus, dem Gott als eigentlicher, der Theologie aufgegebener Gegenstand abhanden gekommen ist. In gleicher Weise wendet er sich gegen den Historismus. Gegenüber einem Gott von vornherein vereinnahmenden und in die engen Grenzen der Subjektivität oder auch der Geschichte einzwängenden Theologisieren ruft Barth nach der radikalen Andersheit, Überlegenheit und Transzendenz Gottes.[6] Barth geht es also

4 Bezüglich der Einteilung in vordialektische und dialektische Phase sowie deren Datierung folgen wir J. Berger, Die Verwurzelung des theologischen Denkens Karl Barths in dem Kerygma der beiden Blumhardts vom Reiche Gottes, Masch. Diss. Berlin 1955, 151-331 sowie Bouillard, a.a.O., 79-118; von Balthasar, a.a.O., 71-79 behandelt Röm[1] und Röm[2] unter der Überschrift „Die Periode der Dialektik" − a.a.O., 71.

5 Zur Auseinandersetzung mit Schleiermacher und der ihm folgenden evangelischen Theologie vgl. etwa Röm[2], 207: „...*Darum* ist die Heilsbotschaft von Christus die Beunruhigung, die Erschütterung, der alles in Frage stellende Angriff schlechthin. *Darum* gibt es nichts Sinnloseres als den Versuch, eine Religion aus ihr zu machen, d. h. eine menschliche Möglichkeit oder Notwendigkeit, neben der es andere gibt. Dieser Versuch, bewußter als je zuvor unternommen von der protestantischen Theologie seit Schleiermacher, ist der Verrat an Christus." Torrance, a.a.O., 57 faßt den Vorwurf Barths gegenüber Schleiermacher und der ihm nachfolgenden Theologie folgendermaßen zusammen: „...In other words, what Schleiermacher and his contemporaries and followers were concerned with was not the living God, holy and transcendent above and beyond man who condescends to him in his compassion, not an Infinite above man and really coming to him, but an Infinite within the finite, an Eternal immanent within the human spirit, who cannot be disentangled from the religious selfconsciousness for it is one with it and native to it, and indeed cannot be disentangled even from man's consciousness of the world." Vgl. auch a.a.O., 73. Bouillard, a.a.O., 75 bringt das Thema der frühen mit Hilfe der dialektischen Methode konzipierten Theologie Barths auf folgende Formel: „Dieu est Dieu; Dieu est libre; c'est Dieu qui établit la relation concrète de l'homme avec lui; et dans cette relation même, l'homme reste toujours poussière et cendre, toujours les mains vides."

6 Vgl. Bouillard, a.a.O., 22: „Ce n'est pas une nouvelle forme d'expérience religieuse ou de piété que le Christ est venu introduire, mais par sa résurrection, un monde nouveau, la révélation du Dieu tout autre. Barth s'oppose ainsi à la théologie du protestantisme moderne (du piétisme et surtout du libéralisme), du moins à l'un de ses aspects, celui qu'il appelle, à l'occasion, psychologisme, d'après lequel Dieu serait donné directement dans l'expérience religieuse. D'autres textes nous montreront bientôt qu'il rejette aussi vigoureusement un autre aspect, qu'il nomme historicisme (Historismus), selon lequel Dieu serait donné immédiatement dans l'histoire. De part et d'autre, pense-t-il, la frontière qui sépare Dieu de l'homme tend à s'effacer; Dieu est humanisé, il cesse d'être Dieu. Contre la théologie libérale, il élève ce mot qui sera le leitmotiv de toute sa pensée: ‚Dieu est Dieu‘."

hier um eine radikale Infragestellung der hergebrachten Weise theologischen Denkens. Im Zeichen dieses Kampfes und dieser Frontstellung sind der Römerbrief und die etwa gleichzeitigen Vorträge entstanden. Diesem Anliegen sind sie verpflichtet. Im Vordergrund des Interesses steht das Ringen um eine grundsätzliche Neubestimmung des Verhältnisses Gott – Mensch.[7] Das soteriologische Problem (d. h. die spezielle Frage nach der Deutung des Kreuzes bzw. des Erlöserleidens Jesu Christi) tritt dabei kaum ins Blickfeld, es wird höchstens hier und da gestreift.[8] Daraus ergibt sich nun im Bezug auf unser Anliegen folgende Schwierigkeit: Da Barth in seinem Frühwerk an der streng soteriologischen Fragestellung, d. h. an der Klärung und Darstellung der objektiven Bedeutung des Leidens und Sterbens Jesu Christi noch nicht interessiert ist, läßt sich von hier aus auch nicht – etwa anhand von Zitaten, Quellenangaben, Rückverweisen oder Anspielungen auf bestimmte Autoren – zurückfragen nach konkreten Bezügen zu theologischen Vorbildern für seine später erarbeitete Versöhnungslehre. Da in den frühen Schriften das

7 Nach Bouillard, a.a.O., 20f. ist dies das eigentliche und einzige Objekt des Röm². Vgl. a.a.O., 21: „Pas d'autre objet que la relation divine en laquelle nous sommes engagés."
8 Die Thematik des in Jesus Christus vollzogenen Gerichts über die sündige Menschheit klingt in Röm¹ nur in knappen Formulierungen an. Vgl. etwa Röm¹, 64. 121. 153. 163. 219. 225. Deutlichere Anklänge finden sich schon in Röm², 72, 80. Barth geht es, wenn er an den angegebenen Stellen mehr oder minder deutlich vom Gerichtstod Jesu Christi spricht, darum, vom Tod Christi her aufzuzeigen, daß der Mensch von sich aus keinen Zugang zu Gott hat, keine eigene Möglichkeit für Gott besitzt, sondern von seinem Schöpfer her in die radikale Krisis gestellt ist. Vgl. auch BTh I, 451, wo Barth (in einem Brief vom 6. Dezember 1920) einräumt, „daß unsere Anschauung vom Kreuz irgendwie noch eine beträchtliche Lücke haben muß in der Richtung auf die satisfactio vicaria. ,Das Wort vom Kreuz' (1. Kor. 1,18) muß über die Darbietung des absoluten Paradoxes, über die Aufrichtung der allgemeinen Notwendigkeit des Sterbens, über die Grenzbereinigung von Gott und Mensch, Ewigkeit und Zeit noch hinausgehen in einem Sinn, der bei uns bis jetzt noch nicht recht zu Worte kommt." In den frühen Vorträgen Barths spielt die soteriologische Fragestellung überhaupt keine Rolle. Vgl. dazu K. Barth, Das Wort Gottes und die Theologie. Gesammelte Vorträge, Bd. 1, München 1924, sowie: Ders., Die Theologie und die Kirche, Gesammelte Vorträge, Bd. 2, München 1928. In Barths berühmt gewordenem Tambacher Vortrag „Der Christ in der Gesellschaft" klingt zwar die Denkform schon an, die auch später in seiner Versöhnungslehre wieder zu finden ist. Barth spricht hier schon von Gericht und Gnade, allerdings im Sinne von einem letzten, vom Menschen nicht einholbaren radikalen Infragestellung und gleichzeitigen Bejahung von Welt, Gesellschaft und Mensch von Gott her. Das bedeutet, die hier sich ankündigende Denkform, die bereits an Begriffen wie Gericht und Gnade orientiert ist, die sich später als zentrale Termini der Versöhnungslehre erweisen werden, birgt noch keinen soteriologischen Gehalt im strengen Sinne. Die christologisch-soteriologische Fragestellung ist hier noch nicht ins Blickfeld getreten. – Vgl. K. Barth, Der Christ in der Gesellschaft. In: Ders., Das Wort Gottes und die Theologie, 33-69. Zu einem ähnlichen Ergebnis führt eine Analyse von K. Barth, Das Problem der Ethik in der Gegenwart. In: Ders., Das Wort Gottes und die Theologie, 125-155. Das hier Festgestellte trifft in gleicher Weise zu für die in Zusammenarbeit mit E. Thurneysen herausgegebenen frühen Predigten Barths. Vgl. dazu K. Barth/E. Thurneysen, Suchet Gott, so werdet ihr leben!, Bern 1917, München ²1928; ferner K. Barth/E. Thurneysen, Komm Schöpfer Geist!, München 1924, Zollikon-Zürich ⁴1932. In dem zuletzt genannten Predigtwerk ist der Gerichtsgedanke einmal kurz angedeutet: Vgl. K. Barth/E. Thurneysen, Komm Schöpfer Geist, 188: „In ihm (scil. Christus) hat Gott unsere Gottlosigkeit gerichtet, aber im Gerichte auch gesühnt und ausgelöscht."

Problem einer Darstellung der Versöhnungslehre noch nicht auftaucht, führt hier auch die Suche nach Quellen oder theologischen Leitbildern für seine später entwickelte Versöhnungslehre zu keinem greifbaren Ergebnis. Das Frühwerk (die beiden Ausgaben des Römerbriefes, die gleichzeitigen Vorträge und die Predigten aus dieser Epoche) enthält nach unserer Kenntnis keinen Hinweis auf die theologiegeschichtliche Herkunft des Gerichtsmotivs als soteriologisches Deutemuster – aus dem einfachen Grund, weil hier das Thema der Versöhnungslehre noch nicht zur Diskussion steht.

b) Vor nicht geringere Schwierigkeiten stellt uns das Spätwerk. Barths Hauptwerk, die Kirchliche Dogmatik, läßt eine solche innere Geschlossenheit, Konsistenz und Eigenständigkeit erkennen, daß auch von der hier ausgearbeiteten Versöhnungslehre kaum Rückbezüge auf zugrundeliegende Quellen oder Vorlagen sichtbar werden. Auch da, wo Barth ausdrücklich eine Quelle zitiert, wo er einen Abschnitt aus Luthers Galaterkommentar von 1531 (1535) einfließen läßt,[9] ist nicht mit letzter Präzision auszumachen, in welchem Umfang, in welcher Intensität, in welcher Verbindung mit anderen Autoren Luthers Schau der Versöhnung auf den Kern der Versöhnungslehre Barths gestaltend eingewirkt hat. Mit Sicherheit läßt sich eine Verwandtschaft beider Theologien in diesem Teilbereich des theologischen Spektrums aufweisen.[10] Aber eine Quellenscheidung etwa in der von der exegetischen Wissenschaft angewandten Form im Sinne von traditionsgeschichtlich und redaktionsgeschichtlich zu erhebenden Traditionssträngen, Vorlagen und verarbeiteten Materialien, läßt sich im Hinblick auf Barths Versöhnungslehre bzw. bezüglich unserer Fragestellung nicht durchführen.

Angesichts der dargelegten Schwierigkeiten bietet sich für uns folgender Weg an: Wir befragen und überprüfen einige für den theologischen Werdegang Barths nach dessen eigenem Zeugnis maßgebliche und einflußreiche Autoren auf ihre soteriologische Konzeption hin. Die Frage, die uns dabei leitet, ist die, ob und inwieweit Barth bei solchen Autoren, von denen er nachweislich inspiriert worden ist, bereits auf die Deutung des Kreuzes als Ort des göttlichen Zorngerichts gestoßen ist.

Ein solches Verfahren fördert nun – wie sich zeigen wird – interessante und aufschlußreiche Ergebnisse zutage, kann aber nicht den Anspruch erheben, die Quellenfrage im strengen Sinn zu lösen. Was möglich ist und was geleistet werden kann, ist eine Ausleuchtung der Einflußsphäre, aus der Barth für sein theologisches Denken insgesamt nachweislich entscheidende Anstöße erfahren hat. Unter diesem Vorbehalt und mit dieser Einschrän-

9 Vgl. KD IV/1, 261f.   10 S. u. Teil I, II, 4b.

kung ist also ein Herantasten an Barths Vorbilder, ein Eingehen auf die sich im Bezug auf unser Thema stellende historische Frage möglich.

Es empfiehlt sich aus den dargelegten Gründen, zur Vermeidung von Mißverständnissen und im Interesse der Verwendung einer präzisen Begrifflichkeit auf den Gebrauch des Terminus „Quelle" in unserem Zusammenhang zu verzichten und statt dessen vom Abstecken eines theologiegeschichtlichen Umfeldes, von der Aufhellung eines Hintergrunds zu sprechen, unter dessen Einfluß Barths Versöhnungslehre Gestalt gewinnen konnte. Wir vermeiden es daher auch, von einer direkten Abhängigkeit Barths von diesem oder jenem Autor zu sprechen. Wir versuchen vielmehr, in der angestrebten Horizonterhellung zu ergründen, ob und inwieweit der Gerichtsgedanke in Barths Versöhnungslehre auf den Gesamtkontext einer bestimmten Tradition zurückverweist und sich in sie einfügen läßt.

II. DER GERICHTSGEDANKE
BEI DEN IN FRAGE STEHENDEN AUTOREN

Wir werden im folgenden die Erlösungslehre solcher Autoren vorstellen, deren Theologie für Barth in dieser oder jener Weise bedeutsam geworden ist. Unser Blick konzentriert sich zunächst auf die soteriologische Konzeption bei W. Herrmann und Chr. Blumhardt, die Barth persönlich bekannt gewesen sind. Sodann untersuchen wir den soteriologischen Grundansatz bei einigen älteren Theologen, mit deren Werk Barth sich eingehend befaßt hat. Hier sind die drei württembergischen Theologen J. T. Beck, F. Chr. Oetinger und J. A. Bengel sowie der niederländische Reformierte H. F. Kohlbrügge zu nennen. Wie wir noch darlegen werden, weiß Barth sich den genannten Autoren in je besonderer Weise verpflichtet. Schließlich gilt den Lehrbüchern der protestantischen Orthodoxie von H. Heppe und H. Schmid unser besonderes Interesse, auf die Barth sich zur Ausarbeitung seiner ersten Dogmatik-Vorlesung (1924/25 in Göttingen) gestützt hat. Den Schlußpunkt unserer theologiegeschichtlichen Untersuchung bildet die Soteriologie in Luthers großem Galaterkommentar von 1531 (1535), an die Barth in der in seiner Kirchlichen Dogmatik ausgearbeiteten Versöhnungslehre an entscheidender Stelle unmittelbar anknüpft.

Damit ist zugleich das Einteilungsschema der folgenden Darlegungen gegeben.

1. Mit Barth persönlich bekannte Theologen

a) W. Herrmann

aa) Barth als Schüler W. Herrmanns

Nach Überwindung des anfänglich hartnäckigen väterlichen Widerstands zog K. Barth im April 1908 nach Marburg[1] und begegnete hier in W. Herrmann dem Mann, von dem er später sagte: „Herrmann war *der* theologische Lehrer meiner Studentenzeit".[2] Ja, Barth glaubt im Rückblick feststellen zu können, er sei von dem Augenblick an, da er Herrmann hörte und dessen Theologie in sich aufnahm, „mit selbständiger Aufmerksamkeit dabeigewesen".[3] Barth hörte im Sommersemester 1908 bei Herrmann Dogmatik I (Prolegomena zum Begriff Religion) und Ethik.[4] Aus dem Kollegheft eines Kommilitonen (W. Häberli) schrieb er am 5./6. Juni 1908 die von Herrmann im Wintersemester 1907/08 gehaltene Vorlesung Dogmatik II ab.[5] Diese noch erhaltene Kollegnachschrift ist für unsere Untersuchung von besonderem Wert, da sie Aufschluß darüber gibt, was Barth als Herrmannsche Erlösungslehre und in welcher Form er diese kennenlernte.

Der Prüfung und Sichtung der Erlösungslehre W. Herrmanns sollen zuvor jedoch noch einige in sein Dogmatik-Verständnis einführende und seinen theologischen Standpunkt erläuternde Überlegungen vorangeschickt werden.

---

1 E. Busch, Karl Barths Lebenslauf. Nach seinen Briefen und autobiographischen Texten, München ²1976, 56; K. Kupisch, Karl Barth in Selbstzeugnissen und Bilddokumenten, Stuttgart 1977, 23; H. Bouillard, Karl Barth, Bd. I, 80.

2 K. Barth, Die dogmatische Prinzipienlehre bei Wilhelm Herrmann. Vortrag, gehalten im Wissenschaftlichen Predigerverein in *Hannover* und an der Tagung des freien Protestantismus für Anhalt, Braunschweig und Provinz Sachsen in *Halberstadt* am 13. und 17. Mai 1925. In: Ders., Die Theologie und die Kirche, 240.

3 Ebd.

4 Busch, a.a.O., 56.

5 K. Barth, Kollegnachschrift der von W. Herrmann im Wintersemester 1907/08 gehaltenen Vorlesung Dogmatik II. Eine handschriftliche Kopie der Mitschrift von W. Häberli, Marburg 1908. Das Titelblatt trägt die Aufschrift:

„Marburg seis Panier!
Diktate
von
Prof. D. W. Herrmann
(Nach W. Häberli, cd. th. W.S. 1907/08)
Karl Barth, cd. th. 5.-6. Juni 1908."

bb) Anmerkungen zum Dogmatik-Verständnis W. Herrmanns[6]

Obgleich – wie Barth zeigt[7] – bei W. Herrmann bemerkenswerte, wenn auch nicht zu Ende gedachte Ansätze vorliegen, „die Schale des psychologischen Pragmatismus"[8] zu sprengen, so ist bei diesem Denker doch eine grundsätzliche Vorordnung des individuellen, subjektiven Erlebnisses, der persönlichen Erfahrung als Wirkung des sich offenbarenden Gottes bzw. des inneren Lebens Jesu auf den gläubigen Christen, vor die objektive Realität des göttlichen Handelns als solche nicht zu übersehen.[9] Herrmann stellt die kritische „Frage nach dem eigenen Selbst des Menschen"[10] als Weg zur Religion vor die Würdigung der göttlichen Selbstoffenbarung und setzt in seiner Behandlung der Glaubenswahrheit den Akzent auf das subjektive Moment des Erlebens.[11] A. Jagnow sagt: „His emphasis was always on individual, personal experience. And his theology was built accordingly."[12] Daraus ergibt sich auch Herrmanns Polemik gegen einen Glaubensbegriff, der die Zustimmung zu überlieferten Lehrsätzen der persönlichen inneren Erfahrung überordnet.[13] Der evangelische Christ muß nach Herrmann „merken, daß er nur den Gedanken aufrichtig zustimmt, die er als den Ausdruck seiner eigenen persönlichen Überzeugung verstehen kann".[14]

In der Herrmannschen Dogmatik figurieren die Glaubenssätze bzw. die jeweils in bestimmter historischer Ausprägung anzutreffenden Glaubensgedanken nicht als verbindliche, für alle Glieder der Kirche verpflichtende Norm.[15] Eine Kirche, die ihren Angehörigen eine solche Glaubensforderung vorhält, muß sich von ihm den Vorwurf unrechtmäßiger Praxis gefallen lassen.[16] Denn „Christen können niemals völlig einig sein in den Gedanken ihres Glaubens".[17] Herrmann begründet diese scharfe Abwehr des normativen Charakters christlicher Dogmatik folgendermaßen: „Die religiösen Gedanken entstehen bei jedem aus den besonderen Erlebnissen, die gerade ihm die wichtigsten sind und die eigentümliche Art seines inneren Lebens

---

6 Vgl. zum folgenden außer dem in Anm. 2 zitierten Aufsatz K. Barths: W. Herrmann, Christlich-protestantische Dogmatik. In: Die Kultur der Gegenwart. Ihre Entwicklung und ihre Ziele, hrsg. P. Hinneberg, Teil 1, Abt. IV/2, Berlin/Leipzig ²1909, 129-180; A. Jagnow, Karl Barth and Wilhelm Herrmann: Pupil and Teacher: JR 16 (1936) 300-316; Bouillard, a.a.O., 81f.; G. Koch, Herrmann, Johann Wilhelm: RGG³ 3, 275-277.

7 K. Barth, Die dogmatische Prinzipienlehre bei Wilhelm Herrmann, 260-284.

8 A.a.O., 273.

9 A.a.O., 260-284, bes. 273.

10 A.a.O., 266.

11 A.a.O., 273.

12 Jagnow, a.a.O., 313.

13 W. Herrmann, Christlich-protestantische Dogmatik, 162ff.

14 A.a.O., 163.

15 A.a.O., 163ff. 167. 171f.

16 A.a.O., 165. 169.

17 A.a.O., 165.

ausmachen. Wenn er sich also durch eine Dogmatik normative Gedanken aufhalsen läßt, so wird er gerade dem entfremdet, woraus er allein die ihn leitenden Gedanken gewinnen darf, der Quelle seines religiösen Lebens, die immer in ihm allein gegebenen Erlebnissen rauscht."[18]

Von hier aus versteht sich Herrmanns Einschätzung der Dogmatik II (also der Entfaltung der − keine Normativität beanspruchenden − Glaubensgedanken) als eines bloßen Appendix' des ersten Teils, in dem die eigentliche Arbeit geleistet wird, eine wissenschaftstheoretische Standortbestimmung der Religion als eines Phänomens des inneren individuellen Lebens.[19] Von hier aus wird ebenfalls Herrmanns reserviert mißtrauische Haltung gegenüber der protestantischen Orthodoxie verständlich, der er vorhält, sie fördere das bzw. erliege dem Mißverständnis, durch Aneignung einer Lehre gelange das gläubige Subjekt zu personaler Verbundenheit mit dem sich offenbarenden Gott.[20]

So mag es erstaunen, in Herrmanns Dogmatik im Rahmen seiner Lehre über „Die Erlösung durch Jesus Christus"[21] unter § 44 „Die orthodox-protestantische Lehre von dem Erlösungswerk Christi"[22] − wenn auch mit kritischen Einschränkungen und Einreden − vorgetragen zu finden, und unter § 47 „Die orthodox-protestantische Lehre von dem Erwerb der Vergebung Gottes durch das Versöhnungswerk Christi (priesterliches Amt)".[23] In der Formulierung der Überschriften meldet sich zwar schon eine vorsichtige Distanz an, die dennoch den Vortrag der hier anvisierten Glaubensgegenstände von ihrem Verständnis in der protestantischen Orthodoxie her nicht hindert.

Immerhin können die hier vorausgeschickten Bemerkungen erhellen, unter welchem Vorbehalt hier gesprochen wird, und insofern einen Orientierungsrahmen liefern zur rechten Einordnung und zum rechten Verständnis der an den angegebenen Stellen referierten Lehre.

cc) Skizzierung der Erlösungslehre W. Herrmanns[24]

In der von M. Rade posthum publizierten Herrmannschen Dogmatik wird die Lehre von der Erlösung eingeleitet mit einem gerafften, kritisch vorgetra-

18 A.a.O., 163.
19 K. Barth, Die dogmatische Prinzipienlehre bei Wilhelm Herrmann, 242.
20 W. Herrmann, Christlich-protestantische Dogmatik, 133-137. 175; ders., Dogmatik. Mit einer Gedächtnisrede auf Wilhelm Herrmann von Martin Rade, Gotha 1925, 74. 78f.
21 W. Herrmann, Dogmatik, 71-90.
22 A.a.O., 73f.
23 A.a.O., 77-79.
24 Wir beziehen uns im folgenden sowohl auf die in Anm. 5 angegebene Kollegnachschrift K. Barths als auch auf die in Anm. 20 zitierte posthum erschienene Dogmatik W. Herrmanns.

genen historischen Rückblick unter der Überschrift „Der Gedanke der Erlösung in den christlichen Kirchen".[25] Hier bereits arbeitet Herrmann den für ihn wichtigen Gedanken heraus, „daß der Anfang der Erlösung in der Neugestaltung unseres Verhältnisses zu Gott liege, die durch den Erlöser bewirkt werde".[26] Dieser historische Vorspann erscheint in der Dogmatik-Vorlesung 1907/08 noch nicht. Hier tritt Herrmann in seine Darstellung der Erlösungslehre ein mit einer Besinnung auf das dreifache Amt Jesu Christi („§ 42 Das dreifache Amt"[27]). In diesem Paragraphen, der weitgehend übereinstimmt mit dem § 44 („Die orthodox-protestantische Lehre von dem Erlösungswerk Christi"[28]) der Endfassung, setzt sich der Autor auseinander mit der Versöhnungslehre der Orthodoxie, der er seinen Einwand entgegenhält, die Annahme und persönliche Applikation einer Lehre verschaffe noch keine Heils- bzw. Erlösungsgewißheit für den Gläubigen.[29] Herrmann bekräftigt: Wahre Befreiung und innere Umwandlung kann dem Menschen „nur widerfahren durch Tatsachen, vor die er sich selbst gestellt sieht, sofern diese Tatsachen so gewaltig sind, daß sie seinem Leben einen neuen Inhalt geben können".[30]

Wie dies zu verstehen ist, wird im folgenden Paragraphen ausgeführt.[31] Der Grundgedanke bleibt sowohl in der Fassung von 1907/08 wie auch in der endgültigen Ausarbeitung identisch: Die Bedeutung Jesu Christi in seinem erlösenden Handeln besteht darin, daß dem Gläubigen durch die auf ihn wirkende Macht Jesu Gottes Heilsabsicht aufgeht. 1907/08 drückt Herrmann dies nach Ausweis der Barthschen Kollegnachschrift folgendermaßen aus: „Dann dürfen wir also die erlösende Macht Jesu in nichts anderem sehen als darin, daß er uns durch die Kraft seiner Person zur Offenbarung Gottes wird"[32]. Diese Macht befreit von der Herrschaft der Sünde.[33]

Hier allerdings entsteht ein Problem: Die Erlösung kann nur den erreichen, der sich der Macht Jesu bedingungslos unterwirft. Gerade davor aber scheut der Mensch in seinem Schuld- und Sündenbewußtsein zurück, da er in der in Jesus sich offenbarenden Nähe Gottes auch das Gericht fürchtet.[34]

25 W. Herrmann, Dogmatik, 71-73.
26 A.a.O., 73.
27 K. Barth, Kollegnachschrift, 71-76.
28 W. Herrmann, Dogmatik, 73f.
29 K. Barth, Kollegnachschrift, 72f. 75f.; W. Herrmann, Dogmatik, 74.
30 W. Herrmann, Dogmatik, 74.
31 K. Barth, Kollegnachschrift, 77f.: „§ 43 Die Macht Jesu als des Erlösers"; W. Herrmann, Dogmatik, 74f.: „§ 45 Die Erlösermacht der Person Jesu".
32 K. Barth, Kollegnachschrift, 77.
33 Ebd.; W. Herrmann, Dogmatik 75.
34 W. Herrmann, Dogmatik, 75.

Die Frage, die sich hier für Herrmann stellt, lautet: Wie kann der Mensch dennoch vermittels der Macht Jesu mit Gott verbunden und so der Erlösung teilhaftig werden? Dieser Schwierigkeit stellt er sich im nächsten Abschnitt.[35] Herrmann sucht eine Antwort auf folgendem Weg: Zunächst wird noch einmal klargestellt, daß der Mensch nicht in der Lage ist, sich selbst zu erlösen.[36] Sobald aber dem Christen in der Offenbarung Gottes dessen Liebe erfahrbar wird, sieht er sich gleichzeitig in seiner sündigen Verlorenheit vor Gottes Gericht gestellt und so dem Verderben ausgeliefert.[37] In dieser Ausweglosigkeit wird ihm jedoch durch Jesu Verhalten die Gewißheit zuteil, Gott könne ihn nicht verlassen und aufgegeben haben. In Jesu Zuneigung zu den Sündern, d. h. zu denen, die ihre Situation der Verlorenheit vor Gott erkennen, und in seiner Todeshingabe geht dem Glaubenden Gottes Erbarmen auf.[38] D. h., Jesu freundliche Zuwendung zu den Sündern und seine im Tod sich bezeugende Treue zum Menschen erweisen sich als das die Zuversicht der Erlösten bewirkende Moment. „Daraus entnehmen diese Menschen die Tatsache, Gott selbst wolle ihnen sagen, daß ihre Schuld sie nicht von ihm scheiden soll. Indem sie aber dessen in solcher Weise innewerden, empfangen sie durch Christus die Vergebung Gottes."[39]

Erst jetzt wendet Herrmann sich in einem neuen Anlauf dem Problem zu, das für unsere Themenstellung von besonderer Bedeutung ist, nämlich der Deutung des Todes Jesu.[40] Hier allerdings weichen die beiden Fassungen, wenn auch nicht in der Grundintention, so doch in der Ausführung voneinander ab. Herrmann diskutiert hier die orthodoxe Lehre vom munus sacerdotale, umreißt sie in ihren Grundzügen und schließt erwartungsgemäß eine von seinem besonderen Bemühen der Sicherstellung einer personalen, untrüglichen Heilsgewißheit geleitete Kritik an. Im Interesse höchstmöglicher Präzision soll sich die folgende ausführliche Darstellung dieses Gegenstands in strikter Nähe zum Text der Herrmannschen Vorlesung von 1907/08 und, wenn notwendig, unter Rückverweis auf den exakten Wortlaut bewegen. Damit soll nun erschlossen werden, was Barth in seiner 1908

---

35 K. Barth, Kollegnachschrift, 79-83: „§ 44 Die Vergebung, die Jesus als der Vertreter Gottes den Seinen spendet"; W. Herrmann, Dogmatik, 75-77: „§ 46 Die Erlösung von der Sünde, die Jesus seinen ersten Jüngern spendete".
36 K. Barth, Kollegnachschrift, 79.
37 A.a.O., 79f.
38 A.a.O., 80.
39 A.a.O., 81.
40 K. Barth, Kollegnachschrift, 83-91: „§ 45 Christus als der Vertreter der Erlösten vor Gott"; W. Herrmann, Dogmatik, 77-79: „§ 47 Die orthodox-protestantische Lehre von dem Erwerb der Vergebung Gottes durch das Versöhnungswerk Christi (priesterliches Amt)".

angefertigten Kollegnachschrift als Herrmannsche Lehre zum besonderen Problem der Versöhnungslehre, nämlich zur Deutung des Todes Jesu, kennengelernt hat.

dd) „Christus als der Vertreter der Erlösten vor Gott"[41] nach der Vorlesung vom WS 1907/08

Herrmann findet im Neuen Testament eine zweifache Deutung des Todes Jesu. Die erste orientiert sich an der alttestamentlichen Vorstellung des Opfers und verwendet die in deren Bezugssystem ausgebildete Begrifflichkeit (Bundesopfer; Opfer des großen Versöhnungstags).[42] Als zweite neutestamentliche Deutekategorie nennt Herrmann die Idee des stellvertretenden Strafleidens. „2. wird aber in dem Tode Jesu nicht bloß ein Opfer im Sinne des alten Bundes gesehen, sondern ein *Leisten*, das an die *Stelle der Strafe* tritt, die uns hätte treffen sollen. Das wird angeknüpft an die Vorstellung von dem Knechte Gottes Jes 53. Die Spuren davon liegen vor in den Stellen 2 Kor 5,21; Röm 4,25; 1 Petr 2,21-25; Hebr 9,28; Joh 1,29.31; 1 Joh 3,5."[43] Beide bereits im Neuen Testament erkennbaren soteriologischen Ansatzpunkte rückt Herrmann gleichsam ins rechte Licht durch Anfügung zweier für ihn wesentlicher Feststellungen: Zunächst sei die Bedeutsamkeit der Person Jesu und seines Todes nur gegeben (nicht nur erkennbar!) für die der Gemeinde des Neuen Bundes angehörigen Glieder.[44] Sodann legt er Wert auf die Hervorhebung der Wirksamkeit Gottes als Subjekt des Erlösungsvorgangs und weist damit die Vorstellung ab, Jesus habe durch sein Werk erst in Gott eine Umstimmung herbeiführen müssen.[45]

Des weiteren legt Herrmann den Opfergedanken aus im Sinne der Vermittlung absoluter Sicherheit unserer Zugehörigkeit zu Gott. Unsere infolge menschlicher Glaubensschwäche sich immer wieder verdunkelnde Erlösungsgewißheit werde im Blick auf die im Opfer Jesu sich offenbarende Gemeinschaft Jesu mit dem Vater jedem Zweifel enthoben.[46] Hierauf unterstreicht er nochmals das Interpretament des stellvertretenden Strafleidens. „Daran schließt sich die Heilsbedeutung der Person Jesu, die die Apostel aussprechen, indem sie ihn mit dem Knechte Jahwes vergleichen, der *die Strafe des Volkes trägt.*"[47] Für Herrmann erschließt sich der Sinngehalt dieses Deutungsversuchs folgendermaßen: Der Glaube erfährt in Christus gleichzeitig die Vergebung Gottes, aber auch die absolute sündige

---

41 K. Barth, Kollegnachschrift, 83.
42 A.a.O., 84f.
43 A.a.O., 85.
44 A.a.O., 85f.

45 A.a.O., 86.
46 A.a.O., 87-89.
47 A.a.O., 89.

Verworfenheit des Menschen. Herrmann spricht hier von einem unauflösbaren Widerspruch im Denken des Glaubens.[48] Einerseits ist dem Glauben in Christus die Sicherheit der Vergebung in der Zugehörigkeit zu Gott vermittelt. Andererseits gilt: „. . . *derselbe Glaube kann Gott nur da finden, wo er auch die Gerechtigkeit Gottes erkennt, die auf die Tendenz der Sünde mit vergeltender Strafe antwortet.*"[49] Daraus also, aus dem Anspruch der göttlichen Gerechtigkeit, ergibt sich für Herrmann die Notwendigkeit der Strafe. So gehört auch die Furcht vor der Strafe zum christlichen Leben. „. . . aber in dieser Not behält Christus die Macht über die Seinen und läßt sie fühlen, daß sie um deswillen, was er gelitten hat, von Strafe frei sein sollen. *Er bewirkt also, daß die Seinen sein Leben*[50] *an die Stelle der Strafe treten sehen, die sie selbst hätte treffen sollen.*"[51] Zu diesen beiden Sätzen ist zweierlei zu bemerken: Einerseits kommt in ihnen Herrmanns Vorstellung zur Geltung, die die Erlösung primär als einen Vorgang im gläubigen Subjekt auffaßt; andererseits ist jedoch (innerhalb dieses Vorstellungsrahmens) klar der Gedanke ausgesprochen, daß Jesus Christus in seinem Kreuzesleiden die den Sündern zukommende Strafe getragen hat. Das gleiche gilt für die unmittelbar nachgetragene einschränkende Bemerkung: „Aber nur der Mensch, der durch Christus bereits die Vergebung Gottes empfangen hat, kann die Wahrheit des Gedankens erleben, daß Christus in seinem Leiden unsere Strafe getragen hat."[52] Mit der Feststellung der Verkennung dieses für ihn wichtigen Tatbestandes durch die orthodoxe Lehre vom munus sacerdotale[53] schließt dann dieser Paragraph.

Aus der Sichtung des Gehalts dieses hier zuletzt dargestellten Paragraphen der Herrmannschen Erlösungslehre geht klar hervor: W. Herrmann hat in seiner Erlösungslehre, und zwar schon in ihrer in der Vorlesung vom Wintersemester 1907/08 entwickelten Gestalt, den Gedanken der Strafe, des stellvertretenden Strafleidens als wesentliches Interpretament der Heilsbedeutung des Todes Jesu ausgesprochen und verwandt. Diese Interpretation ist zwar seinem Konzept des Dogmatik-Verständnisses (bzw. Erlösungsverständnisses) eingefügt und angepaßt, d. h., sein Akzent ruht nicht primär auf der in dieser Deutekategorie ausgesprochenen Realität als solcher, sondern auf ihrer Wirksamkeit, auf ihrer Ausprägung und Vergegenwärtigung im gläubigen Subjekt. Gleichwohl gilt auch bei dieser Einschränkung, daß W.

48 A.a.O., 90.
49 Ebd.
50 In der Kollegnachschrift Barths steht über „Leben" das Wort „Leiden".
51 K. Barth, Kollegnachschrift, 91.
52 Ebd.
53 Ebd.

Herrmann die Kategorie der von Jesus im Tod erlittenen *Strafe* in seiner Erlösungslehre herangezogen hat. Damit ist der Nachweis erbracht, daß K. Barth bereits aus der Nachschrift des von seinem Kommilitonen W. Häberli verfaßten Manuskripts des Herrmann-Kollegs Dogmatik II aus dem Wintersemester 1907/08, damit also durch die Vermittlung von W. Herrmann den Gedanken des im Tod von Jesus an Stelle der sündigen Menschheit übernommenen Strafleidens kennengelernt hat. In diesem Zusammenhang ist vielleicht erwähnenswert, daß die den Gedanken der Strafe enthaltenden Stellen im Manuskript Barths fast ausnahmslos unterstrichen sind. Auch wenn nicht mehr zu ermitteln sein dürfte, ob diese optische Hervorhebung und damit die besondere Gewichtung dieser Stellen auf die Anleitung Herrmanns zurückgeht, bloß dem Vorbild der Erst-Niederschrift im Kollegheft des Kommilitonen entspricht oder auf Barths eigenem Ermessen und Gutdünken beruht, erscheint diese Beobachtung doch durchaus bemerkenswert und aufschlußreich.

b) Chr. Blumhardt

aa) Barths Beziehung zu Chr. Blumhardt

In der Barth-Forschung herrscht Einhelligkeit darüber, daß von seiten der beiden Blumhardts, insbesondere des jüngeren, Christoph Blumhardt, ein nicht zu unterschätzender, ja entscheidender Einfluß auf das theologische Denken Barths ausgegangen ist.[1] Schon die häufigen Verweise auf das Blumhardtsche Kerygma in Schrifttum und Korrespondenz K. Barths[2] sowie die mehrfache Würdigung[3] des bedeutenden, wenn auch von der akademischen Theologie kaum beachteten Neuansatzes in der theologischen Konzeption der beiden Blumhardts bezeugen eine intensive Auseinandersetzung Barths mit dem Gedankengut von Blumhardt Vater und Sohn. Mit dem jüngeren Blumhardt ist Barth nicht nur auf der literarischen Ebene bekannt geworden. Er hatte schon während seiner Studentenzeit mehrfach Bad Boll,

1 E. Busch, Karl Barths Lebenslauf, 96-109; K. Kupisch, Karl Barth in Selbstzeugnissen und Bilddokumenten, 37ff.; H. Bouillard, Karl Barth, Bd. I, 87. 93. 99. 121; Th. F. Torrance, Karl Barth, 17. 36. 43.
2 Röm¹, 248. 272. 314; Röm², 234. 259. 296. 380; BTh I, passim; BTh II, passim.
3 K. Barth, Auf das Reich Gottes warten (= Rezension von Hausandachten Chr. Blumhardts). In: K. Barth-E. Thurneysen, Suchet Gott, so werdet ihr leben!, München ²1928, 175-191; ders., Vergangenheit und Zukunft. Friedrich Naumann und Christoph Blumhardt. In: Anfänge der dialektischen Theologie, Teil 1: Karl Barth, Heinrich Barth, Emil Brunner, hrsg. J. Moltmann: ThB, Bd. 17, München ²1966, 37-49; ProtTh, 588-597.

die Wirkungsstätte Chr. Blumhardts, besucht.[4] Im April 1915 kam es zu ausgiebigen Gesprächen[5] mit Blumhardt, als Barth auf der Rückreise von Marburg, wo sein Bruder Peter Hochzeit gefeiert hatte, in Bad Boll einkehrte.[6] K. Kupisch berichtet, daß Barth sich seit 1915 mit einem „stürmischen Eifer"[7] Blumhardt zuwandte: „Er liest nicht nur die bis dahin erschienenen Predigt- und Andachtsbände, er blickt auch zurück zu Vater Blumhardt, der ihm durch das Buch von Friedrich Zündel (1827-91) nahegebracht wird."[8] Man kann sagen, Barth lernt nun „Gott neu verstehen als den radikalen Erneuerer der Welt und zugleich als den ihr gegenüber schlechthin Neuen".[9]

Beachtenswert ist, daß die Entdeckung Blumhardts in eine Zeit fiel, da Barth sich von der bis dahin verfolgten Linie der liberalen Theologie abkehrte und eine neue Orientierung suchte.[10] Blumhardt ist ihm in dieser Situation wegweisend geworden.[11]

J. Berger hat in einer umsichtigen und sorgfältigen Studie[12] versucht, das Verhältnis der Theologie Barths zum Kerygma der beiden Blumhardts genauer zu bestimmen. Er stellt die frühe Theologie Barths der Predigt des älteren und jüngeren Blumhardt gegenüber. Der Vergleich der theologischen Entwürfe, der auch die auf beiden Seiten zu beobachtenden Entwicklungs- phasen berücksichtigt, führt ihn zu folgendem Ergebnis: Beide Seiten zeigen eine weitgehende Übereinstimmung und Verwandtschaft in Inhalt und Form ihres theologischen Denkens. Auf der Basis dieses Befundes stellt Berger eine Abhängigkeit[13] Barths vom Denken der beiden Blumhardts fest, präzisiert diese Aussage jedoch wenig später durch die Formel von der „Verwurze- lung"[14] des theologischen Denkens K. Barths im Kerygma der beiden

---

4 Busch, a.a.O., 96; Kupisch, a.a.O., 23.
5 Busch, a.a.O., 97.
6 Ebd.; Kupisch, a.a.O., 37.
7 Kupisch, a.a.O., 38.
8 Ebd.
9 Busch, a.a.O., 97; zu Blumhardts Theozentrik und seinem radikalen Ernstnehmen der Gottheit Gottes vgl. E. Jäckh, Christoph Blumhardt. Ein Zeuge des Reiches Gottes, Stuttgart 1950, 143. 327.
10 Torrance, a.a.O., 34ff.
11 Vgl. a.a.O., 36: „A powerful influence upon Barth at this stage was the eschatological teaching of Blumhardt which helped to open up for Barth a fresh understanding of the Kingdom of God as the breaking into the world of God's unutterable compassion in a victorious grace which was both the judgment of the world and the great supernatural, saving event of the Gospel." Vgl. ferner Bouillard, a.a.O., 87.
12 J. Berger, Die Verwurzelung des theologischen Denkens Karl Barths in dem Kerygma der beiden Blumhardts.
13 A.a.O., 374. 380.
14 A.a.O., 382.

Blumhardts. Damit will er einerseits über die Behauptung einer bloßen Parallelität hinausweisen, andererseits jedoch die These einer *direkten* Abhängigkeit vermeiden.[15]

Barth selbst bestätigt den weitgehenden Einfluß von Blumhardt Vater und Sohn auf seine Theologie, wenn er am Ende seiner theologischen Laufbahn in der Vorlesung über die Ethik als Frage nach dem Gebot Gottes, des Versöhners (im Zusammenhang einer Auslegung der zweiten Vater-unser-Bitte) feststellt: „So neu die hier gebotene Auffassung vom Reiche Gottes und seinem Kommen berühren mag, auf völlige Originalität kann und will sie doch durchaus keinen Anspruch machen. Von dieser Sache wäre hier nicht so geredet oder zu reden versucht worden, wie es nun geschehen ist, ohne das, was weit abseits von aller akademischen Theologie ihrer Zeit von den beiden Württembergern (:von) *Joh. Christoph Blumhardt* (1805-1880) und nach ihm von seinem Sohn *Christoph Blumhardt* (1842-1919) von Möttlingen, dann von Bad Boll aus in Predigten, Andachten und anderen ‚erbaulichen‘ Äußerungen als die eben mit dem Wort und Begriff ‚Reich Gottes‘ bezeichnete Wirklichkeit weniger gelehrt als – aber in theologisch nun doch sehr relevanter Weise – bezeugt und verkündet worden ist".[16]

Es darf also als gesichert gelten, daß Barth von dieser Seite aus eine beträchtliche Anregung für seine Theologie empfangen hat. Von daher liegt eine Sichtung der soteriologischen Darlegungen und Inhalte im Predigtwerk Chr. Blumhardts nahe. Dem wollen wir uns nun zuwenden, indem wir einen Blick auf die von R. Lejeune in vier Perioden eingeteilten Predigten und Andachten werfen.[17]

bb) Die Übernahme des Gerichts durch Jesus Christus als soteriologisches Grundthema im Kerygma Chr. Blumhardts

Es leidet keinen Zweifel, daß im Mittelpunkt der Blumhardtschen Predigt nicht das Bemühen um eine soteriologische Explikation des Todes Jesu steht, sondern die Vertiefung und Aktualisierung der mit dem Begriff des Reiches Gottes verknüpften eschatologischen Hoffnung. Gleichwohl dürfen wir davon ausgehen, daß beide Gedanken eng miteinander verbunden sind. Dies wird bereits in der ersten Periode des Wirkens Chr. Blumhardts deutlich.

---

15 Ebd.
16 K. Barth, Das christliche Leben. Die Kirchliche Dogmatik IV/4, Fragmente aus dem Nachlaß. Vorlesungen 1959-1961, hrsg. H. A. Drewes u. E. Jüngel: Karl Barth – Gesamtausgabe, Abt. II, Zürich 1976, 443.
17 Vgl. zum folgenden: Chr. Blumhardt, Eine Auswahl aus seinen Predigten, Andachten und Schriften, hrsg. R. Lejeune, Bd. 1-4, Erlenbach-Zürich/Leipzig 1925-1937.

a') Die erste Periode (1880-1888)

Blumhardt spricht hier ganz klar aus, „daß die Zukunft Jesu Christi die Hauptsache ist am Christentum".[18] Daraus ergibt sich für ihn eine strenge Relativierung alles Diesseitig-Irdischen: „So stehe ich da, und wenn niemand mittut; ich habe einen so schrecklichen Abscheu gegen dieses bloß Irdische, Zeitliche, Natürliche, – das ist das Allererbärmlichste. Ja, Gott erbarme sich unser"![19] Was Blumhardt für die Zukunft erhofft, den Einbruch des Reiches Gottes, erweist sich nun gänzlich als Tat der Liebe Gottes, einer Liebe, die bereits im Kreuz Jesu Christi offenbar geworden ist. Blumhardt kann die Verwirklichung des universalen Heils für die Zukunft erhoffen, weil sich der alle Menschen umfassende Heilswille Gottes bereits im Tod Jesu, in der Hingabe des Sohns durch den Vater, als auf die endgültige Erlösung hinzielende und die eschatologische Vollendung garantierende Macht manifestiert hat. Die Liebe Gottes erweist sich als das in beiden Ereignissen, sowohl im Tod Jesu Christi als auch in der noch ausstehenden endgültigen Verwirklichung des Heils, wirksame Moment. So fundiert Blumhardt seine Eschatologie eindeutig soteriologisch. Dieser Zusammenhang kommt deutlich zum Vorschein in dem an eine Auslegung des Psalms 14 angeschlossenen Gebetsruf: „. . . und du, Vater im Himmel, der du Jesum Christum gegeben hast, daß er uns helfe, – der du deinen geliebten Sohn ins Blut des Kreuzestodes gestellt hast und in den Jammer des schrecklichsten Gerichts, – du, Vater im Himmel, kannst es nicht ausbleiben lassen, – dein Tag muß kommen, als ein Tag des Gekreuzigten, ein Tag des Auferstandenen, ein Tag des nun verklärten Heilandes zu deiner Rechten"![20]

Hier klingt nun auch schon die Blumhardtsche Deutung des Todes Jesu an: In seinem Leiden und Sterben übernimmt Jesus Christus das durch die Sünde des Menschen hervorgerufene und verschuldete Gericht Gottes und tritt damit an die Stelle des Sünders. Damit sind nun beide Faktoren angesprochen, die Gott zu seinem Eingreifen veranlassen, zur Sendung seines Sohnes und seiner Auslieferung ins Gericht: Gottes Liebe auf der einen und die Sünde des Menschen auf der anderen Seite.

Was es mit der Sünde auf sich hat, ihr den Menschen beherrschender und verderbender Charakter, kommt erst mit dem Erscheinen Jesu Christi ans Licht. Im Licht Jesu Christi wird der Mensch bloßgestellt als Sünder, als im Ungehorsam mit Gott streitender Rebell. „Mit dem Heiland ist zunächst

18 Chr. Blumhardt, Eine Auswahl aus seinen Predigten, Andachten und Schriften, hrsg. R. Lejeune, Bd. 1: Jesus ist Sieger! Predigten und Andachten aus den Jahren 1880-1888, Erlenbach-Zürich/Leipzig 1937, 383f.

19 A.a.O., 397.

20 A.a.O., 50.

eine Zeit der Entwicklung gegeben, in welcher herauskommt, was im Menschen schlummert, in welcher namentlich offenbar wird ‚der Mensch der Sünde‘. Das ist nämlich der Kern des Bösen im Menschen; das liegt im Menschen als höchste Spitze der Sünde, und zwar im gesamten Menschengeschlecht. Jeder von euch ist ein solcher ‚Widersacher‘“.[21] Später, an anderer Stelle definiert Blumhardt präziser das Wesen der Sünde: „Da sehen wir hinein in die große Verwirrung, welche entstanden ist durch das Eintreten der Sünde in die Menschheit, welche nicht nur darin besteht, daß der Mensch Gott nicht versteht und in Verwirrung steckt, sondern wesentlich darin, daß der Mensch Gott nicht gehorchen will und eine menschliche Selbständigkeit außer Gott sich bewahren will.“[22]

Da seine Liebe nun aber den Menschen ans Ziel führen will, kann Gott sich nicht abfinden mit der Sünde bzw. mit dem Menschen als Sünder. Gott ist herausgefordert zum Handeln, wenn er an seinem Ziel, der gnadenhaften Vollendung des Menschen festhalten und zu dessen Realisierung die Beseitigung des im Weg stehenden Hindernisses erreichen will. Zu diesem Handeln kommt Gott in dem im Tod Jesu sich manifestierenden Gericht. Blumhardt bringt dies auf die folgende Formel: „Erstens: Gott macht die ganze Welt in Jesu selig. Zweitens: Gott richtet die ganze Welt in Jesus. Oder erstens: In Jesu ist von der ganzen Welt das Gericht weggenommen. Und zweitens: In Jesu kommt das Gericht über die ganze Welt. – Jetzt verstehe das einer! – aus der Liebe Gottes heraus versteht man es!“[23]

Daß in diesen Überlegungen der Gesichtspunkt der Gerechtigkeit Gottes nicht außer acht gelassen ist, macht Blumhardt im folgenden Gedanken deutlich: „In Jesu richtet nun doch Gott die ganze Welt. Er ist ein gerechter Gott, er will nicht ein Gott sein, der die Sünde zudeckt, sondern wenn er die Welt selig machen will, so muß auch die Sünde der Welt herauskommen; und das geschieht ganz einfach dadurch, daß Jesus das Licht in der Welt ist und namentlich Licht bezüglich dessen, was die Menschen sind.“[24]

Ging es in diesen Äußerungen vorwiegend um die Begründung (letztlich der Notwendigkeit und der göttlichen Sinnhaftigkeit) des Gerichts, so bleibt Blumhardt auch keine Erklärung schuldig hinsichtlich der Bedeutung und des Inhalts des Jesus Christus aufgeladenen Gerichts, hinsichtlich der Frage also, was hier eigentlich geschieht. Indem Jesus Christus das Gericht auf sich nimmt, erweist er – so Blumhardt – 1. seine Solidarität mit der von der Sünde geknechteten Menschheit, erringt er 2. den Sieg der Sache Gottes über die Mächte des Todes und des Verderbens und stellt er 3. die zerbrochene Gemeinschaft zwischen Gott und Mensch wieder her.

21 A.a.O., 67.   23 A.a.O., 132.
22 A.a.O., 97.   24 A.a.O., 137.

Dazu noch einmal Blumhardt selbst: Der Sohn Gottes begibt sich so sehr in die Kenosis, er steigt so sehr hinab in die Tiefe der Verlorenheit, „selbst bis in den Tod hinunter",[25] daß er von sich sagen kann: „„Und ich bin nicht besser gestellt als ihr; ich bin gerade so arm und schwach, als ein Sünder und Übeltäter gerechnet, wie ihr, und *doch* ist der Vater im Himmel mit mir'"![26] Und in einer Ansprache über die „Liebe Gottes" führt er aus: Jesus Christus „sitzt zu den Zöllnern hin, wie zu seinesgleichen; er nimmt sich der Gerichteten an, derer, die unter dem Joch Satans stehen um ihrer Sünden willen, und nimmt dieses Joch weg und legt es sich dafür auf".[27]

Die Heilswirksamkeit des im Tod Jesu vollzogenen Gerichts wird mit folgenden Worten beschrieben: „Es ist nicht auszusprechen, welch eine Macht das gerechte Blut hat über die eigentlichen Sünder, und wieviel das Blut Jesu Christi und alles Blut der Zeugen Jesu Christi zuletzt ausrichtet als einen Sieg im Gericht, einen Sieg bis in die Hölle hinunter, und so muß zuletzt das Blut Jesu Christi es sein, das alles ausrichtet auf Erden, das die Erlösung der Menschen bewirkt, ganz von sich aus, weil es Barmherzigkeit schreit und weil es die Sünder zuletzt dahin bringt, daß sie sich beugen unter dieser Freundlichkeit und Liebe Gottes, ihre Sünde erkennen und froh sind, wenn der vorher von ihnen Getötete sich ihrer annimmt."[28]

Der im Gericht erfochtene Sieg Jesu überwindet nun den durch die Sünde entstandenen Bruch zwischen Gott und Mensch, heilt damit die Wunde des Menschen und führt ihn zu neuer Gemeinschaft mit Gott. Damit ist das Ziel des im Tod Jesu gehaltenen Gerichts anvisiert: „Gott war im Tode. Gott war im Fleisch; Gott war im Tode, – bis hinunter in die Hölle ist Gott in Christus gegangen. Versteht ihr es jetzt, warum der Heiland hat sterben müssen? Ganz einfach, weil er die *ganze* Menschheit – auch die Toten, die schon gestorbene und sterbende Menschheit – in göttliche Gemeinschaft setzen will; mit ihm schwingt sich etwas Göttliches in alle Gräber hinunter".[29]

b') Die zweite Periode (1888-1896)

Bereits das die zweite Periode beherrschende Leitmotiv „Sterbet, so wird Jesus leben!" signalisiert eine schärfere Profilierung und Konturierung der gesamten Verkündigung und so auch des Gedankens vom Gericht. In der Tat ist in diesem Zeitraum das im Gerichtsmotiv beschriebene Heilswerk Christi am häufigsten thematisiert, am breitesten entfaltet und am tiefgründigsten

25 A.a.O., 122. 28 A.a.O., 102.
26 Ebd. 29 A.a.O., 405.
27 A.a.O., 133.

ausgeprägt.[30] Besonderes Gewicht legt Blumhardt nun auf die Darstellung der sündigen Verlorenheit und des Elends des Menschen, das im Kontrast zur Person Jesu erst in seinem ganzen Ausmaß und seiner verheerenden Gestalt sichtbar wird. „Denn wenn jetzt doch Jesus, der Heiland, auf welchen im stillen Tausende gehofft haben, wiederum im Gerichte stirbt und Gottes Hand sich auf den legt zum Tode, so sieht es ja aus, als ob alles verloren wäre. Und es ist ja auch wahr, der Tod Jesu Christi soll zuerst verkündigen: Es ist alles verloren, es ist nichts zu machen."[31] Im Tod Jesu erschließt sich also für Blumhardt die Tragweite der menschlichen Not: „Seht, es ist alles verloren, es kann nicht mehr geholfen werden."[32] In seiner Ansprache zu Mt 9,1-8 gibt Blumhardt geradezu als eine mit dem Kommen Jesu beabsichtigte Wirkung an, *„daß jeder in seinem Elend sich erkenne".[33]* Die einzig mögliche aus dieser Situation sich ergebende Konsequenz sieht Blumhardt in der Notwendigkeit der Vernichtung des sündigen Wesens des Menschen. „Zerschlagen muß werden das ganze Gehäuse des Menschenwirkens, welches nur Tod um Tod hervorbringt; und wenn noch so viel Geheul entsteht in der Welt, zerschlagen muß es werden um Gottes willen, um Christi willen, was Fleisch heißt, denn gerechtfertigt soll werden der Gottwirkliche, nicht nur im Geist, sondern auch vor allem Fleisch, welches in seiner Erscheinung zugrund gehen muß, weil es Gott, weil es die Schöpfung, weil es alles Geschaffene gelästert hat!"[34]

Die durch die Sünde des Menschen eingetretene Situation stellt sich als so verwerflich, ja unheilbar dar, daß Gott gleichsam als einzige Antwort nur noch die Vernichtung, die Tötung der so von der Sünde entstellten und korrumpierten menschlichen Wirklichkeit übrigbleibt. Genau hier tritt Jesus Christus für uns ein, indem er die den Menschen treffende Strafe, das Gericht Gottes auf sich nimmt. An kaum einer anderen Stelle verdichtet sich der soteriologische Grundansatz des Blumhardtschen Denkens so klar wie in der Predigt vom 3. März 1889, aus der deshalb ein längerer Auszug wiedergegeben werden soll: „Der Heiland nimmt das Kreuz auf sich, das ihm der Vater im Himmel auflegt. Es ist das eigentlich nicht sein Kreuz gewesen, denn er bedurfte keines Kreuzes; er war das gehorsame Kind des Vaters im Himmel und hat keinen Ungehorsam sich zuschulden kommen lassen, und kein Frevel ward an ihm erfunden, daß er hätte müssen wie ein Verbrecher

---

30 Vgl. hierzu auch J. Berger, a.a.O., 131f.
31 Chr. Blumhardt, Auswahl aus seinen Predigten, Andachten und Schriften, hrsg. R. Lejeune, Bd. 2: Predigten und Andachten aus den Jahren 1888-1896, Erlenbach-Zürich/ Leipzig 1925, 29.
32 Ebd.
33 A.a.O., 65.   34 A.a.O., 399.

gekreuzigt werden. Aber das, was der Welt auflag, das Urteil des Todes um der Sünde willen, das wollte er zu dem seinigen machen, damit er in den Schulden und in den Strafen Gottes sich als den unserigen erwiese . . . Er, der Sohn Gottes, läßt sich herab, daß er gerade im Übelsten sich uns eigen machte und es auf sich nahm. Er hat nicht unser Gutes gesucht, wie wir alle in unserem irdischen Leben das möglichst Gute des menschlichen Wesens und Lebens uns wünschen, sondern er hat das Schlimmste gesucht, um das Schlimmste auszuleben und für uns zu tragen, damit wir an ihm erkenneten, wie töricht es ist, wenn verschuldete Leute immer nur nach dem leben, was sie noch übrig haben vom Kapital, da sie dann nicht merken, wie sie dadurch noch mehr sich verderben und vollends ganz in den Ruin stürzen."[35]

Hier ist das Verständnis des Heilstodes Christi klar und bündig formuliert. Die in diesem Zeitabschnitt anzutreffenden zahlreichen weiteren Stellen zur Ausdeutung des Todes Jesu bewegen sich alle auf dieser Linie. Sie fügen keine wesentlich neuen Aspekte hinzu, sondern vertiefen und bestätigen diese Sicht. Bemerkenswert sind einzelne Akzentsetzungen: So betont Blumhardt die freudige Bereitschaft, in der Jesus Christus den Tod und damit das Gericht Gottes auf sich nimmt.[36] Für Gott bedeutet es eine Ehre, die Sündenlast der Menschen zu tragen.[37] Auffallend ist auch, daß nach Blumhardt *Gott* im Blut Jesu Christi gerechtfertigt wird.[38]

Nicht zuletzt sei hingewiesen auf den Nachdruck, mit dem Blumhardt einer einseitigen Interpretation des Begriffs des stellvertretenden Strafleidens Jesu entgegentritt: „Das muß man sich nun aber nicht so denken, wie wenn das bloß juridisch vor sich ginge – oder eigentlich unjuridisch, unrecht – wie wenn Gott etwa sagte: ‚Irgendeine Strafe muß sein, es ist einerlei, wer sie trägt, aber einer muß in die Hölle, Blut muß ich sehen!' Diese Stellvertretung macht sich *historisch* wahr. Der Knecht Jehovas wird nicht vom lieben Gott gehängt, weil *andere* Sünder sind; nicht so kommt die Strafe auf ihn, daß Gott selber ihn zum Prügelknaben machen würde, sondern es begibt sich historisch, daß unsere Sünden oder unsere Sitten den Knecht Jehovas zerdrücken, ihn, den Vertreter der Wahrheit und der Gerechtigkeit, und so kommt's, daß unsere Sünde ganz herauskommt an dem Tod dieses Gerechten und so kommt er uns abhanden".[39] Daß Jesus Christus die Strafe für die Sünde trägt, heißt also: Indem er unsere Sünden auf sich nimmt, „liegt das, was wir eingebüßt haben an Gott",[40] auf ihm. Das bedeutet: „Nun liegt der Verlust Gottes auf ihm als Strafe."[41] Blumhardt zeigt hier, indem er einen

35 A.a.O., 114.
36 A.a.O., 274.
37 A.a.O., 146.
38 A.a.O., 114.

39 A.a.O., 379.
40 A.a.O., 380.
41 Ebd.

einseitig verzerrten Begriff des Strafleidens Jesu überwindet, eine beachtliche Weite und Selbständigkeit des Denkens.[42]

c') Die dritte und vierte Periode (1896-1900; 1907-1917)
Der scharfe, zugespitzte Ton in der Diktion der vorangehenden Jahre, der das Thema des Gerichts in seinem ganzen Gewicht und Ernst und auch in seiner paradoxen Schroffheit zur Geltung gebracht hatte, weicht nun einer temperierteren, die Härte der Gegensätze aufhebenden und alle Gegenstände auf die göttliche Liebe hinordnenden Darstellungsform. Die Blumhardtsche Hoffnung orientiert sich nun ganz an der Überlegenheit der Liebe Gottes und findet so in aller Bewegtheit eine gewisse Ruhe und heitere Gelassenheit. Charakteristisch ist nun der Satz: „Jesus will als die grenzenlose Liebe Gottes verstanden sein, und in dieser Liebe will er auch Sieger sein; in dieser Liebe will er die Flamme sein, an der wir uns rein brennen, denn gerichtet muß ja sein, es muß gerichtet und geschlichtet werden; aber es ist nur Liebe, nur Erbarmen Gottes, welches uns in sein Gericht nimmt, daß wir frei werden von allem, was uns jetzt zu Sklaven macht und zu unglückseligen Menschen, die heute leben und morgen im Dunkel des Todes verschwinden."[43] In immer neuen Anläufen und Variationen wird die Liebe Gottes bestimmt als die in Vergangenheit, Gegenwart und Zukunft hineinwirkende, seinen Besitzanspruch auf die Schöpfung anmeldende und sein Recht auf die ganze Kreatur einfordernde und wahrende Macht. Selbst Finsternis und Elend des Menschen sind von dieser Bewegung eingeholt und umschlossen.[44]

Ganz von dieser Warte aus werden nun die Sendung und das Werk Jesu Christi verstanden: „Nun, in diese Finsternis hinein, in welcher die Menschen von ihrer eigenen Anschauung aus sich die Welt vorstellen und in der sie hantieren, sendet Gott seinen Sohn und gibt auf einmal ein ganz anderes Licht . . . Gott liebt die Welt, die Welt ist eben *sein*."[45] Die Liebe Gottes erscheint immer wieder als das beherrschende Motiv der Fleischwerdung des Sohnes, in der der Sünde bereits das Ende angedroht, die Finsternis zum Kampf herausgefordert und der Sieg bereits in die Nähe gerückt ist.[46] Auch jetzt behalten also für Blumhardt Sünde, Schuld, Finsternis und Verlorenheit

---

42 Vgl. hierzu die Kritik an der Versöhnungslehre der protestantischen Orthodoxie bei W. Herrmann, Dogmatik, 79; vgl. ferner die einschränkenden und abgrenzenden Bemerkungen Barths zum Gedanken des Strafleidens Christi in: KD IV/1, 279.
43 Chr. Blumhardt, Eine Auswahl aus seinen Predigten, Andachten und Schriften, hrsg. R. Lejeune, Bd. 3: Ihr Menschen seid Gottes! Predigten und Andachten aus den Jahren 1896-1900, Erlenbach-Zürich/Leipzig 1928, 12.
44 A.a.O., 17. 35f. 80. 232f.
45 A.a.O., 35.   46 A.a.O., 200ff.

der Welt ihren grundsätzlich bedrohlichen, Gottes gute Absicht in Frage stellenden Charakter. Allem Unheil und aller in der Sünde an den Tag kommenden Falschheit des Menschen[47] gegenüber kann er jedoch nur auf Christus verweisen: „. . . – siehe, das Lamm Gottes, welches die Sünde der Welt trägt, wegträgt, fortträgt"![48] Daß Gott in seiner Liebe bis zum Äußersten geht, sich bis in die Tiefen der menschlichen Gottverlassenheit erniedrigt[49] und so seine am Menschen festhaltende Treue erweist, kommt am deutlichsten in einer Ansprache über 1 Joh 4,9-18 zum Ausdruck: „Und Gott, nachdem wir ihm widerwärtig geworden sind, hätte uns können, menschlich gesprochen, laufen lassen, dann wäre er uns los gewesen, aber das ist eben die Liebe, daß Gott sagt: ‚Nein! nein! das ist ja verlogen! die müssen wissen, daß sie meine Söhne sind, ich habe sie geboren, von mir sind sie in diese Qual gekommen, nicht von der Sünde, sondern von mir.' Von Gott kommt meine Qual, Gott hat mich geboren und deswegen bin ich gequält; alles kommt von Gott, und so konnte Gott die Sünde auf sich nehmen, das Elend auf sich nehmen. Er nimmt sich wie schuld, weil er der Vater ist, weil er uns geboren hat, – dadurch sind wir in den Kampf gekommen".[50] Blumhardts Denkbewegung dürfte hier in der Vergegenwärtigung des Heilswerkes Christi die Tiefe des göttlichen Paradoxes am deutlichsten herausgearbeitet haben. Damit ist ein gewisser Höhepunkt erreicht in der Spannweite seines Denkens, der wohl nur von der unentwegt auf die Schau der göttlichen Liebe sich konzentrierenden Betrachtung aus gewonnen werden konnte und insofern eine Ausprägung findet, die in der letzten Periode nicht mehr anzutreffen ist.

In den Predigten und Andachten der letzten Jahre drängt das eigentliche Thema der Blumhardtschen Verkündigung, das Reich Gottes, so sehr in den Vordergrund,[51] daß andere Überlegungen, so auch die uns hier interessierende Interpretation des Heilswerks Christi als Gericht, stark zurücktreten. Das soteriologische Thema klingt aber hier und da noch an. So spricht Blumhardt der Gemeinde, die in dieser Welt mit mancherlei Anfechtung und Unheil konfrontiert ist, Trost und Ermutigung zu, indem er auf das Beispiel Jesu verweist, dem Bedrängnis und tiefste Erniedrigung nicht erspart blieben: „Was mag gestürmt haben in ihm! Nicht mit Unrecht sagt man von ihm: ‚Er trug unsere Sünden und nahm auf sich unsere Schwäche.' Was mag in ihm getobt haben! Was mögen nicht für Finsternisse aufgetaucht sein, daß

---

47 A.a.O., 201. 49 A.a.O., 399.
48 A.a.O., 248. 50 A.a.O., 276f.

51 Vgl. Chr. Blumhardt, Eine Auswahl aus seinen Predigten, Andachten und Schriften, hrsg. R. Lejeune, Bd. 4: Gottes Reich kommt! Predigten und Andachten aus den Jahren 1907-1917, Erlenbach-Zürich/Leipzig, 1932, 433-444 (Nachwort des Herausgebers).

er wie von Gott verlassen dasteht und ganz von Finsternis umhüllt war! Und doch – alles muß zum Guten dienen; in seiner Person wird es zum erstenmal bewußt: ‚Ich will es auf mich nehmen!'"[52] In einer an Mt 10,24-28 sich anschließenden Ermahnung zur Kreuzesnachfolge greift er ebenfalls zurück auf das Beispiel der Selbstverleugnung und Todesbereitschaft Jesu: „. . . er muß in einen schmerzlichen, in einen schmachvollen Tod hinein und dort alles in die Hand seines Vaters legen."[53] Ein weiteres Mal spricht Blumhardt von der in Christus geschehenen Versöhnung in einer Abendandacht zu Apk 6,1-4;[54] schließlich enthält eine Ansprache zu Röm 13,11-12 einen kurzen Hinweis auf die Sündenvergebung im Blut Jesu Christi.[55] Damit sind aber im wesentlichen schon alle Stellen aus den von R. Lejeune im 4. Band gesammelten Predigten der letzten Jahre zusammengetragen, die auf die Bedeutung des Todes Jesu Bezug nehmen. Immerhin ergibt die Durchsicht der Ansprachen dieser letzten Zeitspanne, wenn auch nur auf einzelne wenige Hinweise gestützt, daß Blumhardt sich in der Deutung der Sendung und des Todes Jesu auch hier in dem gleichen Vorstellungsrahmen bewegt, der uns in den früheren Perioden begegnet ist.

2. Von Barth studierte ältere Literatur

a) J. T. Beck

aa) Barths Beziehung zu J. T. Beck

Barth ist spätestens 1916[1] mit dem Schrifttum Becks (zumindest mit einem Teil seines Werks) in Berührung gekommen, dessen Lektüre in ihm eine spontan und freudig bekundete Zustimmung hervorrief und ihn zu fast uneingeschränktem Beifall veranlaßte. So schreibt er am 27. Juli 1916 an Thurneysen: „Fundgrube entdeckt: *J. T. Beck!!* Als Bibelerklärer einfach *turmhoch* über der übrigen Gesellschaft, auch über Schlatter, und auch in seinen systematischen Wegen für uns z. T. ohne weiteres wieder zugänglich und vorbildlich! Ich bin ihm durch den Römerbrief auf die Spur gekommen und will ihm da nachgehen im Zusammenhang mit den andern von Calvin bis Tholuck bis auf Kutters ‚Gerechtigkeit', eine ganze Wolke von Zeugen!"[2]

---

52 A.a.O., 227. 54 A.a.O., 391.
53 A.a.O., 362. 55 A.a.O., 401.
1 Vgl. eine Notiz, die bereits vom 21. XI. 1915 datiert, in: BTh I, 104.
2 BTh I, 148; vgl. E. Thurneysen, Die Anfänge. Karl Barths Theologie der Frühzeit. In: Antwort, 847.

Gerade weil Beck hier mit so viel Lob bedacht wird, ist man erstaunt, in Barths Geschichte der protestantischen Theologie dann doch ein eher enttäuschtes Urteil zu vernehmen. Barth glaubt hier, den ehedem so freudig begrüßten Autor von der „Nachbarschaft zu einem romantischen Naturalismus"[3], durch den auch der strenge Biblizismus in Frage gestellt werde,[4] nicht freisprechen zu können. Aber auch diese Diskrepanz, in der sich die spätere Enttäuschung von der anfänglichen Wertschätzung ein wenig schroff abhebt, zeugt doch von der Auseinandersetzung Barths mit einer Theologie, die ihm nicht unbedeutend erschienen ist[5] und es insofern verdient, bezüglich der uns hier interessierenden Thematik näher in Augenschein genommen zu werden.

bb) *Jesus Christus als Träger des göttlichen Strafgerichts über die Sünde*[6]

a') Der Gedanke im Kommentar zum Römerbrief[7]
Die Beschreibung des Heilswerks Christi in Becks Kommentar zum Römerbrief steht im Kontext der Darlegungen zur paulinischen Rechtfertigungslehre. Beck stellt sich mit seiner Interpretation der Rechtfertigung bei Paulus in einen Gegensatz zur altprotestantischen Theologie,[8] die die Rechtfertigung als actus forensis versteht. Die notio forensis besagt: Dem Sünder wird Gottes Gerechtigkeit nur äußerlich angerechnet bzw. zugesprochen, und zwar in einem richterlichen Akt. „Danach handelt es sich also bei der Rechtfertigung um einen äußeren Akt Gottes, um ein richterliches Urteil, das Gott gleichsam im Himmel fällt."[9] Dieser schuldogmatische Begriff wird jedoch nach Beck dem paulinischen Verständnis nicht gerecht. Denn die Rechtfertigung des Sünders ist bei Paulus – so versucht Beck in einem Exkurs zu Röm 2,13[10] nachzuweisen – nicht im gerichtlichen Sinn zu verstehen, sondern nur als reiner Gnadenakt. Eine gerichtliche Behandlung des Sünders könnte nur dessen Tod und Verderben bedeuten. Ein gerichtlicher Freispruch des Sünders wäre aber ein Unrecht. Und bei Gott kann nicht

3 ProtTh, 569.
4 Ebd.
5 A.a.O., 562-564. 568.
6 Vgl. zum folgenden G. Sentzke, Die Theologie Johann Tobias Becks und ihr Einfluß in Finnland, Bd. 1: Die Theologie Johann Tobias Becks: Schriften der Luther – Agricola Gesellschaft, Bd. 8, Helsinki 1949, 82-86. 97-102.
7 J. T. Beck, Erklärung des Briefes Pauli an die Römer, hrsg. J. Lindenmeyer, 2 Bde., Gütersloh 1884.
8 A.a.O., Bd. 1, 327-337; vgl. Sentzke, a.a.O., 97f.
9 Sentzke, a.a.O., 98.
10 Beck, a.a.O., Bd. 1, 217-231.

zur Gerechtigkeit werden, „was das Gesetz für greuelhafte Ungerechtigkeit erklärt".[11] Zudem lehrt Paulus, wie Beck weiter ausführt, die reale Gerechtmachung des Sünders. Die Gerechtigkeit Gottes geht in den Sünder ein[12] und macht ihn zu einem Gerechten. Dies ist allerdings nur zu verstehen vom Werk Christi her, in dem Gott seine Gerechtigkeit durchsetzt gegen das Unrecht der Sünde. Beck zieht die Verbindungslinie zwischen Rechtfertigung und Erlösung in Christus in seiner Exegese zu Röm 3,24: „Es gilt also bei der δικαίωσις eine reale Befreiung, nicht eine Freisprechung; es gilt Aufhebung eines persönlichen Sündenstandes, des Sünderstandes (des ἁμαρτολὸν εἶναι), und eines persönlichen Strafzustandes, des Todesstandes – und diese Aufhebung erfordert ein δικαιοῦν durch Begründung des entgegengesetzten persönlichen Standes, des δίκαιον εἶναι, des Gerechtigkeits-Standes im Gegensatz zum ἁμαρτολὸν, ἀσεβῆ εἶναι und des Lebens-Standes (ζῶντες τῷ θεῷ), und eben weil es Ausgleichung persönlicher Gegensätze gilt, ist Alles geknüpft an die Person Christi und an seinen durch persönliche Acte des Sterbens und Auferstehens vermittelten persönlichen Gerechtigkeits- und Lebensstand und an die persönliche Aneigung davon im Glauben."[13]

Mit der Berufung auf Christus bzw. seinen Tod und seine Auferstehung ist der objektive Grund der Rechtfertigung angesprochen. Die Rechtfertigung gründet im Werk der Erlösung. Gottes Antwort auf die Sünde ist Jesus Christus. In ihm stellt er den gebrochenen Bund wieder her und erweist sich so als der treue und gnädige Gott. In Jesus Christus wird aber auch offenbar: Gott ist in der Weise gnädig, daß zugleich seiner Gerechtigkeit Genüge geschieht. Beck sagt: „Die Untreue entzieht Gott, was Gott rechtlich gebührt, und thut Unrecht, sie ist Bruch der göttlichen Rechts-Ordnung. Indem aber Gott seinerseits treu an seinem Bundeswort hält, durchaus in Uebereinstimmung mit seinen Gesetzen und Verheißungen handelt, – namentlich durch die treue Ausführung der in Gesetz und Propheten geweissagten Heilsanstalt für Sünder –, so erscheint er gerade der menschlichen Untreue gegenüber um so heller als der Gerechte."[14]

Im Kommentar zu Röm 3,25 beschreibt Beck näher das Heilswerk Jesu Christi. Dabei wird seine Deutung des Kreuzestodes offenkundig: Im Kreuz widerfährt der Sünde ihre gerechte Verurteilung. Indem Jesus Christus den Tod auf sich nimmt, trägt er an seinem Fleisch die Strafe für die Sünde. „Mit der Blut-Vergießung wird nun das Todes-Gesetz gerichtlich vollzogen an der menschlichen σάρξ ,um die es sich handelt, d. h. es wird an dem

11 A.a.O., 292f.   13 A.a.O., 301.
12 A.a.O., 296. 326. 331.   14 A.a.O., 263.

generellen Natur-Begriff der Sünde, an der Menschen-Natur, wie sie durch die Sünde geworden ist, die Natur-Strafe vollzogen, und zwar in ihrer Aeußerlichkeit und Innerlichkeit; denn im Tode concentrirt sich bei dem Menschen und so auch bei Christus, namentlich in der Besonderheit seines Todes zugleich die äußere und die innere, die physische und die psychische Bedrängnis, θλῖψις καὶ στενοχωρία."[15]

Die Gnadenrechtfertigung darf also nicht als „eine bloße begnadigende Amnestie"[16] mißverstanden werden. Ein Übersehen der Sünde widerspräche Gottes Gerechtigkeit und Heiligkeit.[17] Gott hat nur eine gewisse Zeit die Sünde ungestraft und ungehemmt ihren Lauf nehmen lassen, um ihr in Christus mit seiner strafenden Gerechtigkeit zu begegnen. Im Tod Christi schafft Gottes Gerechtigkeit nach zwei Seiten hin Ordnung: Zunächst „nach ihrer *negativen oder strafrechtlichen Seite,* indem in der Darstellung Christi als ἱλαστήριον, als Sühnung, das Gericht über die menschliche Sünde objectiv zu seinem vollen Recht kommt und zwar in ihrem generellen Natur-Begriff, in der σάρξ als der Basis der einzelnen Sünden".[18] Nach der anderen Seite hin wirkt Gottes Gerechtigkeit als befreiende Kraft, die den Sünder aus seiner Knechtschaft unter die Sünde erlöst.[19] Im Kreuzestod Jesu Christi erweist Gott sich also „als richtender Vergelter und als neu ordnender Gesetzgeber".[20]

Die Exegese zu Röm 8,3 bietet eine weitere Gelegenheit zur Darlegung und Deutung des im Tod Jesu vollzogenen Heilwerks. Beck untersucht zunächst die Verbindung Jesu Christi zur menschlichen σάρξ. Schon zu Röm 3,25 hatte er festgestellt, daß der Sohn Gottes in die menschliche „σάρξ selbständig und real eingegangen ist".[21] Von der sarkischen Existenz des Menschen handelt das 7. Kapitel des Römerbriefs. Im Blick auf Röm 7,14 hatte Beck generell definiert: „σάρξ selbst ist die Menschennatur, wie sie in Seele und Leib vom Geist isolirt ist, dem Geist entgegengekehrt und so von der äußern Welt beherrscht ist. Vermöge dessen ist unser Leibes- und Seelenleben ein Bild der Schwachheit und Sterblichkeit, abhängig vom niederen Naturleben in uns und außer uns, eben damit der Gegensatz zum höheren göttlichen Geistesleben, zum Heiligen, Gerechten und Guten."[22] Es ist klar, daß diese Allgemein-Definition nicht in vollem Umfang auch auf den Mensch gewordenen Sohn Gottes zutrifft. Beck unterstreicht die Formulierung ἐν ὁμοιώματι σαρκὸς ἁμαρτίας von Röm 8,3. Diese Wen-

15 A.a.O., 308f.
16 A.a.O., 336.
17 A.a.O., 314.
18 A.a.O., 315.

19 Ebd.
20 A.a.O., 317.
21 A.a.O., 309.
22 A.a.O., Bd. 2, 26f.

dung umschreibt die „relative Wesensgleichheit"[23] Christi mit dem sarkischen Menschen. Seine Natur ist dem Sündenfleisch ähnlich.[24] Damit ist einerseits die vollständige Solidarität Jesu mit den Sündern gewahrt. Eine doketische Interpretation ist ausgeschlossen. Andererseits ist sichergestellt, daß Jesus Christus seiner menschlichen Natur nach von der Sünde zwar angefochten, aber nicht beherrscht werden konnte. Die Sünde konnte zwar als Versuchung an ihn herantreten, sie wohnte aber nicht in ihm wie in den übrigen Menschen. „Christus als σάρξ γενόμενος war wirklich σάρξ, gleichen Wesens mit den Menschen, aber mit Unterschied: er war nicht σάρξ ἁμαρτίας in vollständiger Weise, sondern dieß nur in ähnlicher Weise, nicht Fleisch in seiner aktiven Sünden- und Todes-Kraft, aber Fleisch in seiner passiven Sünden-Schwäche."[25] Damit ist die Voraussetzung gegeben, daß er auch die Strafe für die Sünde, das Gericht tragen kann. Die Sünde kann ihm nun „real, nicht bloß ideell, zugerechnet werden, nämlich in realer Betheiligung an ihrem Gericht".[26]

Beck bekräftigt noch einmal: Gott hat „in Christo die Sünde selbst dem Todesgericht, dem κατάκριμα unterworfen, und zwar ἐν τῇ σαρκί, eben im Fleisch, wo ihr Herd ist".[27] Im Tod Jesu Christi richtet und straft Gott die Sünde: „In κατακρίνειν liegt also allerdings die in Christi Tod vollzogene Straf-Verurtheilung der Sünde, aber der Sünde nicht in abstracto als Schuld, sondern im Naturbegriff".[28] Durch das im Kreuz vollzogene Gericht sind nun alle von der Herrschaft der Sünde befreit, die in Christus sind. Der Tod Jesu bzw. das in ihm ergangene Gericht über die Sünde wirkt als seine Frucht die Erlösung von der Sünde für alle Menschen, die im Glauben mit dem Sohn Gottes verbunden sind. Die am Kreuz erlittene Verurteilung des Sündenfleisches ist „eine zugleich in den Angehörigen Christi vollzogene Tat".[29]

b') Der Gedanke im „Leitfaden der christlichen Glaubenslehre für Kirche, Schule und Haus"[30]

Systematisch geordnet, in ihren Grundlinien ausgezogen und daher in höherer Klarheit werden die im Römerbriefkommentar versprengt und sporadisch auftretenden soteriologischen Überlegungen in Becks Leitfaden der Christlichen Glaubenslehre ausgebreitet. Unsere Fragestellung betrifft hier das dritte Hauptstück „Die göttliche Welt — Versöhnung mit ihrer

23 A.a.O., 51.   27 A.a.O., 54.
24 A.a.O., 52.   28 Ebd.
25 Ebd.   29 Ebd.
26 A.a.O., 55.

30 J. T. Beck, Leitfaden der christlichen Glaubenslehre für Kirche, Schule und Haus, Erste Abt.: Lehrsätze, Stuttgart 1862.

Gnadenordnung",[31] insbesondere die Paragraphen 24-30,[32] deren Gehalt im folgenden kurz dargestellt werden soll.

Nach einem Hinweis auf den vor aller Weltzeit von Gott gefaßten Gnadenratschluß zur Erlösung der Menschheit[33] und einem christologischen Vorspann[34] kommt Beck zu sprechen auf die „Lebens-Aufgabe und Amts-Aufgabe Christi mit ihrer Versuchung".[35] Mit diesem Begriff (der „Lebens-Aufgabe und Amts-Aufgabe") ist das Heilandswerk Christi bezeichnet, das in der Menschwerdung seinen Anfang nimmt. Im Ereignis der Inkarnation, so erklärt Beck, hat der Sohn Gottes unsere infolge der Sünde mit Schwächen und Leiden behaftete Menschennatur angenommen.[36] Diese Aussage bedarf nun allerdings der Präzisierung. Zu klären ist die Frage, in welcher Weise bzw. in welchem Maß die menschliche Natur Jesu von der Sünde geprägt war. Beck führt zur Lösung dieses Problems eine wichtige Unterscheidung ein, mit der er versucht, sowohl der einzigartigen Würde und Auszeichnung des menschlichen Wesens Christi als auch der Verbundenheit des Gottmenschen mit der übrigen Menschheit gerecht zu werden: Jesus Christus „hatte die *menschlichen Natur-Schwächen* an sich, die zum Bösen führen *konnten* (Hunger, Durst, Ermüdung, Betrübniß, Aufregung vgl. Mark. 3,5. Joh. 11,33.38), *nicht aber die menschlichen Natur-Fehler, schon* böse Empfindungen und Neigungen".[37] Jesus war damit, so folgert Beck, auf eine ihm eigene Weise der Bedrängnis und Anfechtung durch die Sünde ausgesetzt: „Darum war sein ganzes Heilandsleben, obgleich die Versuchung nicht aus ihm selbst konnte kommen als versuchende Sünden-*Lust*, doch durchaus ein versuchendes Sünden-*Leiden,* wodurch seine Seele oft tief betrübt und in ihrer Treue auf die Probe gestellt wurde."[38]

Nach Feststellung der auch in der Versuchung durch den Satan bewahrten Treue Christi gegenüber seinem messianischen Auftrag, seines uneingeschränkten Gehorsams und seiner selbstlosen Unterordnung unter den Willen des Vaters[39] wendet Beck sich der Beschreibung des Heilscharakters des Lebens Jesu zu und stellt hier besonders das in Wort und Werk sich offenbarende, Gottes Gnade auch in aller Widrigkeit und Gegensätzlichkeit repräsentierende Mittleramt[40] heraus, das einerseits in Jesu engster Gemeinschaft mit dem Vater, andererseits in seiner frei gewählten Zugehörigkeit zu den Menschen gründet.[41]

31 A.a.O., 87-251.
32 A.a.O., 87-134.
33 A.a.O., 89.
34 A.a.O., 90-94.
35 A.a.O., 94.
36 A.a.O., 95.

37 Ebd.
38 A.a.O., 96.
39 A.a.O., 98f.
40 A.a.O., 100-103.
41 A.a.O., 103f.

In den folgenden Paragraphen[42] versucht nun Beck, den Tod Christi in seiner Heilsbedeutung zu erschließen. Auf welche Weise dies geschieht, soll nun nachgezeichnet werden. Beck stellt zunächst einmal klar, daß Jesus Christus auch in seiner menschlichen Natur auf Grund seiner persönlichen Sündlosigkeit nicht unter dem Gesetz des sündigen Fleisches, d. h. unter der Macht des als Strafe über die Sünde verhängten Todes steht.[43] Daher kann er den Tod nur als schlechthinnigen Gegensatz zu seiner Natur empfinden, der als solcher keine Macht über ihn gewinnen könnte, wenn er sich nicht aus freiem Entschluß ihm unterwerfen würde. Daraus ergibt sich, daß Jesus Christus sich vor dem Tod in ganz anderer Weise entsetzen mußte als die übrige dem Tod als Folge ihrer sündigen Natur verfallene Menschheit.[44] Wenn er dennoch, den Willen des Vaters ausführend, den Tod auf sich nahm, geschah dies aus reiner, göttlich hingebender Liebe. „. . . aus *Heilandsliebe*, die ihn in die Welt geführt hatte, um das Verlorene auch im Fluch des Todes zu suchen, und aus *Sohnesliebe*, deren Speise es war, den Erlösungswillen des Vaters zu vollbringen, brachte er das Todesentsetzen seiner heiligen Natur dem Willen Gottes zum *Opfer*, und begab sich seiner göttlichen Lebensmacht bis auf das Aeußerste, bis zur Gottverlassenheit, dem Vater seinen Geist übergebend, als nur lebend um des Vaters willen und durch ihn.“[45] In nichts anderem also als in der bereits seine Worte und Handlungen bestimmenden Liebe ist der Grund zu sehen, der ihn zur Unterwerfung unter den „Fluchtod“[46] motiviert.

Beck legt nun dar, wie Jesus Christus sein Heilands- und Mittleramt gerade im Tod am Kreuz wahrnimmt und vollendet. Eine Vermittlung zwischen Gott und Mensch wurde notwendig, weil der Mensch in der Sünde sich gegen seinen Schöpfer gestellt und sich ihm entfremdet hat (womit er zugleich in einen Gegensatz zu sich selbst und seiner Mitwelt geraten ist).[47] Die im Mittleramt angestrebte Versöhnung der Menschen mit Gott machte nun eine Auseinandersetzung mit der Sünde notwendig, und zwar in der Weise, daß der in die Gemeinschaft mit der sündigen Menschheit eintretende und diese vor Gott repräsentierende Mittler auch den auf der Sünde als Strafe lastenden Fluch und Zorn Gottes auf sich lud.[48] Denn das Ziel der Versöhnung konnte nur erreicht, die Gemeinschaft zwischen Gott und Mensch konnte nur wiederhergestellt werden, wenn der Sünde die ihr

---

42 A.a.O., 105-110: „§ 28 Christus der Mittler im Tode“; a.a.O., 110-120: „§ 29 Die Bundes-Vermittlung“; a.a.O., 121-134: „§ 30 Die wirkliche Ausführung des Versöhnungswerkes in Jesu Christo“.

43 A.a.O., 105.   46 A.a.O., 108.

44 A.a.O., 105f.   47 A.a.O., 111.

45 A.a.O., 106.   48 A.a.O., 112f.

gebührende Strafe zuteil wurde, und zwar an der Stelle, wo sich ihr verheerendes Wesen auswirkt, in der Natur des Menschen.[49] Nur so konnte die Entzweiung von Gott und Mensch überwunden, das der Wiederherstellung des Bundes entgegenstehende Hindernis ausgeräumt werden. Daraus folgt: Jesus Christus „mußte dem göttlichen Todesgericht, durch welches der Sünde im Fleisch (in der Menschennatur) ihr Recht widerfährt, im eigenen Fleische, mit dem er als Menschen-Sohn Naturverwandter (Bruder) der Menschen war, sich selbst hingeben, um so, dem allgemeinen Gesetz untergeben, die gesetzliche Sündenlast der ihm als Gottessohn angehörigen Welt tragend, ihre Sünde gerichtlich zu sühnen, und der Gnade mit ihrer Versöhnung und Lebensgabe einen geheiligten Weg zu öffnen".[50]

An dieser Stelle versucht Beck, seine Deutung des Kreuzestodes als eines Zorn- und Strafgerichts gegen Mißverständnisse abzusichern. Dabei geht es um folgende Klarstellungen:

(1) Der Begriff der Strafe darf nicht in der Weise ausgelegt werden, als sei hier eine den Sohn Gottes als solchen treffende Vergeltung gemeint unter Absehung und Verkennung des Zusammenhangs, den dieser selbst mit seinem Eintritt in die Gemeinschaft der sündigen Menschheit hergestellt hat. Die den Sohn Gottes treffende Strafe ist nicht als das ihm gebührende, sondern als das auf der sündigen Menschheit lastende, von der göttlichen Gerechtigkeit verhängte Gericht zu verstehen. Das heißt: Die Strafe empfängt ihren Charakter als solche nicht im Bezug auf den Sohn Gottes — dieser hat in keiner Weise eine Strafe verdient —, sondern im Hinblick auf die Sünde der Menschheit.[51] Insofern Jesus Christus die mit dem Fluch der (an sich) ihm fremden Sünde beladene menschliche Natur annimmt, trifft ihn die Strafe. „So ist es allerdings eine göttliche Zornesstrafe (Röm. 1,18.), welche der leidende Christus auf sich trägt, aber nicht eine dem Unschuldigen, statt den nicht bestraften Schuldigen, von Gott besonders ausersehene Strafe, sondern eben in das auf der schuldigen Welt liegende Strafleiden (Jes. 53,4-7. Gal. 3,13.) geht der Unschuldige ein."[52]

(2) Die von Jesus Christus an Stelle der sündigen Menschheit erduldete

49 A.a.O., 112.
50 A.a.O., 113.
51 Ebd.: „Es ist allerdings schriftwidrig, das Leiden Christi in *dem* Sinne eine Strafe zu heißen, als hätte es für ihn selber die Bedeutung einer göttlichen Strafe gehabt, oder als wäre ihm von Gott für die Sünden der Menschen eine besondere Strafe zuerkannt worden, daß seine Person Gegenstand eines göttlichen Zornes war. Joh. 10,17f. Aber die Leiden, die er wirklich durchläuft, sind nichts anderes, als eben die Leiden, die durch die menschliche Sünde, durch den Bruch der göttlichen Weltordnung in die Welt gekommen sind, und dies in *Folge* der gerechten Weltordnung Gottes, als Ausdruck seines Mißfallens an einer Natur- und Lebens-Beschaffenheit, die der Widerspruch gegen sein innerstes heiliges Wesen ist."
52 Ebd.

Strafe darf nicht fehlinterpretiert werden als eine die Gnade Gottes allererst herstellende oder herbeiführende Wirkursache. Gott selbst als solcher ist gnädig und hat in seiner Gnade die Versöhnung mit der Welt beschlossen, zu deren Durchführung sein Sohn gesandt und in das schreckliche Gericht des Todesleidens hinein ausgeliefert worden ist.[53] Im Kreuz Christi ist nicht die Gnade erst bewirkt, wohl aber der Gerechtigkeit Gottes, die durch die Gnade nicht einfachhin aufgehoben ist, Genüge getan worden. Gott wollte zugleich mit seiner Gnade auch seine Gerechtigkeit zur Geltung bringen.[54] Denn „Gnade ohne Gerechtigkeit wäre eine gegen das Böse gleichgiltige Nachsicht und Sündenpflege".[55]

(3) Der Zorn Gottes kann nur aus der Perspektive seiner Liebe recht verstanden und eingeordnet werden. Deshalb qualifiziert Beck den Zorn Gottes als ein in gewissen Verhältnissen nötiges und wirksames Vermögen des heiligen Wesens Gottes, während Gott in sich, d. h. wesensmäßig, als Liebe schlechthin anzusprechen sei.[56] Gerade in seiner Liebe kann Gott die Sünde, d. h. die Verkehrung des Menschen und damit seine Selbstauslieferung an den Tod nicht gutheißen. Wenn er daher seinem Zorn und seinem Gericht freien Lauf läßt, geschieht dies nur um seiner Liebe zum Menschen willen, um diesen dorthin zu bringen, wo allein ihm Leben verheißen ist.[57]

Hat Beck sich bisher mit der Darlegung der Gesamtstruktur des Erlösungswerks beschäftigt, mit der Erörterung seiner Notwendigkeit und der Besinnung auf seine besondere Gestalt, so geht er nunmehr über zu einer Schau der Innenseite dieser Realität. Die Frage lautet nun: Wie stellt sich das Erleiden des Strafgerichts in der subjektiven Erfahrung des Erlösers selbst dar?

Wir erhalten auf diese Frage folgende Antwort: Beck sieht im Leiden und Sterben Jesu Christi nicht nur eine vollkommene und gehorsame Hingabe[58] an den Vater, sondern auch eine Identifizierung mit der sündigen Menschheit.[59] „So entladet sich auf ihn die menschliche Sünde in aller ihrer eigenen Macht des Unrechts und in allen, von Gott verordneten fluchvollen Folgen desselben; nicht selber ein Sünder, trägt er die Menschenschuld, stellt sich, als verurtheilter Uebelthäter, als *die Sünde* selbst dar, und macht mit

---

53 A.a.O., 114, vgl. a.a.O., 118.
54 A.a.O., 114.
55 Ebd.
56 A.a.O., 115: „Denn was *Gottes* heiliges Wesen betrifft, so *hat* er zwar Zorn . . . (als ein Vermögen und Verhalten für gewisse Verhältnisse), aber er *ist* nicht Zorn, sondern *ist* Liebe (in seinem persönlichen Wesen)."
57 Ebd.
58 A.a.O., 121.
59 A.a.O., 122.

Missethätern alle äußeren und inneren Qualen des Sterbens durch, wird ein *Fluch*, so daß er, auch von Gott verlassen, das Strafleiden der Sünde – den Tod – schmeckt bis in seine tiefste Tiefe des göttlichen Zornes und der göttlichen Strafgerechtigkeit."[60]

Gerade weil Christus den Tod in seinem innersten Wesen als das nicht sein sollende, im Grunde unnatürliche Strafverhängnis in einer den übrigen Menschen so nicht gegebenen Klarheit durchschaut, muß er ihn in seiner ganzen Furchtbarkeit, in seinem Schrecken empfinden, begegnet dieser ihm in seiner ganzen qualvollen Abgründigkeit.[61] „Indem also Christus in den Tod eingieng, kam auch die *Gott-Verlassenheit* über ihn; und indem Gott seiner Seele sich entzog, schmeckt er den Tod in seiner innersten göttlichen Gerichtstiefe, als ein Fluchleiden der Menschheit, die ihm angehört und der er angehört".[62] So unterscheidet sich also die Todeserfahrung Jesu vom gewöhnlichen Sterben der übrigen Menschheit, und zwar deshalb, weil er den Tod in seinem eigentlichen, inneren Sein anschaut, eben als das schreckliche Gericht Gottes.[63] Jesus Christus trägt „in seinem Todesleiden nicht nur ein allgemeines Naturübel oder eine Frevelthat seiner Feinde, sondern *den Strafbann der menschlichen Sünde*, und nicht nur wie er äußerlich als Fleischessterben Naturwahrheit hat, sondern auch in seiner *unsichtbaren, geistigen Innerlichkeit, in seiner gottesgerichtlichen Fluchkraft*, die ihre Tiefe hat in der Gottverlassenheit, wie die Sünde ihre Tiefe hat in der Gottlosigkeit".[64]

Erst von hier aus läßt sich die Tiefe der unergründlichen Liebe Gottes erahnen: Gerade in dem Geschehen, in dem er den Sohn seinem vernichtenden Zorn ausliefert, um damit die Sünde zu richten und zu entmachten, führt er den Menschen dorthin, wo er nach seinem Ratschluß stehen soll und darf, nämlich in die Gemeinschaft und Verbundenheit mit ihm selbst.[65] Auf diesem Weg gelangt Gott an das Ziel seines versöhnenden Handelns.

---

60 A.a.O., 122f.
61 A.a.O., 123f.
62 A.a.O., 124.
63 Ebd.: „Indem Er in den Welttod eintritt, erfährt er den Tod in Seele und Leib als das, was er ist, als das Gericht Gottes über das Fleisch; er tritt aus dem Licht in das *Gebiet der Finsternis* ein (Joh. 12,27. Luk. 22,53. Matth. 27,45f. Kol. 1,13.), wo das Lebenswirken Gottes aufhört, die Gott-Verlassenheit herrscht und eben daher die Zerstörungskräfte ihre Macht haben, oder die satanischen Kräfte."
64 A.a.O., 125.
65 A.a.O., 127.

b) F. Chr. Oetinger

aa) *Barths Beziehung zu F. Chr. Oetinger*

Barths Wertschätzung der Theologie Oetingers läßt sich am besten mit seinen eigenen Worten charakterisieren. Am 21. Mai 1919 schreibt er in seinem Brief an Thurneysen: „Ich habe mir Ehmanns ‚Leben und Briefe Oetingers' antiquarisch erstanden und lese das Buch mit höchster Befriedigung. Welche Umsicht in jeder Beziehung! Welch ein Reichtum an Lichtern! Welche Vorausnahmen und z. T. bereits Überholungen unserer Weisheiten! Und was für ein erfreuliches ‚merkurialisches' Gesicht vorne im Buch! Daß man uns Theologie studieren ließ, ohne uns auf solche Dynamiker aufmerksam zu machen! Ich kann mich fast nicht trennen von dieser Lektüre."[1] Damit ist zumindest in Oetinger eine Position markiert, an der Barth nicht achtlos vorübergegangen ist, die ihn vielmehr angeregt und auf die er später auch hier und da, wenn auch zum Teil kritisch, Bezug genommen hat.[2]

bb) *Jesus Christus als Träger der Strafe und des Zorns Gottes*

a') Der Gedanke in Ehmanns Oetinger-Biographie[3]
Die Ehmannsche Darstellung des Lebens und Wirkens F. Chr. Oetingers bietet den Vorzug, daß hier nicht nur biographisches Material und historiographische Details zusammengetragen werden, vielmehr vermittelt der Verfasser einen breiten Einblick in das Denken des großen Theologen und zeichnet insbesondere durch die Vorstellung des literarischen Schaffens unter Einbeziehung umfangreicher Teile der Korrespondenz ein scharfes Profil seines Geistes. Nicht zuletzt dadurch, daß Oetinger selbst in diesem Werk immer wieder zu Wort kommt, ist hier bereits eine Einführung in seine Theologie gegeben. Darin zeichnet sich auch seine soteriologische Konzeption ab.

---

1 BTh I, 327.
2 Vgl. etwa KD I/1, 138; KD II/1, 300; KD II/2, 580; KD III/3, 155; von einem Einfluß Oetingers auf K. Barth spricht auch H. Bouillard, Karl Barth, Bd. I, 93.
3 K. Chr. E. Ehmann (Hrsg.), Friedrich Christoph Oetingers Leben und Briefe, als urkundlicher Commentar zu dessen Schriften, Stuttgart 1859. Ehmann hat in seiner Oetinger-Biographie zahlreiche Auszüge aus Ansprachen, kleineren Schriften, Briefen und Anekdoten Oetingers zusammengetragen. Darin läßt er Oetinger ausführlich zu Wort kommen, ohne im einzelnen und exakt anzugeben, aus welchen Quellen er schöpft oder auf welche Weise ihm Oetingers Ansprachen, Briefe etc. zugänglich geworden sind. Für uns ist das Werk Ehmanns deshalb von besonderem Wert, weil Barth durch seine Vermittlung zum ersten Mal mit Oetingers Theologie in Berührung gekommen ist und die Position dieses Theologen kennengelernt hat (vgl. den Anm. 1 angegebenen Brief an Thurneysen). In den folgenden Anm. 4. 6. 8 u. 9 zitieren wir Aussagen Oetingers nach dem o. a. Werk Ehmanns, in Anm. 7 u. 10 beziehen wir uns auf Ehmanns Aufzeichnung von Äußerungen Oetingers.

Bereits die Äußerungen bei den Erbauungsstunden mit Gloeckler, Köstlin, Becherer, Schweickard und Reuß aus dem Jahr 1731 lassen deutlich erkennen, in welcher Weise Oetinger die Heilswirksamkeit Jesu Christi beschreibt. Hier heißt es: „Daß man sich der Welt nicht gleichstelle (Röm. 12,2) kann nicht anders, als durch die Entgegenhaltung der Herrlichkeit Christi geschehen, welcher selbst sich heruntergelassen, und unser sündliches Fleisch (diß ist eben die Schlangengestalt) an sich genommen. Die eherne Schlange ist ein Gegengift wider die beißende Schlange für die gebissene Schlange. Darum ist er eine Schlange worden, und hat die Abscheulichkeit, so die Sünde in uns hervorgebracht, angenommen, um uns zu helfen, daß wir wieder zur göttlichen Natur gelangen möchten, davon wir gekommen. Das ist eben unser sündlicher Leib (Fleisch und Blut kann das Reich Gottes nicht erben), welcher zur Gemeinschaft Gottes nichts taugt, von welchem wir müssen erlöst, und in das herrliche Bild Gottes wieder verwandelt werden. Diesen Leib hat der Heiland angenommen, auf ihn sind alle ἀποτελέσματα τῆς ἁμαρτίας (Jac. 1,15) alle Consequentien (oder Folgen), mit einem Wort aller Fluch der Sünde gekommen, und das hat er am Kreuz getragen."[4]

Die gleiche Position bezieht er in der Verteidigung seiner Schrift „Abriß der evangelischen Ordnung"[5]: „Daß ich aber durch die allzu physikalische Erklärung der beiden Stellen, Röm. 8,3. und Ephes. 2,15.16. vergl. mit Kol. 1,21.22 auf allzu weit schweifende Ausdrücke gekommen, ist mehr ein Irrthum der Schreibart als der Sache. Denn es ist die allertröstlichste und zur Application allernöthigste Wahrheit, daß Jesus uns in allen Leidenschaften, der Furcht, des Entsetzens, der Verwunderung, der Freude, der guten Begierde und so fortan, gleich worden, und daß es bis zur Sünde, aber niemals in die Sünde gekommen, ja daß ein wirklicher Streit zwischen Christi Leben und Geist, und zwischen allem, was in der Schrift (1. Kor. 15.) Tod, Teufel, Stachel des Todes und Kraft der Sünde heißt, (nach Eph. 2.) in Christo, der vor Gott zur Sünde und Fluch gemacht war, in seinem Fleisch am Kreuz, als einem Theatro, vorgegangen, das singen wir in dem Lied: Christ lag in Todesbanden."[6]

In die gleiche Richtung weisen seine kritischen Stellungnahmen gegenüber der Theologie der Herrnhuter Brüdergemeine. Einer allzu emphatischen und enthusiastischen Hochschätzung und Verehrung der menschlichen Wirklichkeit Jesu, wie sie ihm in der Praxis der Herrnhuter Frömmigkeit

---

4 Zit. n. Ehmann, a.a.O., 76.
5 Es handelt sich um die Schrift: F. Chr. Oetinger, Abriß der evangelischen Ordnung zur Wiedergeburt, Frankfurt/Leipzig 1735.
6 Zit. n. Ehmann, a.a.O., 94.

begegnet, stellt er mit Nachdruck das Ziel der Fleischwerdung gegenüber, das er eindeutig als Unterwerfung (des Fleisches) unter den Fluch bestimmt.[7] Ja, er beanstandet ausdrücklich die Eliminierung des Gedankens des Zornes Gottes aus der Passionstheologie der Brüdergemeine: „Man sieht das Leiden Christi ohne Beziehung auf den Zorn Gottes an, womit er die Sünde im Sündopfer Christi, nemlich in seinem Fleisch, verdammt."[8]

Gelegentlich einer Korrektur von Mißverständnissen, die sich an seiner Lehre von der Wiederbringung aller Dinge entzündet hatten, betont Oetinger die Realität von Strafe und Gericht und exemplifiziert dies besonders am Tod Jesu: „Allein, zu geschweigen, daß Gott seines einigen Sohnes nicht hat verschonen können, und daß, wenn es möglich gewesen wäre, er seinen Sohn erhört hätte, damit er nicht den Kelch des Zornes Gottes hätte trinken müssen: so sieht man aus allen Gerichten, daß die Schmach, womit der Teufel durch seine Werkzeuge Gott geschmäht hat, nothwendig muß abgethan werden, und zwar so, daß es durch ein sogenanntes *ius talionis, d. i.* durch ein Ebenmaas der Vergeltung geschehen muß".[9]

Die weiteren Stellen[10], an denen Ehmann Oetingers Sicht des Todes Jesu als Unterwerfung unter Gottes Zorngericht vorstellt, fügen dem hier nachgezeichneten Gedankengang keine wesentlich neuen Aspekte hinzu und können daher übergangen werden.

Insgesamt ergibt sich, daß in Ehmanns Charakterisierung der Theologie F. Chr. Oetingers das Motiv des Zorns und des Gerichts als Ausdruck des Heilsverständnisses des Todes Jesu unübersehbar zur Geltung kommt. Damit ist gezeigt, daß K. Barth auch hier schon auf den Gerichtsgedanken gestoßen ist.

b') Der Gedanke in Oetingers Schrift „Die Theologie aus der Idee des Lebens abgeleitet und auf sechs Hauptstücke zurückgeführt"[11]

Wie bereits aus dem Titel hervorgeht, teilt Oetinger seine „Theologie" in sechs Hauptabschnitte ein. Diese behandeln: „die Lehre von Gott, vom Menschen, vom Gesetz und der Sünde, von der Gnade, von der Kirche und von den letzten Dingen".[12] Einen ersten Ausblick auf das Werk Christi bietet

---

7 Ehmann, a.a.O., 115.
8 Zit. n. Ehmann, a.a.O., 117.
9 Zit. n. Ehmann, a.a.O., 151f.
10 Ehmann, a.a.O., 361. 377. 473. 485. 506f.
11 F. Chr. Oetinger, Die Theologie aus der Idee des Lebens abgeleitet und auf sechs Hauptstücke zurückgeführt, deren jedes nach dem *Sensus communis,* dann nach den Geheimnissen der Schrift, endlich nach dogmatischen Formeln, auf eine neue und erfahrungsmäßige Weise abgehandelt wird. In deutscher Übersetzung, und mit den nothwendigen Erläuterungen versehen, hrsg. J. Hamberger, Stuttgart 1852.   12 A.a.O., 34.

seine im Rahmen des dritten Teils vorgetragene Lehre „Über das Verhältnis des Gnadenbundes zum Bund der Werke".[13] Wir versuchen, im folgenden die Grundlinien des Gedankengangs Oetingers nachzuzeichnen.

Oetinger geht davon aus, daß Gott zunächst mit Adam einen „Bund der Werke"[14] geschlossen hat. Dieser Bund scheiterte jedoch am Ungehorsam Adams, der das ihm von Gott gegebene Gesetz übertreten und somit den Bund gebrochen hat.[15] Der Werkbund wird nunmehr abgelöst durch den Bund der Gnade, den Gott mit Christus geschlossen hat, der ebenso wie Adam „eine *persona publica* war".[16] In diesem Gnadenbund sind verschiedene Stadien seiner „Offenbarung oder Erscheinung"[17] zu unterscheiden. Er stellte sich zunächst, solange er sich nur auf einzelne Familien bezog, als eine private Einrichtung dar.[18] In dieser Weise richtete er sich gemäß Gen 3,15 schon an Adam.[19] Später, nachdem sich das Gottesvolk „zu einer sichtbaren Gemeinschaft entfaltet hatte",[20] nahm er einen öffentlichen Charakter an.[21] Nun präsentiert sich der Gnadenbund in seiner alttestamentlichen Gestalt.

„Da fand jene erste Deklaration statt, in welcher die Sinaitische gesetzliche Bedingung und Verwaltung des Gnadenbundes bestimmt und ausdrücklich dargelegt wurde, 2 Mos. 19,20., und die das alte Testament heißt, Ebr. 8,8."[22] Das Alte Testament als die „gesetzliche Bedingung" des Gnadenbundes weist bereits voraus auf Christus. Denn es „wurde angeordnet unter der Bedingung, welche von den Menschen in ihrem Bürgen erfüllt werden sollte".[23] Nach seiner Erfüllung in Christus ist das Alte Testament aufgehoben. Im Neuen Testament geht es nur noch um die „Austheilung der Begnadigung, nachdem jene Bedingung geleistet war".[24]

Bemerkenswert ist nun, in welcher Weise Oetinger das Alte Testament näherhin auf Christus bezieht. Er erklärt dazu: „Der Sinaitische Bund war für Christum ein Bund der Werke, da er von ihm erfüllt werden sollte, für Israel dagegen ein Bund der Gnade, da die gesetzliche Bedingung, von einem Andern geleistet, Israel zum Heil gereichte".[25] Die Christus vorbehaltene Erfüllung des Sinai-Bundes wird in den folgenden Sätzen näher erläutert: „Die gesetzliche Bedingung des Gnadenbundes sollte erfüllt werden hinsichtlich der Schuld wie hinsichtlich der Strafe. Nachdem der Bund der Werke in Adam gebrochen war, so mußte hierfür Genugthuung geleistet werden. Wäre nämlich die Gerechtigkeit nicht von einem Andern erfüllt

13 A.a.O., 216-218.
14 A.a.O., 213. 216.
15 A.a.O., 213.
16 A.a.O., 216.
17 Ebd.
18 Ebd.

19 Ebd.
20 Ebd.
21 Ebd.
22 Ebd.
23 A.a.O., 217.
24 Ebd.

25 Ebd.

worden, so würden wir nicht das verheißene Leben erlangt haben, und wenn nicht ein Anderer die Strafe für uns erlitten hätte, so hätten wir dem angedrohten Tode nicht entgehen können".[26] Das Alte Testament zielte also von vornherein auf seine Erfüllung in Christus. „In eben diesem Bunde wurde absoluter Gehorsam von Seite Christi, relativer von Seite Israels gefordert."[27]

Für Oetinger ergibt sich der Nachweis, daß „der Sinaitische Bund . . . ein Bund der Werke in Bezug auf Christum gewesen sei"[28], aus folgenden Erwägungen: Das Alte Testament gewährte ein Recht auf Leben für den Fall der Beachtung des Gesetzes, dem also, der die Gerechtigkeit erfüllen würde. „Nun konnte kein Sterblicher solche Handlungen der Gerechtigkeit vollbringen, welche das Recht auf das Leben geben. Denn nachdem Adam zum Sünder wurde, ging ihm die Kraft, die Gerechtigkeit zu vollziehen, verloren. Ferner, der Sinaitische Bund kündigte den Uebertretern desselben den Fluch an. Nun hat aber Niemand, als Christus, den Fluch getragen, und ohne ihn hätte der Segen für uns nicht erfolgen können."[29] Der Schluß des Beweises bietet eine schöne Zusammenfassung des Heilswerks Christi in der Sicht Oetingers: „Das Tragen des Fluches ist die Bedingung unserer Erlösung von der Schuld, und der thätige Gehorsam Christi die Bedingung unserer Rechtfertigung oder unsers Rechtes auf das Leben."[30] Oetingers Überlegungen zum Gnadenbund in seinem Verhältnis zum Werkbund können wir also folgende Umschreibung des Erlösungswerkes entnehmen: Jesus Christus hat für die Sünde des Menschen Genugtuung geleistet. Diese umfaßt sowohl die Erfüllung des Gerechtigkeit fordernden Gesetzes als auch die Übernahme der über den Sünder verhängten Strafe.

In den dem vierten Teil (der Lehre von der Gnade) zugeordneten Erwägungen zu den Ständen und Ämtern Christi[31] klingt das Zornmotiv nur schwach an. Immerhin findet sich aber auch hier der Gedanke, daß Christus den Zorn bzw. die Strafe für die Sünde getragen hat. In einem eigenen Abschnitt geht Oetinger näher ein auf die zum Mittleramt Jesu Christi erforderlichen Eigenschaften. Er legt den Akzent besonders auf zwei notwendige Bedingungen. Zunächst heißt es: „Die Herrlichkeit muß er besitzen, um dasjenige, was Gott in Hinsicht auf seine Heiligkeit und in Hinsicht auf das Gesetz gebührt, zu vollführen."[32] Jesus Christus nahm aber auch „Fleisch und Blut an, um sich allen und jeden Veränderungen der menschlichen Natur zu unterziehen, in der Absicht, als Befreier und Anwalt

26 Ebd.
27 Ebd.
28 Ebd.

29 A.a.O., 218.
30 Ebd.
31 A.a.O., 249-283.
32 A.a.O., 252.

nun auch die Söhne Gottes des Lebens theilhaftig zu machen und sie zu ihrer Herrlichkeit zurückzubringen".[33] Jesu Amt als Befreier und Anwalt erfährt eine nähere Umschreibung, wenn Oetinger feststellt: „Vor allem war erforderlich, daß er als Befreier und ‎גאל‎ seiner Brüder den Zorn Gottes ertrug, sein Leben als Lösegeld, ἀντίλυτρον, hingab, um sie von der Strenge des Gesetzes zu erlösen und so der Heiligkeit Gottes genugzuthun und alle Gerechtigkeit zu erfüllen."[34]

In einer sich anschließenden Bemerkung zur Vollendung der Erlösung im descensus ad inferos wird erklärt, daß Christus „als den Besieger des Teufels sich kund gab, das Evangelium und das Leben den Gefangenen verkündigte, daß ihnen nämlich nach der Strafe am Fleisch in Folge der Auferstehung das Gericht noch zu Gute kommen werde, 1 Petr. 4,6".[35]

Die Behandlung der Menschwerdung gibt Oetinger Gelegenheit, auf die gemäß Röm 8,3 erfolgende Verurteilung der Sünde im Fleisch hinzuweisen: Vom Sohn Gottes wird gesagt, „daß er in Aehnlichkeit (des Fleisches) der Sünde gesandt worden sei, damit die Sünde im Fleisch verurtheilt werde, Röm. 8,3".[36] Kurz angedeutet erscheint der Gedanke der im Tod Jesu getragenen Strafe für die Sünde in einem gerafften Schriftnachweis zum hohepriesterlichen Amt Jesu Christi bzw. zu der von ihm geleisteten Genugtuung.[37]

Wir können unsere Darstellung abschließen mit der Feststellung: Oetinger ist der Gedanke des von Christus getragenen göttlichen Zorns und Fluchs, der stellvertretend für die Menschheit erlittenen Strafe vertraut. Sobald er auf das Werk Christi zu sprechen kommt, klingt dieser Gedanke an, auch wenn er im Abschnitt über die Stände und Ämter Christi nicht näher entfaltet wird.

c) J. A. Bengel

aa) Barths Beziehung zu J. A. Bengel

In seinem Briefwechsel mit E. Thurneysen erwähnt Barth mehrfach Bengel und gibt ihn bzw. dessen Werk[1] an als Grundlage und Quelle biblisch-exegetischer Studien. So kommt er auf Bengel zu sprechen in einem seine Beschäftigung mit 1 Kor 15 betreffenden Bericht: „Am besten sind wieder

33 A.a.O., 253. 36 A.a.O., 261.
34 A.a.O., 254. 37 A.a.O., 264f.
35 A.a.O., 254f.

1 J. A. Bengel, Gnomon. Auslegung des Neuen Testamentes in fortlaufenden Anmerkungen. Deutsch von C. F. Werner, Bd. I–II/1. 2, Stuttgart/Berlin ⁷1959/60.

meine bewährten Freunde Calvin, Bengel und Rieger . . .".[2] Bezeichnend für seine Stellung zu diesem Württemberger erscheint auch der von Barth für eine Weile erwogene Gedanke, der zweiten Auflage seines Römerbriefs an Stelle eines Vorworts ein Zitat aus dem „Gnomon" voranzustellen. Barth findet hier nach eigenen Angaben „alles" gesagt.[3] In der Zeit seiner Göttinger Lehrtätigkeit verfolgt Barth anhand einer Studie von G. Schrenk[4] die ihm wichtige Lehre vom Reich Gottes zurück bis hin zu ihren Ursprüngen bei Calvin und entdeckt auf diesem Weg wieder J. A. Bengel als einen in dieser Tradition (der Entfaltung der Reich-Gottes-Lehre) stehenden und ihr verpflichteten Theologen.[5] Die hier sich andeutende intensive Beschäftigung Barths mit Bengel und seine Rückverweise auf diesen Autor lassen eine Untersuchung des Bengelschen Kommentarwerks auf dessen soteriologische Grundkonzeption bzw. Gedankengänge hin als angezeigt erscheinen.

bb) Die Deutung des Todes Jesu Christi in Bengels „Gnomon"

Insbesondere die Anmerkungen zu den Passionsberichten der Evangelien zeigen, wie Bengel das Leiden und Sterben Jesu versteht und theologisch ausdeutet. Seine Interpretation weist auf, wie im Kreuz das Handeln Gottes und die gehorsame Entsprechung Jesu Christi ineinandergreifen. Zunächst einmal müssen die Passionsereignisse im Licht ihrer göttlichen Lenkung betrachtet werden. In erster Linie handelt hier Gott. Er ist in höchster Weise Subjekt des Geschehens. Denn der Vater hat seinen Sohn preisgegeben, d. h. er hat ihn ans Kreuz gegeben, „und zwar in wahrem Ernst".[6] So bemerkt Bengel zu Mt 26,31: „Man sieht, Gott selbst hat Jesum geschlagen, indem er ihn hiezu dahin gegeben hat."[7] Das Ringen Jesu in Gethsemane weist darauf hin, daß der Vater selbst ihm den Kelch, „mit bitterem Leiden voll gefüllt",[8] darreicht. In Jesu Leidensweg wird offenbar, daß der Vater dem Sohn unbeschadet seiner ewigen Liebe zu ihm in einem „richterlichen Ernst"[9] begegnet.

Auch das ungerechte menschliche Gericht, in dem Jesus zum Tod verurteilt wird, fügt sich ein in Gottes Heilsplan. Bengel sagt: „Nie ist ein solcher Akt der Ungerechtigkeit begangen worden, wie gegen Jesum; und

2 BTh I, 320.

3 BTh I, 442.

4 G. Schrenk, Gottesreich und Bund im älteren Protestantismus vornehmlich bei Johannes Coccejus. Zugleich ein Beitrag zur Geschichte des Pietismus und der heilsgeschichtlichen Theologie, Gütersloh 1923.

5 BTh II, 129.

6 Bengel, a.a.O., Bd. I., 444.

7 A.a.O., 184.

8 A.a.O., 186.

9 A.a.O., 502.

doch war es der höchsten Gerechtigkeit Gottes gemäß."[10] Selbst die ungerechten Richter erscheinen noch als Werkzeuge des göttlichen Heilsratschlusses: Was Jesus nach Gottes Willen tragen soll, wird ihm im Urteil seiner menschlichen Richter zugesprochen: „Die *Schuld* der Uebertretung des Gesetzes ward auf Christum durch Caiphas gelegt, der auf Mosis Stuhl saß; die *Strafe* aber von Pilato, der ihn doch immer für unschuldig erkannte. So ist's wunderbar getheilt. Beides trug Jesus. Ihm sey ewig Dank!"[11] Gott läßt aber nicht nur der menschlichen Ungerechtigkeit freien Lauf, sondern auch dem Treiben des Satan, der als verborgener Akteur die finstere Szene beherrscht. Zu Lk 22,53 bemerkt Bengel: „Es war Nacht; da hatte der Fürst der Finsterniß die Feinde Jesu aufgetrieben."[12]

Der Preisgabe durch Gott entspricht auf Seiten Jesu seine freiwillige Selbsthingabe.[13] Denn Jesus Christus ist ja gekommen, „daß er unsere Sünden auf sich nähme".[14] So betont Bengel immer wieder: „Der Heiland ergibt sich gutwillig in sein Leiden."[15] Auch sein Sterben im engeren Sinne ist ein Akt freier Hingabe: „Der Tod Christi bestand nicht in einem Verschmachten, sondern war ganz freiwillig."[16]

Nichtsdestoweniger führt die Preisgabe durch Gott Jesus in die Erfahrung tiefster Not und Bedrängnis. Dies wird bereits sichtbar im Garten von Gethsemane, da Jesus sich anschickt, „den Kelch zu trinken".[17] Sein „Trauern und Zittern zeigt das Herantreten eines schauerlichen Gegenstandes, das Zagen hingegen das Entweichen alles Trostes von Außen her".[18] Zu Lk 22, 44 erklärt Bengel: „Die höchste Traurigkeit und Angst . . . ist über dem angebotenen Leidenskelch auf ihn gekommen. Das griechische Wort (Agonia) bezeichnet eigentlich Beklemmung und Bedrängnis der Seele, denn bei einem bevorstehenden harten Stand (Kampf) setzet es eine Angst, wenn man schon einen guten Ausgang weiß. So war es bei Jesu."[19]

Das Leiden erreicht seinen Höhepunkt in der Gottverlassenheit am Kreuz. „Diese Verlassung ist das Tiefste vom Leiden Jesu."[20] Bengel macht in diesem Zusammenhang aufmerksam auf die ungewöhnliche Anrede, in der Jesus sich in seinem Verlassenheitsruf an seinen Vater wendet: „Sonst pflegte Jesus zu sagen: Vater; jetzt ruft er: Mein Gott! und steht ihm gleichsam schon ferner."[21] Unbeschadet des Gottvertrauens, das Jesus auch hier bekundet, macht sich doch eine gewisse Distanz im Verhältnis des

10 A.a.O., 188.
11 A.a.O., 263.
12 A.a.O., 406.
13 A.a.O., 444.
14 A.a.O., 244.
15 A.a.O., 188; vgl. a.a.O., 404.

16 A.a.O., 267.
17 A.a.O., 186.
18 A.a.O., 185.
19 A.a.O., 405.
20 A.a.O., 196.
21 Ebd.

Vaters zum Sohn bemerkbar. Bengel schließt weiter: „Er will nicht nur damit sagen, Gott habe ihn in der Menschen Hände fallen lassen, sondern auch, daß er von Gott selbst irgend etwas Unaussprechliches erlitten habe."[22] Diese Verlassenheit darf nicht abgemildert werden. „Er ward wirklich für uns verlassen."[23] Die Frage nach dem Warum der Verhüllung, der Verborgenheit des Vaters drückt „so viel aus, solche Verlassung sey dem Sohne an sich nicht erträglich gewesen".[24] Die Verlassenheit stößt die Seele Jesu in ein tiefes Dunkel. „Von Gott verlassen zu seyn, war der Seele Jesu eben, was dem Leibe der Tod war; Jenes wurde durch die Finsterniß und Dieses durch das Zerreißen des Vorhangs angedeutet."[25]

In der Not der Gottverlassenheit durchleidet Jesus die Gottesferne des Sünders. Er selbst steht ja, von Gott zur Sünde gemacht (2 Kor 5,21), an Stelle der Sünder. „Darum geschah es, daß Christus am Kreuz verlassen gewesen ist."[26] Im Kreuz ist die Sünde ganz aufgelitten und gebüßt. Darin liegt der tiefe Sinn der Vereinsamung Jesu. In einem Gebetsvers im Anschluß an Mt 27,49 drückt Bengel das so aus: „Herr Jesu, Du warest eine Weile von Gott verlassen; und dadurch hast Du uns Abtrünnige wieder zu Gott gebracht. Ewig sey Dir Dank dafür."[27] Auf eine prägnante Formel gebracht, heißt dies: „Christus ward ein Fluch, uns zum Segen."[28]

Dem bisher ausgebreiteten Befund entspricht auch, was Bengel zu den soteriologisch relevanten Stellen bei Paulus anmerkt. In seinem Kommentar zu Röm 4,25 unterstreicht er noch einmal, daß im Heilswerk Jesu Christi die Preisgabe durch den Vater und die Selbsthingabe des Sohnes einander entsprechen: „... die Ausdrücke sind so gehalten, daß einerseits das *Leiden* mehr vom Vater Christo auferlegt, und dann der Tod von Christo freiwillig erduldet worden ist."[29] Christus ist aber nicht nur das Leiden auferlegt, sondern die Sünde selbst.[30] Damit steht er vor Gott wie ein Sünder. So kann Bengel sagen: „Als Er unsere Sünden auf sich hatte, hat er die Schmähungen, welche gottlose Menschen Gott anthun, mit eben der schmerzhaften Empfindung gefühlt, wie sie die Lästerer selbst hätten empfinden sollen; er hat solche Schmähungen geduldig getragen und gebüßt, als ob er sie selbst begangen hätte; er schämte sich unserthalben vor Gott so sehr wie diejenigen, die den Herrn schmäheten, sich hätten schämen sollen."[31]

Die Sünde ist aber Christus auferlegt worden, damit ihr in seinem Fleisch die Verurteilung widerfahre. Bengel notiert zu Röm 8,3: „Mit unserem von

22 Ebd.
23 Ebd.
24 Ebd.
25 A.a.O., 197.
26 A.a.O., Bd. II/1, 261.
27 A.a.O., Bd. I., 197.
28 A.a.O., 195
29 A.a.O., Bd. II/1, 39.
30 A.a.O., 51. 63.
31 A.a.O., 118.

der Sünde durch und durch verderbten Fleisch waren wir des Todes schuldig. Gott aber hat in der *Aehnlichkeit dieses Fleisches* (denn solche erforderte die Gerechtigkeit), d. h., in dem wahrhaftigen heiligen Fleisch seines Sohnes, die in unserem Fleisch wohnende Sünde als solche verurtheilt, damit wir frei würden."[32] Im Tod Jesu kommt also Gottes Gerechtigkeit, mehr noch seine „Rache wider die Sünde"[33] zur Auswirkung. Auf der gleichen Ebene liegen Bengels Aussagen zu Gal 3,13. Diese Stelle ist „ganz eigentlich zu verstehen. Denn wir waren der Fluch, und dieser Fluch ist nun Christus geworden an unsrer Statt, damit wir aufhörten, ein Fluch zu seyn."[34]

Abschließend sei noch vermerkt, daß Bengel eine Einordnung des Werkes Christi in das Schema von Leistung und Vergeltung streng zurückweist: Jesus Christus hat „nicht um seiner Werke willen (denn auch der Sohn hat dem Vater nichts zuvor gegeben, daß der Vater es hätte ihm zu vergelten gehabt), sondern darum, weil er der Sohn war, in seinem Leiden all' sein Vertrauen auf den Vater gestellt und uns also den Weg gebahnt, als der Anfänger und Vollender des Glaubens, Hebr. 12,2".[35]

Wir können das Ergebnis unserer Untersuchung zur Deutung des Todes Jesu bei Bengel folgendermaßen zusammenfassen:[36]

(1) In den Passionsereignissen handelt Gott selbst als eigentliches Subjekt. Er ist es, der Jesus preisgibt. Auch die ungerechten menschlichen Richter unterstehen der göttlichen Regierung des Geschehens. Sie sind gleichsam Werkzeuge des göttlichen Heilsplans. Im ungerechten Urteil über Jesus kommt doch auf wunderbare Weise Gottes Gerechtigkeit zur Geltung.

(2) Jesus Christus ist Träger der Sünde und damit des göttlichen Fluchs. Sünde und Fluch sind ihm aufgeladen. Aber er ist nicht nur passives Objekt. Er selbst ist gekommen, um die Sünde auf sich zu nehmen. Der Preisgabe durch den Vater entspricht die Todeshingabe des Sohnes.

(3) Die Preisgabe bringt für Jesus die subjektive Erfahrung der Gottverlassenheit mit sich. Ebenso wie Gal 3,13 ist auch Mt 27,46 wörtlich zu nehmen: Jesus war wirklich von Gott verlassen.

(4) Die Hingabe Jesu darf nicht im Sinne einer Vergeltung beanspruchenden Leistung verstanden werden.

32 A.a.O., 63.
33 A.a.O., 32.
34 A.a.O., 312
35 A.a.O., 3.
36 Ein Blick auf Bengels Predigten bestätigt unser Ergebnis. Vgl. dazu J. A. Bengel's weiland Prälaten zu Alpirsbach usw. hinterlassene Predigten. Zum erstenmal gesammelt und herausgegeben von M. J. Chr. F. Burk, Reutlingen 1839, 32. 52. 54. 104. 206. 245ff. 253ff. 265. 279. 281. 413. 434.

d) H. F. Kohlbrügge

aa) Barths Beziehung zu H. F. Kohlbrügge

In seinem Werk über die Theologie K. Barths hat G. C. Berkouwer ausdrücklich hingewiesen auf die „Relation Barth - Kohlbrügge".[1] Aber auch Barth selbst macht keinen Hehl aus seiner Nähe zum Denken Kohlbrügges. Mehrfach gibt er zu erkennen, wie sehr er sich dem in der Predigt dieses reformierten Bekenners erkennbaren Neuansatz des theologischen Denkens verpflichtet weiß.[2] Kohlbrügges Akzentuierung der freien Gnade Gottes und der Sündigkeit des Menschen, die das Anliegen der Reformatoren wieder neu zur Geltung zu bringen sucht, bietet Barth einen Anknüpfungspunkt für seinen eigenen Neuaufbruch. Im Vorwort zu seinem Werk „Die christliche Dogmatik im Entwurf" zählt er Kohlbrügge zu den Vertretern reformatorischer Tradition, bei denen er sich „in entscheidenden Punkten theologisch zu Hause" fühlt;[3] ja er bekennt sogar, daß er Kohlbrügges Namen „doppelt unterstreichen könnte".[4] In seiner Geschichte der protestantischen Theologie im 19. Jahrhundert widmet er Kohlbrügge, dem von der akademischen Theologie fast völlig übersehenen theologischen Streiter, ein eigenes Kapitel, aus dem deutlich hervorgeht, wie sehr er sich mit dessen theologischen Grundpositionen identifizieren kann, auch wenn eine kritische Note die positive Würdigung ergänzt.[5] In seiner Kirchlichen Dogmatik ruft er unter anderen auch Kohlbrügge auf als Kronzeugen für seine besondere Sicht der Inkarnation als Annahme des *sündigen* Fleisches.[6] Barths Beschäftigung mit Kohlbrügge und seine ausgesprochene Anerkennung und Sympathie für dessen theologischen Standort lassen darauf schließen, daß er eine gewisse Inspiration von dieser Seite empfangen hat.

---

1 G. C. Berkouwer, Der Triumph der Gnade in der Theologie Karl Barths, Neukirchen 1957, 36.

2 K. Barth, Ludwig Feuerbach. Fragment aus einer im Sommersemester 1926 zu Münster i. W. gehaltenen Vorlesung über „Geschichte der protestantischen Theologie seit Schleiermacher". Mit einem polemischen Nachwort: ZZ 5 (1927) 29; ders., Rechtfertigung und Heiligung. Vortrag gehalten an der Ostseetagung der C. S. V. in Putbus auf Rügen am 9. und 10. Juni 1927: ZZ 5 (1927) 289. 298f.; ders., Der römische Katholizismus als Frage an die protestantische Kirche. Vortrag, gehalten in Bremen am 9. März, in Osnabrück am 15. März und an der Niederrheinischen Predigerkonferenz in Düsseldorf am 10. April 1928: ZZ 6 (1928) 297; ders., Die christliche Dogmatik im Entwurf, Bd. 1: Die Lehre vom Worte Gottes. Prolegomena zur christlichen Dogmatik, München 1927, VI; ProtTh, 579-587; ferner: KD I/1, 234. 294. 296; KD I/2, 169. 424. 429f. 795. 931; KD III/1, 219; KD III/3, 356; KD IV/1, 585; KD IV/2, 570. 651-653. 656f. 659. 677; KD IV/3, 2. Hälfte, 574.

3 K. Barth, Die christliche Dogmatik im Entwurf, Bd. 1, VI.

4 Ebd.

5 ProtTh, 579-587.

6 KD I/2, 169.

Ein Blick auf Kohlbrügges Darlegungen zum Geheimnis der Versöhnung in Christus liegt daher nahe.

bb) Das Kreuz als Ort des göttlichen Zorngerichts in der Predigt Kohlbrügges

Kohlbrügges Predigt[7] ist vorrangig interessiert an der Klärung und Beschreibung des Verhältnisses Gottes zu uns Menschen. Sein Bemühen zielt darauf ab, die Gnadenhaftigkeit dieser Beziehung wieder kraftvoll zur Geltung zu bringen. Was Gott für die Menschen ist und was er ihnen schenkt, entspringt allein seiner Gnade und Huld. Was den Menschen auch in seiner Sünde trägt und hält, ist allein Gottes Gnade. Abgesehen von ihr ist er verloren und ausgeliefert an die Macht der Sünde. Kohlbrügges Predigt richtet sich ihrer Aufgabe gemäß auf die Erbauung der Gemeinde. So liegt es in der Natur der Sache, daß die Anwendung und Aktualisierung der Heilswahrheiten auf die konkrete Situation der Gemeinde hin im Vordergrund steht. Damit ist zugleich gegeben, daß das christologisch-soteriologische Thema nicht systematisch, sondern nur gelegentlich, in Anknüpfung an jeweils vorgegebene Schriftperikopen behandelt wird. Obwohl also Kohlbrügge keine systematisch entfaltete Christologie bietet und keinen christologischen Traktat geschrieben hat, kommen in seiner Gemeindeunterweisung (der Verkündigung) Person und Werk Jesu Christi immer wieder zur Sprache. Seine der Entfaltung des Christusgeheimnisses gewidmeten Predigten verdienen in unserem Zusammenhang deshalb eine besondere Beachtung, weil die in diesem Rahmen vorgenommene Ausgestaltung des Gerichts- und Zornesmotivs bemerkenswerte Parallelen zu entsprechenden Überlegungen der Versöhnungslehre Barths aufweist. Dies läßt sich insbesondere an drei Gedankenkreisen zeigen:[8]
a') Jesus Christus im Stand des Sünders;
b') Jesus Christus als Träger des göttlichen Zorns;
c') Jesu Erfahrung der Verdammnis.

a') Jesus Christus im Stand des Sünders
Für Kohlbrügge läßt sich die Situation des Menschen vor Gott mit dem Begriff „Fleisch" beschreiben. Des Menschen Wesen, sein Sinnen und Trachten ist fleischlich. Damit ist ausgesagt: Der Mensch ist von Hause aus ein Feind der Gnade Gottes. In seiner Predigt zu Joh 1,14 formuliert

---

7 Über Kohlbrügges Theologie unterrichtet außer dem bereits (Anm. 2; Anm. 5) angegebenen Kapitel in ProtTh ausführlich: W. Kreck, Die Lehre von der Heiligung bei H. F. Kohlbrügge: FGLP, 8. Reihe, Bd. 2, München 1936; vgl. ferner die im folgenden angegebenen Schriften Kohlbrügges.
8 Vgl. zum folgenden Kreck, a.a.O., 28-51.

Kohlbrügge den Sachverhalt sehr drastisch: „Weißt du, was ‚Fleisch' hier bedeutet? Fleisch bedeutet hier nicht das Vergängliche, das uns an den Knochen hängt. Fleisch bedeutet einen Menschen mit Leib und Seele, der aber in einem von Gott, seinem Leben, gänzlich abgekommenen Zustande lebt und sich gänzlich untüchtig gemacht hat, den Willen Gottes zu tun, dessen darum der ewige Tod wartet. Ein solches Fleisch ist vor Gott verflucht und heißt ‚Sünde' vor Gottes heiligen Augen, und wie es verdorben ist, kann es aus sich selbst nichts anderes, als alles verderben, auch das Gute, das es noch unter die Hände bekommt."[9]

Durch die Übertretung des göttlichen Gebots hat der Mensch sich von Gott entfernt. Er ist nun verloren, mit ihm ist es aus. Dabei gilt für Kohlbrügge, daß jeder Mensch in seinem konkreten Lebensvollzug den Fehltritt Adams wiederholt und bestätigt: „Diese Sünde nun, welche durch *einen* Menschen in die Welt gekommen ist, ist unser aller Sünde: von dem lebendigen Gott abgetreten zu sein und abzutreten aus Vorwitz und Mißtrauen und sich dem Teufel anheimgegeben zu haben oder anheimzugeben, seinen Willen zu thun."[10]

Im Licht Gottes können wir Menschen uns nur wiedererkennen als Sünder, „die wir tausend mal verdient haben und verdienen, von Seinem Antlitze auf ewig verstoßen zu sein, und es auch wirklich dahin gebracht haben mit unserer mutwilligen Übertretung im Paradiese, daß wir des Lebens und der Gemeinschaft Gottes gänzlich verlustig geworden, dem Teufel, der Sünde und dem Tode anheimgefallen sind".[11]

Auf dem Hintergrund dieser strengen Identifizierung von Menschsein und Sündersein kann Gottes Menschwerdung in Christus nur bedeuten: Jesus Christus hat das Menschsein in seiner sündigen Gestalt angenommen, ohne jedoch selbst sich einer Sünde schuldig zu machen. Kohlbrügge wagt die paradoxe Formulierung: „Ein solches Fleisch ward das Wort, und denke es dir so sündhaft, so elend, so abscheulich, so greulich vor dem Gesetze, wie du willst, so sage ich es laut auf: Ein solches Fleisch ward das Wort. Dennoch blieb es das Wort, dennoch blieb es das unschuldige, unbefleckte Lamm."[12] Fleisch aber bedeutet nun Gottesferne. Kohlbrügge scheut sich nicht, Menschwerdung auch als einen Weg in diese Gottesferne zu deuten. Gott gibt seinen Sohn gleichsam „von seinem Antlitze hinweg",[13] er sendet ihn in

9 H. F. Kohlbrügge, Im Anfang war das Wort. Sieben Predigten über Evang. Joh. Cap. 1, Vs. 1-18, Elberfeld 1877, 76.
10 Ders., Zwanzig Predigten im Jahre 1846 gehalten, Halle 1857, 169.
11 Ders., Passionspredigten, Elberfeld ³1913, 301f.
12 Ders., Im Anfang war das Wort, 76.
13 Ders., Acht Predigten über Evangelium Johannis, Cap. 3, V. 1-21 nebst einer Schluß-Predigt über Röm 8, Vers 32, Elberfeld ⁴1855, 54.

unsere „verpestete Luft hinein".[14] In seinen Ausführungen zu Joh 3,34 stellt Kohlbrügge die Frage: Wohinein hat Gott seinen Sohn gesandt? Er antwortet: „In einen Zustand hinein, wie der unsrige ist, in einen Zustand des Zornes, des Verfluchtseins vor dem Gesetze, . . . in einen Zustand des äußersten Elendes, der äußersten Schwachheit und Nichtigkeit. Er hat ihn gesandt in der Person des Sünders, ihn, den Sohn, den ewig Reinen und Heiligen; in der Person des Sünders, sage ich, hat er ihn gesandt, so daß er, der Sohn, vor dem Gesetze dastand als der greulichste, abscheulichste und fluchwürdigste Sünder; denn alle Sünden, sie mögen heißen, wie sie wollen – Gott warf ihn dahinein, ihn, seinen Sohn; Gott warf alle diese Sünden auf ihn, so daß er um und um in den heiligen Augen Gottes Sünde war."[15]

Zu diesem Zustand der Teilnahme am Los des Sünders, der ihm von seiner Geburt her anhaftet, so daß er gleich vom ersten Augenblick seines menschlichen Daseins an nichts anderes verdiente, „als ausgerottet zu werden vor dem Angesichte des heiligen Gottes",[16] hat Jesus sich ausdrücklich und öffentlich bekannt, und zwar bei der Gelegenheit seiner Taufe im Jordan. Kohlbrügge bemerkt dazu: „Er wollte sich durchaus dem reuevollen, dem seine Sünde bekennenden, dem sich aller Vorzüge, welche es bei Gott hatte, entäußernden Volke gleichmachen; er wollte nichts mehr sein, als was das Volk, welches sich taufen ließ, auch von sich anerkannte, ein Mensch, obschon der Sohn – ein Mensch wie sie, für sie –, ein Mensch wie wir, für uns; und so ging er in das Wasser, nicht mit eigenen Sünden, sondern mit der Sünde des Volkes, legte alles freiwillig ab, was er war, und kam aus dem Wasser wieder hervor, wie auch das Volk daraus hervorkam, als Einer, der nichts war und es dem Vater überlassen mußte, was aus ihm und aus dem Volke werden würde."[17] Kohlbrügge beschreibt also – wie wir sahen – die Menschwerdung als radikale Entäußerung. Jesus Christus macht sich in der Weise den Menschen gleich, daß er an ihrem sündigen Stand partizipiert. Obgleich er selbst keiner Sünde schuldig ist, teilt er das Los der aus der Sünde resultierenden Gottesferne. So steht auch er unter dem Fluch Gottes.

b') Jesus Christus als Träger des göttlichen Zorns

Jesu Erniedrigung in den Stand des sündigen Fleisches entspricht die Tat seines Lebens, sein Heilandswerk. Kohlbrügge kann zunächst allgemein formulieren: „Er blieb in unserem elenden Zustande, und that darin das, was

14 Ebd.
15 H. F. Kohlbrügge, Die Herrlichkeit des Eingebornen vom Vater, H. 2, Elberfeld 1878, 21.
16 Ders., Die Herrlichkeit des Eingebornen vom Vater, H. 1, Elberfeld 1877, 25.
17 A.a.O., 97; vgl. a.a.O., 98f.

Adam nicht gethan in seinem herrlichen Zustande."[18] Jesus leistet Gott den schuldigen Gehorsam. Er erkennt Gottes Hoheit und Recht gegenüber den Menschen an. Nun steht aber der Mensch als Sünder vor Gott. Und Gott „muß den *Sünder* strafen, er muß ihn von sich stoßen in ewige Finsterniß hinein, in die Hölle hinein zu allen Teufeln, die seinem Willen widerstanden haben. Solches erfordert seine Heiligkeit und Gerechtigkeit . . .".[19] Genau diesem Urteil über den sündigen Menschen hat Jesus sich gebeugt. Er hat am Kreuz den göttlichen Fluch getragen. Wenn Jesus das sündige Fleisch annahm und so die Last der Sünde auf sich nahm, kann das nur bedeuten: Ihn trifft die ganze Härte der Strafe Gottes gegen die Sünde. Und das heißt: Er kann vor Gott nur vergehen. Kohlbrügge umschreibt diesen Zusammenhang so: „Jesus war nunmehr die Person des Sünders, war die Sünde geworden für uns. Der ganze Fluch des Gesetzes, die ewige Verdammung lastete auf ihm. Alle unsere Sünden waren auf ihn geworfen. Darum konnte Gott sich gegen sein Kind Jesus nicht verhalten als gegen sein Kind; er mußte sich gegen ihn verhalten, ihn behandeln, wie er uns hätte behandeln müssen. Und der heilige Gott – ihr wisset es, er ist zu rein von Augen, als daß er das Böse, als daß er die Sünde anschauen könnte. Jesus aber hatte unsere Sünden, unsern Fluch, unsern Tod und die Verdammung des Gesetzes auf sich genommen; so wurde er denn auch von Gott als Sünde behandelt, als ein Fleisch, als ein Rebelle wider Gottes ewige Majestät. Darum mußte er die Last des ewigen Zornes Gottes tragen."[20]

Der Augenblick, in dem konkret sichtbar wird, daß Jesus zum Verfluchten Gottes geworden ist, ist die Stunde des Kreuzes. Das Kreuz bedeutet die „äußerste Schande, die höchste Schmach; und wer daran hing, war ein Fluch".[21] Gottes Fluch tragen heißt aber, „mit der ewigen Verwerfung von dem Angesichte Gottes"[22] beladen sein, „das ewige Gericht über alle diese Sünden"[23] erdulden, „der höllischen Pein und Verdammniß"[24] ausgeliefert sein, „dem Teufel und allem Hohngelächter der Hölle"[25] preisgegeben sein und schließlich den „geistlichen und ewigen Tod"[26] sterben. Kohlbrügge

---

18 H. F. Kohlbrügge, Zwanzig Predigten im Jahre 1846 gehalten, 236.
19 Ders., Acht Predigten über Evangelium Johannis, 67; vgl. ders., Zwanzig Predigten im Jahre 1846 gehalten, 75.
20 Ders., Passionspredigten in den Jahren 1847, 1848 u. 1849 gehalten, H. 3, Elberfeld 1876, 46f.
21 Ders., Zwanzig Predigten im Jahre 1846 gehalten, 241.
22 Ders., Passionspredigten, Elberfeld ³1913, 163.
23 Ders., Die Herrlichkeit des Eingebornen vom Vater, H. 2, 21.
24 Ders., Passionspredigten in den Jahren 1847, 1848 u. 1849 gehalten, H. 3, 58.
25 A.a.O., 10.
26 A.a.O., 60.

stellt zur Eigenart des Kreuzestodes Jesu ausdrücklich fest: Das Kreuz bringt Jesus den Tod, „den wir sterben mußten, den wir gestorben sind, nicht den leiblichen Tod an und für sich, sondern den Tod, wie mit demselben die ganze Verdammung, das gänzliche Verworfensein von dem Leben und dem Angesichte Gottes verbunden ist. Den Tod mußte Er sterben, als Sünde für uns, als ein Fluch vor dem Richterstuhl Gottes, so daß Er das ganze ,Verfluchtsein' empfand, womit wir verflucht sind, die wir nicht geblieben in allen Worten des Gesetzes. Einen solchen Tod mußte Er sterben, wodurch Er in die Gewalt des Teufels und der Hölle kommen mußte. Durch die Hölle hindurch und aus der Hölle heraus, das war der Weg. Oben vor Gott ein Fluch, unten eine Beute des Todes und der Hölle . . ."[27] Indem Jesus so den schrecklichen Fluchtod erlitt, hat er die von Gottes Gerechtigkeit geforderte Genugtuung geleistet,[28] das Gesetz erfüllt[29] und Gottes Ehre wiederhergestellt.[30] Für den Menschen ist damit „das ganze Unwesen" seiner sündigen Verderbtheit „aus dem Mittel gethan".[31]

c') Jesu Erfahrung der Verdammnis

Jesus hat in seiner Passion nicht nur die Last des göttlichen Zorns getragen, sondern – so betont Kohlbrügge – er hat auch die Bitterkeit dieses ihm vom Vater dargereichten Zorneskelches[32] gekostet. Die Stunde, in der das göttliche Verdammungsurteil ihn traf, war auch die Stunde lebendigster und intensivster Erfahrung des Schreckens der Gottverlassenheit. Die Nacht einer tödlichen Einsamkeit voller Grauen bricht über ihn herein. Gott hat gleichsam sein Angesicht gegenüber dem Sohn verhüllt, und Jesus wird dessen inne, daß Gott ihm in seinem Leiden und Sterben nur noch in dieser Verhüllung begegnet. Aus Jesu Verlassenheitsruf spricht für Kohlbrügge die ganze Not dieser Erfahrung: „Denn da hat sich unser Herr an unserer Statt von Gott los und geschieden gefühlt, so daß er nichts als Zorn gewahr wurde; da hat er also die unaussprechliche Angst, Schmerzen und Schrecken der Verdammniß an unserer Statt und um unseretwillen auch an seiner heiligen Seele erlitten, uns von der höllischen Angst und Pein zu erlösen."[33] Immer wieder mahnt Kohlbrügge, die Angst, die Jesus habe durchstehen müssen, nicht zu unterschätzen. Dieser Angst, „von der wir uns keine Begriffe

27 H. F. Kohlbrügge, Passionspredigten, Elberfeld ³1913, 51.
28 Ders., Acht Predigten über Evangelium Johannis, 39.
29 A.a.O., 40.
30 Ebd.
31 H. F. Kohlbrügge, Zwanzig Predigten im Jahre 1846 gehalten, 265.
32 Ders., Passionspredigten in den Jahren 1847, 1848 u. 1849 gehalten, H. 3, 46.
33 A.a.O., 54f.

machen können",[34] sei der Tod vorzuziehen.[35] Sie überfällt Jesus schon bei seiner Taufe im Jordan. Darauf läßt sein bei dieser Gelegenheit an den Vater gerichtetes Gebet schließen. Kohlbrügge bemerkt dazu: „Wie demnach das Beten des Herrn kein Scherz kann gewesen sein, sondern wir deß gewiß sein können, daß er immerdar, wenn er gebetet, in der äußersten Seelennoth und Angst gewesen ist, so war dies auch gewißlich hier der Fall, nachdem Jesus getauft worden war. Oder man denke sich mal den Fall, wie es Einem zu Muthe ist, dem alles streitig gemacht wird, dem alles aus den Händen genommen worden ist; den Fall, wo aller Glaube, wo jede Hoffnung dahin ist; den Fall, wo man nur Tod, Sünde und Verderben sieht und von voriger Gnade keinen Schimmer mehr . . ."[36] Die Parallele zum Passionsgeschehen liegt auf der Hand. Es handelt sich bereits hier um eine „Noth gleich derjenigen in Gethsemane und auf Golgatha".[37]

Die besondere Härte der Todesangst Jesu ist aber nicht nur im Entzug der sichtbaren und spürbaren Nähe Gottes begründet, sondern auch in den Anfechtungen des Satans. Der Teufel darf hier zu einem letzten Schlag gegen Jesus ausholen. Kohlbrügge vermerkt: „Alle Teufel stürmen hier zuletzt auf Ihn los . . .".[38] Und „die Hölle lagert sich um das Kreuz".[39] Ja, Jesus „neigte das Haupt, Sich in Seinem Tode zu beugen unter das Ihn herabdrückende niedere Gewölbe der Hölle".[40] Die besondere Verruchtheit der satanischen Versuchungen liegt darin, daß der Teufel danach strebt, Jesu Glauben und Gottvertrauen zu Fall zu bringen. Kohlbrügge legt ihm folgende Rede an den Gekreuzigten in den Mund: „Das Wort, worauf du dich verlassen, hast du fälschlich auf dich angewandt! Du hast dich selbst betrogen, jetzt verläßt dich das Wort! Gott hat dich verlassen, von seinem Angesicht verstoßen, verworfen, sonst würde er dir wohl helfen, sonst würde es soweit mit dir nicht gekommen sein! Du hast nichts zu hoffen von ihm! Du wirst nicht errettet – und kein Wunder, du bist ganz Sünde, ganz Fluch, ein gänzlich Verdammter. . . . Der Himmel bedeckt sich über dir und die Sonne verliert über dir ihren Glanz; denn du bist aller Greuel Greuel, und nie gab es einen solchen Verlorenen und Verdammten, wie du bist! Nun zeige uns mal an, wie du vom Kreuze ab, wie du hier herauskommst, bist du der Christus, der

34 H. F. Kohlbrügge, Passionspredigten, Elberfeld ³1913, 87.
35 A.a.O., 48.
36 H. F. Kohlbrügge, Die Herrlichkeit des Eingebornen vom Vater, H. 1, 98.
37 A.a.O., 102.
38 H. F. Kohlbrügge, Passionspredigten, Elberfeld ³1913, 293.
39 Ders., Passionspredigten in den Jahren 1847, 1848 u. 1849 gehalten, H. 3, 41.
40 Ders., Passionspredigten, Elberfeld ³1913, 294.

Sohn, der Auserwählte Gottes!"[41] In diesem „Spott und Schmach"[42] steckt zugleich die Aufforderung zum Ungehorsam gegenüber der göttlichen Sendung und damit die Zumutung der Anerkennung einer vom Teufel regierten Ordnung, einer satanischen Oberhoheit.[43]

Was der grauenvollen Angst Jesu, seinem Erschrecken vor der seiner göttlichen Natur so fremden Macht des Todes[44] und den Auslassungen des Teufels zusätzliches Gewicht verleiht, ist das Ausbleiben jeglichen Trostes. Von „besonderen Einflüssen, Trost oder Kraft, welche dem Herrn etwa zugekommen wären",[45] sei in den Zeugnissen der Schrift nichts zu lesen. Vielmehr gelte: „Trost ist ferne von ihm."[46] Kohlbrügge versucht, diesen Sachverhalt zu erläutern: „Das geistliche Verlassensein besteht darin, daß der Heilige Geist auf längere Zeit einhält, sich zurückzieht aus der Seele, nicht mehr mitwirkt oder mitzeugt mit dem Geiste des Angefochtenen. So ist denn kein Licht, gar kein Licht mehr da in der Seele, keine Gewißheit mehr der Gnade, gar kein Trost mehr von oben. Man schmeckt lauter Zorn, Grimm und ein Verstoßensein von seiten Gottes."[47]

Aus alldem darf jedoch nicht geschlossen werden, Jesu Glaube habe angesichts dieser Verfinsterung auch nur für einen Augenblick seinen Gegenstand aus dem Auge verloren. Jesus hat auch in dieser tiefsten Demütigung und schrecklichsten Prüfung alle Hoffnung auf Gott, seinen Vater geworfen. Er hält unerschütterlich fest an der Gewißheit: „Obschon ich hier hange, ein Wurm und kein Mann, obwohl ein Fluch vor dem Gesetze, obschon Sünde in diesem meinem Leibe des Fleisches, so weiß ich es dennoch: Gott ist mein Gott, ich bin der gerechte Knecht meines Vaters, dort oben habe ich alles in Richtigkeit gebracht . . ."[48]

3. Von Barth benutzte Lehrbücher der protestantischen Orthodoxie

a) Barths Rückgriff auf die Orthodoxie

Im Wintersemester 1924/25 und im Sommersemester 1925 stand Barth zum ersten Mal vor der Aufgabe, in einem Dogmatik-Kolleg die evangelische

41 Ders., Passionspredigten in den Jahren 1847, 1848 u. 1849 gehalten, H. 3, 42.
42 A.a.O., 41.
43 Vgl. H. F. Kohlbrügge, Zwanzig Predigten im Jahre 1846 gehalten, 172.
44 Ders., Passionspredigten in den Jahren 1847, 1848 u. 1849 gehalten, H. 3, 82.
45 Ebd.
46 A.a.O., 43.
47 Ebd.
48 A.a.O., 67; vgl. a.a.O., 33. 56. 83. 85.

Glaubenslehre vorzutragen.[1] Damit ergab sich die Notwendigkeit einer Sichtung des darzubietenden Stoffs, d. h. der Erschließung und des Studiums von Quellen, aus denen für den Unterricht zu schöpfen war. Aus brieflichen Mitteilungen an E. Thurneysen geht nun klar hervor, daß Barth in dieser Situation besonders auf zwei Dogmatik-Darstellungen rekurrierte, die Lehrbücher der evangelischen Glaubenslehre von H. Heppe[2] und H. Schmid,[3] die beide der protestantischen Orthodoxie verpflichtet sind. So schreibt Barth am 4. März 1925 an Thurneysen: „ . . . Auch die Berücksichtigung des Thomas setzt oft weithin aus, Calvin ist nur gelegentlich, nicht systematisch herangezogen. Ich freue mich schon jetzt (. . .), das alles dann nachzuholen. Jetzt ist alles mehr zu Faden geschlagen. Ich kam eben im Laufe des Semesters fast nicht mehr nach und schöpfte zuletzt fast nur noch aus Schmid und Heppe."[4] Noch präzisere Auskunft gibt er in einem Brief vom 7. Juni 1925: „Das Sommersemester war bisher einem Allegro mit Fortissimoeinsatz wohl zu vergleichen. Es ging im Ordentlichen und Außerordentlichen reichlich hoch her. Im Ordentlichen: ich bin in der Dogmatik über die Loci ‚De foedere gratiae' und ‚De Jesu Christi persona' bis mitten in den ‚De officio Jesu Christi mediatorio' vorgestoßen und stehe eben am munus sacerdotale. Es geht wie bisher so, daß ich unter viel Kopfzerbrechens und Staunens schließlich der Orthodoxie doch fast in allen Punkten recht geben muß und mich selbst Dinge vortragen höre, von denen ich mir weder als Student noch als Safenwiler Pfarrer je hätte träumen lassen, daß sie sich wirklich so verhalten könnten. Wie mich das Ganze anschauen wird, wenn ich nach beendigtem Werk wieder etwas Distanz davon nehmen kann, darauf bin ich selber gespannt."[5] Damit dürfte erwiesen sein, daß Barth sich zur Ausarbeitung und Präparierung seiner ersten Dogmatik-Vorlesung im wesentlichen auf die orthodoxe Theologie gestützt hat,[6] repräsentiert durch die Lehrbücher von H. Heppe und H. Schmid.

1 Vgl. das Verzeichnis der Vorlesungen Barths vom WS 1921/22 bis zum WS 1929/30 in: BTh II, 741f.

2 H. Heppe, Die Dogmatik der evangelisch-reformierten Kirche, dargestellt und aus den Quellen belegt, Elberfeld 1861: Neuausgabe von E. Bizer mit einem Geleitwort von K. Barth, Neukirchen 1935, ²1958.

3 H. Schmid, Die Dogmatik der evangelisch-lutherischen Kirche, dargestellt und aus den Quellen belegt, Frankfurt/Erlangen ⁴1858.

4 BTh II, 321.

5 BTh II, 328f.

6 Vgl. dazu auch das Geleitwort Barths zu der von E. Bizer besorgten Neuausgabe der in Anm. 2 zitierten Dogmatik von H. Heppe. Vgl. ferner: H. Bouillard, Karl Barth, Bd. I, 120, Anm. 2: „Il a raconté plus tard l'embarras qui fut le sien la première fois qu'il eût à donner un cours de dogmatique, en 1924. Il savait, dit-il, qu'il devait avoir pour maître l'Écriture sainte et se remettre à l'école du Réformateur. Mais comment procéder? Il cherchait quelqu'un qui lui montrât le chemin. Alors lui tomba entre les mains l'ouvrage de H. Heppe, Die Dogmatik der

b)Versöhnung und Gericht nach der Darstellung
H. Heppes und H. Schmids

aa) H. Heppe

Heppe eröffnet seine Darlegungen zum Locus „De officio Jesu Christi mediatorio"[7] mit einem Blick auf den göttlichen Heilsplan: Der Vater hat mit dem Sohn einen ewigen Pakt geschlossen, der Jesus Christus zum Mittler des in der Sünde von Gott abgefallenen Menschengeschlechts bestimmt. Zur Verrichtung dieses Mittlerdienstes ist der Sohn Gottes Mensch geworden, zur Ausübung dieses Amtes hat der Vater die Menschheit Jesu Christi „mit der Kraft des Heiligen Geistes gesalbt".[8] Die Vermittlung Jesu Christi, so wird weiter erklärt, zielt auf die Versöhnung zwischen Gott und Mensch, die einerseits die Aufhebung der durch die Sünde entstandenen Feindschaft zwischen beiden Seiten impliziert, andererseits das Geschenk der göttlichen Verzeihung und Gnade an die Erwählten. Bewirkt wird diese Versöhnung durch das meritum Christi und seine efficacia.[9] Das meritum Christi besagt, daß Jesus Christus auf Grund seines stellvertretend für die Menschen geleisteten Gehorsams, der sowohl die „vollkommene Erfüllung aller Gebote Gottes"[10] als auch die „vollkommene Büßung für unseren Ungehorsam"[11] umfaßt, gleichsam einen Rechtstitel erworben hat, der ihn zur Forderung eines von Gott zu gewährenden Lohns (praemium) berechtigt.[12] D. h. durch seinen vollkommenen Gehorsam verdient Christus für die Erwählten die Freiheit von der Knechtschaft der Sünde und den Besitz des ewigen Lebens.[13] Beides wird vermöge der efficacia Christi den Auserwählten zugeeignet.[14]

Heppe legt jedoch Wert auf die Feststellung, daß Gott nicht erst durch Christi meritum von einem zürnenden zu einem gnädigen Gott umgestimmt werde, sondern daß das Heil letztlich in Gottes Dekret und Wohlgefallen als dessen eigentlichem und tiefstem Grund verankert sei. So kann allein vor dem Hintergrund des göttlichen Heilswillens das meritum Christi in rechter Weise eingeordnet und gewürdigt werden.[15]

---

evangelisch-reformierten Kirche (publié en 1861), exposé systématique de la doctrine orthodoxe de l'Église reformée". Vgl. ferner: J. de Senarclens, La concentration christologique. In: Antwort, 193: „Il se sentait seul et ne savait comment s'y prendre, quand il rencontra le Heppe et par lui les Pères du 17ᵉ siècle qui, en dépit de toutes les critiques qu'on leur adressait alors, lui ouvrirent justement le chemin qu'il cherchait: vèrs les Réformateurs et la Bible". Vgl. ferner: Th. F. Torrance, Karl Barth, 96.

7 Heppe, a.a.O., 355-387.

8 A.a.O., 355.	12 Ebd.
9 Ebd.	13 Ebd.
10 A.a.O., 356.	14 Ebd.
11 Ebd.	15 Ebd.

Nach dieser Einführung wendet Heppe sich dem dreifachen Amt Christi zu. In seiner Besprechung des munus triplex nimmt die Beschreibung des priesterlichen Amtes Christi (sacerdotium Christi) den größten Raum ein.[16] Und genau hier fallen die Aussagen, die für unseren Zusammenhang von besonderer Bedeutung sind.

Nach Heppe haben wir in Christi Priesteramt drei Momente zu unterscheiden: „1. die freiwillige Übernahme des vom Vater erhaltenen Auftrags oder die freiwillige Selbstdarbietung Christi zum Sühnopfer (sacrificium propitiatorium), 2. den Tod und 3. die wirksame Fürbitte desselben um Annahme seines Opfers für die Erwählten".[17] Satisfactio und intercessio bestimmen damit als wesentliche Glieder den priesterlichen Dienst Christi.[18]

Das Werk der Genugtuung wird nun folgendermaßen umschrieben: „Die satisfactio beruht schlechthin auf dem freiwilligen Gehorsam, mit welchem sich Christus für die Welt hingab, indem er sich einerseits für die Erwählten dem Willen (mandatum) des Vaters und andererseits für dieselben dem Gesetz und der Strafe für die Übertretung des Gesetzes unterwarf, d. h. das Gesetz vollkommen erfüllte (obedientia activa) und die volle Strafe für die Übertretung des Gesetzes am Kreuz trug (obedientia passiva)."[19] Die satisfactio kommt also zustande durch Christi aktiven und passiven Gehorsam. Dies wird im folgenden näher entfaltet.

Zu der durch die oboedientia activa geleisteten Gesetzeserfüllung erklärt Heppe: Christus war auf Grund der wesensmäßigen Heiligkeit seines menschlichen Wesens nicht zur Befolgung des Gesetzes verpflichtet, um (für sich) die ewige Seligkeit zu erlangen. D. h. er mußte für sich selbst das ewige Leben nicht erst verdienen, sondern seiner heiligen Menschheit stand dieser Lohn von vornherein zu.[20] Dennoch hat Christus sich freiwillig dem Gesetz unterworfen und als Bürge der Menschheit dessen Forderung vollkommen erfüllt. Er hat also die „obedientia activa nicht für sich, sondern lediglich als Mittler, stellvertretend für uns, geleistet".[21] Auf diese Weise hat er „die Gerechtigkeit, die wir in Adam verloren hatten, durch sein Verdienst uns wieder erworben".[22]

Der passive Gehorsam umfaßt den Bereich des Leidens, in dem Christus die infolge der Gesetzesübertretung auf dem Menschen lastende Strafe übernommen und so sich selbst unter Gottes Gericht gestellt hat. „Die obedientia passiva Christi stellt sich vorzugsweise in dem Leiden und Sterben Christi dar. Christus erfuhr dieses Leiden schon ehe er sein

---

16 A.a.O., 357-361 – 368-383 (Belegstellen).
. 17 A.a.O., 357.
18 Ebd.
19 A.a.O., 357f.

20 A.a.O., 358.
21 Ebd.
22 Ebd.

eigentliches Opfer darbrachte und hernach am Kreuz als am Holz des Fluches. Er erlitt daher nicht bloß die Qual des Leibes, sondern auch die der Seele, die die Menschen verdient hatten, indem er a) den ganzen Abgrund der Sünde und des Verderbens, in welche sich das Menschengeschlecht und alle einzelnen Glieder desselben verloren, und die Größe des Fluches, den alle verwirkt hatten, vor seiner heiligen Seele als sein eigenes Elend vergegenwärtigte und als sein eigenes Leiden empfand, und indem er b) mit der freiwillig übernommenen Sündenschuld aller Erwählten, die ihm von Ewigkeit her angehörten, beladen, von dem Vater damit gerichtet war, daß ihn derselbe verließ. Aber diese Empfindung des vollen Zorns Gottes über die Sünde, welche die Seele Christi quälte und ihn zu Tode marterte, ertrug der Herr in voller Hingabe an den Vater, wie aus dem Ausruf erhellt, in welchem Christus darüber jammerte, daß er von *seinem* Gott verlassen sei."[23]

Im Anschluß an seine Ausführungen zur oboedientia passiva Christi stellt Heppe die Frage nach dem Subjekt des Leidens und unterscheidet hier ein subiectum quod (die Person des Logos) und ein subiectum quo (die Menschheit Christi). Der Erlöser habe durch seine Menschheit die Leiden in sich aufgenommen.[24] Auf dieser Basis kann Heppe nun auch die besondere Beschaffenheit des Leidens Christi genauer erschließen. Zur Diskussion steht hier das Problem der erlösenden Wirksamkeit der Passion. D. h. gefragt ist nach dem, was dem Kreuzesleiden seine Heilseffizienz verleiht. Heppe bietet dazu folgende Lösung an: Dem Leiden Christi kommt aus einem dreifachen Grund Sühnkraft zu. Der erste Grund weist noch einmal hin auf das Subjekt des Passionsvorgangs: Es handelt sich wirklich um das Leiden des Sohnes Gottes. Aus der Würde der betroffenen Person erwächst dem Leiden sein unendlicher Wert.[25] Das zweite Argument faßt die Härte und Strenge des Erlöserleidens ins Auge. Heppe sagt: Jesus Christus erduldete „ein Leiden, welches durch dieselbe Empfindung, wie das ewige Strafleiden der Verdammten, nämlich durch die volle Empfindung des strafenden Zornes Gottes erweckt war, so daß es intensiv und wesentlich dem Leiden der Verdammten gleich kam".[26] An dritter Stelle führt Heppe die sittliche Vollkommenheit an. Jesus Christus hat „freiwillig, heilig und unschuldig"[27] gelitten. Sein Sterben am Kreuz bot daher dem Vater ein Äquivalent dar „für das von der Menschheit verschuldete Strafleiden".[28]

Nun bleibt noch klarzustellen: Die Aufspaltung des Gehorsams Christi in eine oboedientia activa und eine oboedientia passiva darf nicht mißverstanden werden. Die Distinktion ist nicht im Sinne einer Trennung zu interpre-

23 Ebd.
24 A.a.O., 358f.
25 A.a.O., 359.

26 Ebd.
27 Ebd.
28 Ebd.

tieren. Heppe bemüht sich daher um eine präzise Zuordnung der beiden Momente. Lasse sich eine Sonderung der beiden Aspekte (oboedientia activa – oboedientia passiva) ohnehin nur vom finis oboedientiae her rechtfertigen, insofern hier der Erwerb der Gerechtigkeit, dort hingegen die Befreiung vom Fluch der Sünde anvisiert werde, so müsse doch mit einem solchen Ineinandergreifen des aktiven Handelns Christi einerseits und seines passiven Erleidens andererseits gerechnet werden, daß man sachgemäßer von einer actio passiva und einer passio activa spreche.[29]

Die Betrachtung des sacerdotium Christi wird fortgesetzt mit einer Besinnung über die Notwendigkeit, Möglichkeit und Vollkommenheit der satisfactio.[30] Dabei kommt auch ausdrücklich die von der reformierten Prädestinationslehre her geforderte Einschränkung zur Geltung, daß im Versöhnungswerk Christi sufficienter für alle Menschen das Heil begründet sei, efficaciter jedoch nur für die von Gott nach ewigem Ratschluß Vorherbestimmten.[31]

Schließlich stellt Heppe die intercessio Christi vor dem Vater, d. h. die Vermittlung der durch sein Verdienst erworbenen Gnadengaben an die erwählten Gläubigen kurz als Komplement zur satisfactio vor[32] und geht dann über zur Betrachtung des regium munus, mit dem der Schlußteil des Locus über das Mittleramt erreicht ist.[33]

bb) H. Schmid

Schmid widmet in der Pars III. („De principiis salutis")[34] seiner Dogmatik im Zusammenhang seiner Erwägungen zu „De officio Christi"[35] der Darstellung des officium sacerdotale einen eigenen Paragraphen,[36] nachdem er zuvor das officium Christi triplex generell und bereits das officium propheticum behandelt hat. Wir wollen uns hier beschränken auf ein Referat seiner Ausführungen zum sacerdotium Christi unter besonderer Akzentuierung der für unsere Problemstellung relevanten Gedankengänge.

Schmid geht aus von der Feststellung, daß Christus als Erlöser „ein priesterliches Geschäft"[37] ausübte. Denn – so begründet er – dem Priester obliegt es, Opfer darzubringen, dadurch Gott zu versöhnen und die Schuld der Menschen abzutragen.[38] Allerdings besteht ein wesentlicher Unterschied zwischen Christus und den Priestern des Alten Bundes: Im Fall Christi fallen

29 Ebd.
30 A.a.O., 360f.
31 A.a.O., 361.
32 Ebd.
33 A.a.O., 361-363.

34 Schmid, a.a.O., 198-373.
35 A.a.O., 255-280.
36 A.a.O., 259-275.
37 A.a.O., 259.
38 Ebd.

Opfergabe und Opferpriester in eins. Christus bringt nicht eine fremde Gabe, sondern sich selbst zum Opfer dar.[39] Damit legt sich folgende allgemeine Definition nahe: Christi Priestertum besteht darin, daß er als Mittler zwischen Gott und die Menschen tritt, und zwar so, daß er zur Versöhnung der Menschen mit Gott sein Opfer und seine Bitten Gott darbringt.[40] Der priesterliche Dienst Christi umfaßt damit ein Zweifaches: das von ihm bereits dargebrachte Opfer und die immerwährende „Gebetsvertretung bei Gott".[41] In seinem Opfer hat Christus dem Vater Genugtuung geleistet, in seiner „Gebetsvertretung" tritt er für die Menschen ein und macht vor dem Vater sein Verdienst geltend. Satisfactio und intercessio bestimmen also auch hier (wie bei Heppe) den priesterlichen Dienst Christi. Auf diese beiden Begriffe konzentrieren sich die folgenden Ausführungen Schmids. Uns interessiert hier die Erklärung der Genugtuung Christi.

Wie Schmid (ein wenig gedrängt) darlegt, ergibt sich die Notwendigkeit der satisfactio aus folgendem: Die Menschen haben wegen ihrer Sünde Gottes gerechten und heiligen Zorn auf sich gezogen. Gott kann nun nicht ohne weiteres von seinem Zorn ablassen und den Menschen ungestraft ihre Schuld vergeben. Dies widerspräche seiner Gerechtigkeit und Heiligkeit.[42] Andererseits strebt Gott in seiner Liebe nach einer Erneuerung der durch die Sünde gestörten Gemeinschaftsbeziehung zu den Menschen. Von diesen Voraussetzungen her folgert Schmid: „Wenn Gott darum im Drang Seiner Liebe zu den Menschen doch wieder in ein Gnadenverhältniß mit denselben treten soll, so muß zuvor etwas geschehen, was macht, daß Er unbeschadet Seiner Gerechtigkeit und Heiligkeit es thun kann."[43] Das heißt: Es muß Genugtuung geleistet werden. Der Mensch ist jedoch dazu nicht in der Lage. Deshalb ist Gott in Jesus Christus Mensch geworden, um an Stelle der Menschen genugzutun. Auf Grund seiner Personeinheit mit dem Sohn Gottes kann Jesus Christus zur Abbüßung der unendlichen Schuld „eine Leistung unendlichen Werthes"[44] vollbringen. Als Gottmensch besitzt er dazu das Vermögen und zugleich den Willen.[45]

Christi Genugtuung muß nun in zweifacher Hinsicht Gottes gerechte Forderung zufriedenstellen: Zunächst muß sie dem Anspruch des von Gott den Menschen gegebenen Gesetzes in vollkommener Weise genügen, sodann muß in ihr die Strafe gezahlt werden für die in der Sünde des Menschen vollzogene Übertretung des göttlichen Gesetzes. Schmid sagt: Die satisfactio muß außer der Erfüllung des Gesetzes „bewirken, daß auf den Menschen

39 Ebd.
40 Ebd.
41 Ebd.
42 A.a.O., 260.

43 Ebd.
44 A.a.O., 261.
45 Ebd.

73

keine Schuld mehr ruht, um derentwillen sie Strafe verdienen, und dieses geschieht, wenn der für die Menschen Genugthuende die Strafen auf sich nimmt".[46] Beiden Forderungen ist Jesus Christus nachgekommen. In seiner oboedientia activa hat er das Gesetz erfüllt. In seiner oboedientia passiva hat er sich dem Zorn Gottes preisgegeben; „denn da hat Er gelitten, was die Menschen hätten erleiden sollen, und hat Er so ihre Strafe auf sich genommen, und an ihrer Statt ihre Sünden abgebüßt".[47] Der Schwierigkeit, daß der Sünde des Menschen an sich die Strafe *ewiger* Verdammnis zukomme, Christi Leiden aber nur von *kurzer* Dauer war, und der damit verbundenen Frage nach der Vollkommenheit des Leidens Christi bzw. seiner Suffizienz zur Tilgung der menschlichen Schuld begegnet Schmid mit dem Hinweis: „Wenn die Menschen ewige Strafen verdient haben, und Christus doch nur für kurze Zeit gelitten hat, so ist dieß ... doch hinreichend zur Sühnung derselben, eben weil die Leiden Christi unendlichen Werth haben."[48] Christus hat also „eine vollkommen ausreichende, für alle Sünden aller Menschen gültige satisfactio geleistet".[49]

Schmid schließt den ersten Teil seiner Darstellung des officium sacerdotale ab mit einer den Ertrag der bisherigen Überlegungen zusammenfassenden kurzen Beschreibung der im Werk Christi begründeten neuen Gnadenbeziehung zwischen Gott und Mensch: „Indem Christus aber auf die beschriebene Weise genuggethan hat, hat Er dadurch uns die Vergebung der Sünden und das ewige Heil erworben, welches wir Sein Verdienst nennen, das uns zu Gut kommt."[50]

Im zweiten Teil des Paragraphen schließt sich nun eine Darlegung der intercessio Christi an.[51] Damit kommt die Betrachtung des priesterlichen Amtes Jesu Christi zum Abschluß.

4. Barth in der Schule M. Luthers

a) Barths Studium des großen Galaterkommentars M. Luthers
von 1531 (1535)

Der Galaterkommentar von 1531 (1535) gehört zu den Texten, in denen Luther die ihm eigene Schau des Kreuzes Christi bzw. der in ihm gewirkten

46 Ebd.
47 Ebd.
48 A.a.O., 271.

49 A.a.O., 261f.
50 A.a.O., 262.
51 A.a.O., 262f. – 273-275 (Belegstellen).

Versöhnung[1] ausführlich vorgetragen hat.[2] Er enthält die für Luther charakteristische Deutung des Kreuzesleidens. Hier finden sich die Aussagen, die für die Luthersche Sicht der Heilstat Christi prägend sind.[3] K. Barth hat dieses Kommentarwerk nicht nur gekannt, sondern ihm auch besondere Aufmerksamkeit gewidmet. Darauf weisen zwei Tatsachen hin: Im Sommersemester 1927 und im Wintersemester 1927/28 (also während seiner Münsteraner Lehrtätigkeit) hat Barth in seiner Seminarübung den Galaterbrief an Hand der Kommentare von Luther und Calvin gelesen.[4]

Zudem sind Passagen aus dem großen Kommentar von 1531 (1535), die Luthers Auslegung des mysterium crucis wiedergeben, direkt in die Kirchliche Dogmatik eingeflossen.[5] Barth schließt sich hier in seiner Deutung des Kreuzes Christi Luther an und übernimmt dessen versöhnungstheologische Perspektive.[6] Vom Ziel unserer Untersuchung in diesem ersten Teil unserer Arbeit her empfiehlt sich somit eine Durchsicht der Lutherschen Schrift auf ihre soteriologischen Aussagen hin.

b) Luthers Beschreibung des Werkes Christi als stellvertretendes Strafleiden

Im Verlauf seiner Diskussion der Rechtfertigung „sola fide in Christum",[7] des eigentlichen Themas des großen Galaterkommentars,[8] wird Luther durch den vorgegebenen Text selbst an einen Punkt geführt, an dem sich eine

---

1 Vgl. zur Soteriologie Luthers: W. Elert, Morphologie des Luthertums, Bd. 1: Theologie und Weltanschauung des Luthertums hauptsächlich im 16. und 17. Jahrhundert, München 1958 (Nachdruck), 93-111; E. Seeberg, Luthers Theologie. Motive und Ideen, Bd. 2: Christus. Wirklichkeit und Urbild, Stuttgart 1937, 103-116. 233-241. 255-269. 459-461; O. Tiililä, Das Strafleiden Christi. Beitrag zur Diskussion über die Typeneinteilung der Versöhnungsmotive: Annales Academiae Scientiarum Fennicae, Bd. XLVIII, 1, Helsinki 1941, 196-260; E. Wolf, Die Christusverkündigung bei Luther. In: Ders., Peregrinatio. Studien zur reformatorischen Theologie und zum Kirchenproblem, München 1954, 30-80; Y. M.-J. Congar, Regards ed réflexions sur la christologie de Luther. In: Das Konzil von Chalcedon. Geschichte und Gegenwart, hrsg. A. Grillmeier u. H. Bacht, Bd. 3: Chalkedon heute, Würzburg 1954, 457-486; P. Althaus, Die Theologie Martin Luthers, Gütersloh 1962, 177-195; O. H. Pesch, Die Theologie der Rechtfertigung bei Martin Luther und Thomas von Aquin. Versuch eines systematisch-theologischen Dialogs: Walberberger Studien, Bd. 4, Mainz 1967, 123-150; R. Weier, Die Erlösungslehre der Reformatoren. In: HDG III/2c, 1-12 (hier weitere Literatur!).

2 Althaus, a.a.O., 179, Anm. 13; Pesch, a.a.O., 128, Anm. 17.

3 S. bes. die Auslegung zu Gal 3,13: WA 40 I, 432-452.

4 BTh II, 467, 501f., 742; K. Barth – R. Bultmann, Briefwechsel 1922-1966, hrsg. B. Jaspert: Karl Barth – Gesamtausgabe, Abt. V, Zürich 1971, 72; K. Barth, Ethik I. Vorlesung Münster, Sommersemester 1928, wiederholt in Bonn, Sommersemester 1930, hrsg. D. Braun: Karl Barth – Gesamtausgabe, Abt. II, Zürich 1973, 149, Anm. 1; E. Busch, Karl Barths Lebenslauf, 185.

5 Vgl. KD IV/1, 261f. Es handelt sich um folgende Stellen: WA 40 I, 435,17; 437,23; 433,26; 439,13.

6 KD IV/1, 261.

7 WA 40 I, 123,13; 240,20f.; 263,24; 265,29; vgl. WA 40 I, 239,31; 243,24.

8 Vgl. WA 40 I, 40-51.

nähere Bestimmung des Werkes Christi als unausweichlich erweist. Die Frage nach dem Heilswerk Christi ist für Luther eingebunden in den Kontext seiner Lehre von der Rechtfertigung. Luthers grundlegendes Problem lautet: Wie kann dem Sünder, der als solcher unter Gottes Zorn steht, Gnade zuteil werden?[9] „Von hier aus kommt das Heilswerk Jesu Christi in sein Blickfeld."[10]

Die Gnade der Rechtfertigung wird dem Sünder zwar geschenkweise, „ex mera gratia per Christum"[11] zuteil, das bedeutet aber nicht, daß sie nichts gekostet habe.[12] Gott durchbricht nicht willkürlich seinen Zorn, um Gnade vor Recht ergehen zu lassen.[13] Der Gerechtigkeit Gottes muß vielmehr Genüge geschehen.[14] Damit stellt sich auch für Luther das Problem der Genugtuung. Ebenso wie Anselm erklärt er, daß Jesus Christus für die Sünden Genugtuung geleistet hat.[15] Er verleiht jedoch dem Satisfaktionsbegriff einen im Vergleich zu Anselm neuen, von seinem veränderten Frageansatz her [16] verständlichen Inhalt: Jesus Christus bietet Gott auf zweifache Weise Genugtuung an: „Er erfüllt Gottes im Gesetz ausgedrückten Willen, und er erleidet die Strafe der Sünde, den Zorn Gottes, beides an unserer Statt und uns zugute."[17] Damit ist die Anselmsche Satisfaktionslehre abgewandelt. „Anselm hatte erklärt, die Sühnung von Schuld geschehe entweder durch Genugtuung oder durch Strafe. Christus habe nicht Strafe erlitten, sondern Genugtuung geleistet für unsere Sünden durch sein Opfer am Kreuz."[18] Luther überholt gleichsam die Alternative Anselms (entweder Genugtuung oder Strafe). Nach ihm „kommt die Genugtuung gerade auch durch die Strafe zustande, freilich nicht die der Sünder, sondern Christi".[19]

9 Weier, a.a.O., 2.

10 Ebd.

11 WA 40 I, 181,12.

12 Vgl. Althaus, a.a.O., 178: „Die Gnade Gottes wird den Sündern freilich umsonst gegeben, das heißt ohne ihr Zutun und Verdienst. Aber in anderer Hinsicht geschieht sie nicht umsonst."

13 Pesch, a.a.O., 125.

14 WA 10 I/1, 470, 18-22: „Ob nu wol uns wirt lautter auß gnaden unßer sund nit tzugerechnet von got, so hat er das dennoch nit wollen thun, seynem gesetz und seyner gerechtickeyt geschehe denn zuuor aller ding und ubirflussig gnug. Es must seyner gerechticket solchs gnedigs zurechnen zuuor abkaufft und erlanget werden fur uns."

15 Vgl. etwa WA 40 I, 232,31-33; 503,21.28f.; 433,33; 434,12.

16 Zu der gegenüber Anselm veränderten Problemstellung vgl. Weier, a.a.O., 3: „Bei *Anselm* ist die Frage, ob Gott aus reiner Barmherzigkeit, sola misericordia, den Menschen erlösen könne, ob also die Barmherzigkeit Gottes seine Gerechtigkeit überflüssig mache oder ob Gottes Barmherzigkeit sich nur unter Wahrung seiner Gerechtigkeit und Ehre auswirken kann. Von diesem Punkt aus kommt er zu der Aussage, daß es ‚notwendig‘ war, daß Gott Mensch wurde. Bei *Luther* ist umgekehrt die Frage, wie der Weg von der strafenden Gerechtigkeit, also von seinem Zorn, hin zu seiner Barmherzigkeit gefunden werden kann, wie nämlich der Sünder diesen Weg existentiell finden kann."

17 Althaus, a.a.O., 179.   18 Weier, a.a.O., 3.   19 Althaus, a.a.O., 179.

Das Werk der Genugtuung beinhaltet also nun auch, darin weicht Luther von Anselm ab, daß Jesus Christus den Zorn Gottes erleidet. Im folgenden versuchen wir nachzuzeichnen, wie Luther in seinem Galaterkommentar den Gedanken der Konfrontation Jesu Christi mit dem Zorn Gottes ausgestaltet.

Zunächst ist zu bemerken, daß der Gedanke der impletio legis zwar gelegentlich Erwähnung findet,[20] im übrigen aber sichtbar zurücktritt hinter dem Motiv der Übernahme der Sündenschuld, des göttlichen Zorngerichts und Fluchs durch Jesus Christus. Diese Aussage erscheint in dieser oder jener Form an den verschiedensten Stellen des Kommentars,[21] verdichtet sich aber in der Auslegung zu Gal 3,13 zu einer eindrucksvollen Darstellung des „admirabile commercium".[22]

Luther stellt sich mit seiner Exegese von Gal 3,13 ausdrücklich und bewußt in einen Gegensatz zur Lehre der scholastischen Theologen, die nach seinem Urteil in ihrem Bemühen, die Schärfe des Paulinischen Fluchwortes abzumildern, die Menschen des süßesten Trostes berauben.[23] Das Wort, daß Christus für uns zum Fluch geworden ist, muß nach Luther in seiner ganzen Strenge und Unerbittlichkeit angenommen und verstanden werden. Luther gesteht zwar zu: „Es ist ganz absurd, und schmählich, den Sohn Gottes einen Sünder und Verfluchten zu nennen."[24] Aber, so führt er weiter aus, Christus ist nun einmal zusammen mit den Übeltätern gekreuzigt worden.[25] So stellt sich das Bekenntnis zum gekreuzigten Christus allen Versuchen einer ausgleichenden, das Skandalon entschärfenden Interpretation entgegen: „Wenn es aber nicht absurd ist, Christus als den unter Übeltätern Gekreuzigten zu bekennen und zu glauben, dann sei es auch nicht absurd, ihn einen Verfluchten und den größten Sünder zu nennen."[26] Schon für das Prophetenwort Jes 53,6, das auf Christus bezogen wird, fordert Luther: „Diese Worte sind nicht abzuschwächen, sondern in ihrem eigentlichen und ernsten Sinn stehen zu lassen. Gott spielt nämlich nicht mit den Worten des Propheten, sondern er spricht ernst und aus großer Liebe."[27]

20 Vgl. etwa WA 40 I, 339,23; 567,16; 568,15; 574,37.
21 Vgl. etwa WA 40 I, 91,14f.; 232,18f.; 233,14f.; 250,12f.; 261,18-24; 273,19-21; 274,24f.; 285,27; 369,25.
22 Zum Begriff des „admirabile commercium" vgl. Weier, a.a.O., 7f.
23 WA 40 I, 434,21-24.
24 WA 40 I, 434,29f.: „Sed valde absurdum et contumeliosum est filium Dei appellare peccatorem et maledictum."
25 Vgl. WA 40 I, 434,31-36.
26 WA 40 I, 434,34-36: „Si vero non est absurdum confiteri et credere Christum crucifixum inter Latrones, neque absurdum sit eum dicere maledictum et peccatorem peccatorum".
27 WA 40 I, 435,22-24: „Ista vocabula non sunt extenuanda, sed sinenda esse propria et seria. Deus enim non iocatur verbis Prophetae, sed serio loquitur et ex magna charitate."

Worin aber besteht nun näherhin für Luther die Gal 3,13 ausgesprochene „consolatio suavissima"? Das Gewicht dieser Stelle, so muß man antworten, liegt darin, daß hier Jesus Christus, obwohl in sich und für sich selbst betrachtet vollkommen unschuldig, als Träger der Sünde, ja als Sünder schlechthin vorgestellt wird. Denn Christus darf nicht – diesen Fehler wirft er den scholastischen Theologen vor – als persona privata betrachtet werden.[28] Hier gilt vielmehr: „Du besitzt Christus noch nicht, wenn du auch weißt, daß er Gott und Mensch ist; sondern du besitzt ihn wahrhaft, wenn du glaubst, diese reinste und unschuldigste Person sei dir vom Vater geschenkt worden, daß er dein Priester und Erlöser, ja dein Knecht sei, der, seiner Unschuld und Heiligkeit entkleidet, deine sündige Person annehme, deine Sünde, deinen Tod und deinen Fluch trage und zum Opfer und Fluch werde für dich, damit er dich so vom Fluch des Gesetzes befreie."[29]

Dieser Gedanke, daß Christus die Person des Sünders gleichsam angezogen hat,[30] erfährt nun im Verlauf der näheren Erläuterungen eine mehrfache Steigerung. Luther begnügt sich nicht mit der bloßen Feststellung, Jesus Christus sei an die Stelle der Sünder getreten, ja er sei der Sünder schlechthin. Er veranschaulicht diesen Gedanken, indem er konkretisierend hinzufügt: Christus ist der größte Verbrecher, ja er kann behaftet werden mit der Verantwortung für jede einzelne Sünde: „Und dies sahen alle Propheten, daß Christus der größte Räuber, Mörder, Ehebrecher, Dieb, Tempelschänder, Gotteslästerer usw. sein werde, im Vergleich zu dem kein größerer je in der Welt gewesen ist; denn er steht nicht in seiner eigenen Person da, er ist nicht mehr der von der Jungfrau geborene Sohn Gottes, sondern der Sünder, der sich die Sünde Pauli zu eigen macht und trägt, der Gotteslästerer, Verfolger und Gewalttäter gewesen ist, ebenso die Sünde Petri, der Christus verleugnete; die Sünde Davids, der Ehebrecher und Mörder gewesen ist und den Heiden Anlaß gab, den Namen des Herrn zu lästern; kurz, der alle Sünden aller Menschen auf dem Leibe hat und trägt."[31]

Diese Aussage erfährt eine weitere Zuspitzung, wenn Luther den hier

28 WA 40 I, 448,17-19.

29 WA 40 I, 448,20-26: „Nondum enim habes Christum, etiamsi noris eum Deum et hominem esse; Sed tunc vere habes eum, cum credis hanc purissimam et innocentissimam personam tibi donatam a Patre, ut esset Pontifex et Redemptor, imo Servus tuus, qui exuta innocentia et sanctimonia sua et suscepta persona tua peccatrice portaret Peccatum, Mortem et Maledictionem tuam ac fieret hostia et maledictum pro te, ut sic a maledicto legis te liberaret."

30 WA 40 I, 442,33f.

31 WA 40 I, 433,26-32: „Et hoc viderunt omnes Prophetae, quod Christus futurus esset omnium maximus latro, homicida, adulter, fur, sacrilegus, blasphemus etc., quo nullus maior unquam in mundo fuerit, Quia iam non gerit personam suam, Iam non est natus de virgine Dei filius, sed peccator, qui habet et portat peccatum Pauli qui fuit blasphemus, persecutor et violentus; Petri qui negavit Christum; Davidis qui fuit adulter, homicida et blasphemare fecit Gentes nomen Domini; In summa, qui habet et portat omnia omnium peccata in corpore suo."

ausgesprochenen Gedanken in die Form einer Anrede des Vaters an den Sohn kleidet: „Du sei nun Petrus, der verleugnet, Paulus, der gotteslästerlich und gewalttätig verfolgt hat, David, der Ehebrecher, jener Sünder, der im Paradies die Frucht aß, jener Räuber am Kreuz, mit einem Wort, du sei nun die Person aller Menschen, der du aller Menschen Sünden begangen hast, du also sieh zu, daß du die Schuld abträgst und für sie Genugtuung leistest."[32] Diesem Urteilsspruch des Vaters entspricht das Bekenntnis Christi: „Ich habe die Sünden begangen, die alle Menschen getan haben."[33] Selbst wenn Luther eine gewisse Sicherung einschaltet in der Feststellung: „Nicht daß er selbst sie begangen hätte, sondern daß er die von uns begangenen Sünden auf sich nahm",[34] so erhebt sich doch die Frage, ob hier nicht „die Grenze des theologisch Möglichen" überschritten ist.[35] Luther glaubt jedoch, die Stellvertretungsaussage in der dargelegten Weise auf die Spitze treiben zu müssen bis zur Identifizierung Jesu Christi mit dem „summus, maximus et solus peccator",[36] da er sich vor die Alternative gestellt sieht: „Unsere Sünde muß zur Sünde Christi werden oder wir werden ewig verloren sein."[37]

Der Gedanke der Stellvertretung enthält einen weiteren Aspekt. Daß Christus sich zu den Sünden aller Menschen bekennt, ja als der größte und einzige Sünder vor dem Vater steht, bedeutet zugleich, daß ihn nun die über die Sünde verhängte göttliche Strafe trifft. Auf ihm lastet nun der Zorn, der Fluch Gottes. Die Sünden der Menschen tragen, das heißt, des Zornes Gottes schuldig werden,[38] bestraft werden, wie selbst die scholastischen Theologen zugestehen müssen.[39] Luther zieht diese Konsequenz deutlich, wenn er sagt: „Weil er aber unsere Sünden nicht gezwungenermaßen, sondern aus freiem Antrieb auf sich genommen hatte, mußte er die Strafe und den Zorn Gottes tragen, nicht für seine Person, die gerecht und unbesiegt war, also auch nicht schuldig werden konnte, sondern für uns."[40]

---

32 WA 40 I, 437,23-27: „Tu sis Petrus ille negator, Paulus ille persecutor, blasphemus et violentus, David ille adulter, peccator ille qui comedit pomum in Paradiso, Latro ille in Cruce, In Summa, tu sis omnium hominum persona qui feceris omnium hominum peccata, tu ergo cogita, ut solvas et pro eis satisfacias."
33 WA 40 I, 442,34.443,14: „Ego commisi peccata quae omnes homines commiserunt."
34 WA 40 I, 433,32f.: „Non quod ipse commiserit ea, sed quod ea a nobis commissa susceperit."
35 Weier, a.a.O., 12.
36 WA 40 I, 439,13.
37 WA 40 I, 435,18f.: „Oportet peccatum nostrum fieri Christi proprium peccatum, aut in aeternum peribimus."
38 WA 40 I, 442,33.
39 WA 40 I, 435,26.
40 WA 40 I, 443,19-22: „Sed quia peccata nostra non coacte, sed sua sponte susceperat, oportuit eum ferre poenam et iram Dei, non pro sua persona quae iusta et invicta erat, ideoque non potuit fieri rea, sed pro persona nostra."

Als Träger des göttlichen Zorns und Fluchs gerät Christus in echte Bedrängnis und Not. Der Schrecken Gottes fällt auf ihn. Luther liest dies aus Ps 87 heraus, den er auf Christus hin auslegt: „(Christus) nahm auf sich und trug alle unsere Übel, die uns in Ewigkeit bedrängt und gequält hätten. Diese bedrückten ihn einmal für eine Weile und fluteten über sein Haupt, wie aus Psalm 87 hervorgeht. Der Prophet klagt in der Person Christi, wenn er sagt: ‚Schwer lastet auf mir dein Unmut, all deine Wogen brechen herein über mich‘; und ebenso: ‚Die Gluten deines Zornes gingen hinweg über mich, vernichtet haben mich deine Schrecken.‘"[41] Nachdem Christus aber die Strafe für die Sünde getragen hat, ist sie von den Sündern genommen. Luther fährt daher fort: „Da wir auf diese Weise durch Christus befreit sind von jenen ewigen Schrecken und Qualen, werden wir uns, wenn wir dies nur glauben, ewigen und unaussprechlichen Friedens und Glücks erfreuen."[42] In der Stellvertretung Jesu Christi vollzieht sich also ein Tausch: „Wenn die Sünden der ganzen Welt in jenem einen Menschen Jesus Christus sind, dann sind sie nicht mehr in der Welt."[43]

Bei all dem, was wir ausgeführt haben, darf nicht übersehen werden: Gott handelt um der Menschen willen, wenn er seinen eigenen Sohn seinem gerechten Zorn preisgibt und ihn so behandelt, wie es dem Sünder von Rechts wegen zukommt. Die schroffen Aussagen Luthers, die Christus mit dem größten Sünder und Träger der göttlichen Strafe gleichsetzen, müssen im Kontext der göttlichen Liebe und des Erbarmens gesehen werden. Gott unterwirft in unbegreiflichem Erbarmen seinen eigenen Sohn dem Zorn und der Strafe, damit der Welt das Heil zuteil wird. Luther spricht diesen Gedanken aus, wenn er formuliert: „Dies ist die köstlichste und trostvollste aller Lehren, die uns dahingehend belehrt, daß wir diese unsagbare und unschätzbare Barmherzigkeit und Liebe Gottes haben, die darin besteht, daß der barmherzige Vater, als er uns vom Gesetz bedrängt und unter dem Fluch gehalten sah, ohne jede Möglichkeit, davon befreit zu werden, seinen Sohn in die Welt sandte und auf ihn alle Sünden aller Menschen warf."[44]

41 WA 40 I, 452,15-20: „(Christus) in se suscepit et tulit omnia mala nostra, quae in aeternum pressura ac discruciatura erant nos, Eaque semel ad modicum tempus obruerunt eum, et inundaverunt super caput ipsius, Ut Psalmo 87. Propheta in persona Christi queritur, cum ait: ‚Super me confirmatus est furor tuus et omnes fluctus tuos induxisti super me‘; Item: ‚In me transierunt irae tuae et terrores tui conturbaverunt me‘."

42 WA 40 I, 452,20-22: „Hoc modo liberati ab istis aeternis terroribus et cruciatibus per Christum aeterna et ineffabili pace et felicitate, modo hoc credamus, fruemur."

43 WA 40 I, 438,24f.: „Si peccata totius mundi sunt in illo uno homine Iesu Christo, Ergo non sunt in mundo."

44 WA 40 I, 437,18-22: „Ista est iucundissima omnium doctrinarum et consolationis plenissima quae docet habere nos hanc ineffabilem et inaestimabilem misericordiam et charitatem Dei, scilicet: cum videret misericors Pater per legem nos opprimi et sub maledicto teneri nec ulla re

Abschließend sei noch ein kurzes Korollar angefügt: Luther kann die Heilstat Christi auch im Bild des „mirabile duellum"[45] beschreiben.[46] Er bewegt sich hier zwar auf einer anderen Vorstellungsebene, dennoch besteht eine gewisse Nähe zum Motiv des Zorngerichts. In der Vorstellung vom Zorngericht liegt der Akzent darauf, daß Christus stellvertretend für die ganze Menschheit als der größte Sünder vor Gott tritt und die Strafe für die Sünde, den Zorn Gottes trägt, damit dieser nicht mehr die eigentlich Schuldigen, die Menschen treffe. Im Motiv des „mirabile duellum" geht es primär um eine andere Aussage: Christus stellt sich im Kampf den die sündige Menschheit bedrängenden Mächten, liefert sich Gesetz, Sünde, Tod und Teufel geradezu aus, schlägt aber gerade damit deren Anspruch nieder und befreit die Menschheit von der Herrschaft dieser Verderbensmächte. Für Luther ist dabei klar, daß den Mächten keine selbständige Bedeutung zukommt, sie fungieren vielmehr als Instrumente des göttlichen Zorns. (Damit ist die Nähe zum Zornmotiv gegeben.)[47]

Der Gedanke tritt bereits hervor in der Auslegung von Gal 3,13. In Christus stehen sich, so sagt Luther, Sünde und Gerechtigkeit gegenüber. Es kommt zum Kampf. Die (personifiziert vorgestellte) Sünde geht „maximo impetu et furore"[48] gegen Christus an. Sie beachtet aber nicht, daß sie in Christus auf die höchste Gerechtigkeit trifft.[49] So schließt Luther: „Daher muß in diesem Kampf die Sünde besiegt und getötet werden, die Gerechtigkeit hingegen siegen und leben. So wird in Christus alle Sünde besiegt, getötet und begraben, der Gerechtigkeit aber fällt der Sieg und die Herrschaft in Ewigkeit zu."[50]

Beherrschend kommt der Gedanke des Kampfes zur Geltung im Kommentar zu Gal 4,4f. Luther beschreibt hier, wie das Gesetz gegen Christus auftritt. Gegen uns Menschen erhebt es mit Recht seine Anklage. Die Menschen verdammt es zu Recht, weil sie Sünder sind.[51] Aber nun vergreift es sich auch an Christus, der vollkommen unschuldig ist: „Es klagte ihn an als Gotteslästerer und Aufrührer, es machte ihn vor Gott zum Schuldner

nos posse ab eo liberari, quod miserit in mundum filium suum in quem omnia omnium peccata coniecit."
45 Zum Begriff des „mirabile duellum" vgl. WA 40 I, 439,31f.; 440,26; 565,18; 566,18.
46 Vgl. zum folgenden Althaus, a.a.O., 183-185; Pesch, a.a.O., 134-138.
47 Vgl. WA 40 I, 568,18-20: „Paulus hic . . . docet . . . Deum proiecisse filium suum sub legem, hoc est, coegisse eum ferre iudicium et maledictionem legis, peccatum, mortem etc."
48 WA 40 I, 439,17.
49 WA 40 I, 439,24.
50 WA 40 I, 439,25-27: „Ideo necesse est in hoc duello vinci et occidi Peccatum et Iustitiam vincere et vivere. Sic in Christo vincitur, occiditur et sepelitur universum Peccatum et manet victrix et regnatrix Iustitia in aeternum."
51 WA 40 I, 565,10f.

aller Sünden der ganzen Welt, dann betrübte und erschreckte es ihn so sehr, daß er Blut schwitzte, schließlich verurteilte es ihn zum Tod, ja zum Kreuzestod."[52] Schon hier wird deutlich, daß das Gesetz mit seiner Anklage Christus in Trübsal, Angst und Schrecken versetzt. Luther unterstreicht dies noch einmal, wenn er sagt: „Das Gesetz quälte nämlich in seinem äußersten Treiben (in summo suo usu) Christus und erschreckte ihn so furchtbar, daß er solche Angst litt, wie sie kein Mensch je gefühlt hat."[53] Nun hat aber das Gesetz größtes Unrecht begangen, da es gegen Christus wütete, denn in ihm begegnet es Gottes Sohn.[54] Deshalb wird es zur Rechenschaft gezogen und seinerseits angeklagt.[55] Christus spricht: „Frau Gesetz (Domina Lex), mächtigste und grausamste Gewaltherrscherin über das ganze Menschengeschlecht, was habe ich begangen, daß du mich Unschuldigen angeklagt, erschreckt und verurteilt hast?"[56] So wird das Gesetz seiner Sünde überführt und ein für allemal entmachtet: „Hier wird nun umgekehrt das Gesetz, das früher alle Menschen verurteilt und getötet hatte, da es nun nichts mehr hat, mit dem es sich verteidige und rein wasche, verurteilt und getötet, so daß es sein Recht verliert, nicht allein im Blick auf Christus (gegen den es doch ungerechterweise gewütet und den es ungerechterweise getötet hat), sondern auch im Blick auf alle, die an ihn glauben."[57] In diesem Kampf hat Christus uns also von aller Anklage und Verdammnis des Gesetzes befreit.

52 WA 40 I, 565,14-17: „Accusavit eum ut blasphemum et seditiosum, fecit eum reum coram Deo omnium peccatorum totius mundi, denique sic contristavit et pavefecit, ut sudaret sanguinem, postremo sua sententia condemnavit ad mortem, et quidem crucis."
53 WA 40 I, 567,26-28: „Lex enim in summo suo usu exercuit Christum, tam horribiliter perterrefecit eum, ut tantum angorem senserit, quantum nullus hominum unquam sensit."
54 WA 40 I, 565,18-20.
55 WA 40 I, 565,21.
56 WA 40 I, 565,22-24: „Domina Lex, Imperatrix et tyranna potentissima ac crudelissima totius generis humani, Quid commisi, quod accusasti, perterrefecisti et condemnasti me innocentem?"
57 WA 40 I, 565,24-27: „Hic Lex, quae damnaverat et occiderat prius omnes homines, cum non habeat quo se defendat aut purget, vicissim ita damnatur et occiditur, ut amittat ius suum, non solum in Christo (in quem tamen iniuste saeviit et occidit), sed etiam in omnibus qui credunt in eum."

TEIL II

DIE INHALTLICHE ENTFALTUNG
DES GERICHTSGEDANKENS DURCH BARTH

Wir gehen im folgenden aus von Barths Gotteslehre, die vom Gedanken des Bundes her entscheidend geprägt ist. Der Gerichtsgedanke weist zunächst zurück auf Gott selbst, denn Gott ist es, dessen Gericht sich Jesus Christus am Kreuz unterwirft. Es ist daher zu prüfen, welche Ansätze bereits in der Gotteslehre den Gerichtsgedanken involvieren (Teil II, I).

Danach ist der konkrete Anlaß des Gerichts aufzuzeigen: Gottes Zorn entzündet sich an der Unbotmäßigkeit des Menschen. Die Sünde des Menschen provoziert das Gericht. Mit ihr soll im richterlichen Eingreifen Gottes Schluß gemacht werden (Teil II, II).

Der dritte Abschnitt leitet ins Zentrum hinein: Die Inkarnation des Sohnes Gottes macht Gottes Gericht unter gleichzeitiger Wahrung seiner Bundestreue bzw. als Ausdruck seiner Bundestreue möglich. In Barths Inkarnationslehre zeichnet sich bereits ab, was im Kreuz von Golgatha zur Vollendung kommt (Teil II, III). Der vierte Abschnitt beleuchtet den geschichtlichen Ort des Gerichts: das Leiden und Sterben des Sohnes Gottes. Gott vollzieht sein Gericht über die Sünde bzw. den Sünder, indem er seinen eigenen Sohn ans Kreuz preisgibt (Teil II, IV).

Mit der anschließenden Darstellung des fünften Abschnitts schließt sich der Kreis: Es ist zu zeigen, daß gerade im Gericht Gottes Bundestreue sich bewährt. Der Bund wird am Kreuz von zwei Seiten wiederhergestellt und gefestigt, sowohl von seiten Gottes als auch von seiten des Menschen. Gott schaltet in seinem Gerichtszorn die Sünde als die Störung der Gemeinschaftsbeziehung zwischen Schöpfer und Geschöpf aus. Jesus Christus leistet in seiner Unterwerfung unter das Gericht als Repräsentant der sündigen Menschheit den schuldigen Gehorsam (Teil II, V).

Die Schlußüberlegung des Hauptteils gilt der Frage, an welchem sachlichen Ansatzpunkt Barth anknüpft, wenn er den Kreuzestod Jesu als Gerichtsvorgang beschreibt (Teil II, VI).

I. DER BUND ALS VORAUSSETZUNG DES GERICHTS

1. Das Problem

Im ersten Abschnitt unserer Darstellung ist aufzuzeigen, inwiefern und unter welchen Voraussetzungen bereits in Barths Gotteslehre der zentrale Gedanke bzw. Begriff erreicht wird, von dem her später, an ihrem Ort, die Versöhnungslehre oder präziser, die Deutung des Kreuzestodes Jesu Christi entfaltet wird. Das ist der Gedanke des Gerichts, des göttlichen Zorns und der Verwerfung. Es ist also zu fragen: Wo in der Gotteslehre liegen die Ansätze, die die Vorstellung des richterlichen, zürnenden, ja verwerfenden Eingreifens Gottes im Bezug auf sein Handeln an der Kreatur, unter Voraussetzung von deren Fall und Ungehorsam, ihrer der göttlichen Gnade zuwiderlaufenden und widersprechenden Empörung, verständlich machen?

Wenn Gott selbst richtet und zürnt und diese Rede nicht die bildliche Verkleidung einer im Grunde unbegreiflichen, dunklen, hinter Gottes Offenbarsein liegenden Realität, ein über die konkrete geschichtliche Wirklichkeit nichts aussagendes Mythologumen signalisiert (was Barths Offenbarungsbegriff widerspräche), dann ist eben die Rückfrage zu stellen nach den im Wesen Gottes und in seiner Grundentscheidung liegenden Voraussetzungen solchen Handelns. Wie versteht Barth Gottes Wesen, wie versteht er sein Verhalten und In-Beziehung-Treten, daß eine Rede vom Gericht und Zorn Gottes keine in den Bereich der Spekulation abgleitende, sondern eine theologische Aussage von letztem Ernst wird? Anders gefragt: Wie verantwortet Barth seine Gerichtslehre theologisch?

Wir suchen also nach den Ansätzen der Erlösungslehre bzw. der Gerichtstheologie in Barths Gotteslehre. Es wird sich zeigen, daß Barth schon hier (in seiner Gotteslehre) einen streng christologischen Erkenntnisweg einschlägt,[1] der alle anderen Zugänge strikt ausschließt. Alle christliche Gotteserkenntnis kommt von der Offenbarung in Christus als ihrer ausschließlichen Quelle her. Die Offenbarung als Gottes freie, gnadenhafte und somit ungeschuldete Initiative ist der Ort, von dem her christliche Verkündigung und Theologie zum Sprechen über Gott legitimiert werden. Das Ereignis der Offenbarung erlaubt den Rückschluß auf den, der sich hier kundtut. Auf dem Weg dieses Rückschlusses gelangt Barth zur Lehre vom dreieinigen Gott, zur Lehre von Gottes Wesen und seiner Gnadenwahl als Inbegriff des Gnadenbundes. Die Gestalt des Barthschen Entwurfs der Gotteslehre und die hier sichtbaren Ansätze dessen, was später in der Versöhnungslehre unter dem Thema des Gerichts zu ausführlicher Darstel-

---

1 Vgl. W. Günther, Die Christologie Karl Barths, Diss. Mainz 1954, 17: „Jesus Christus ist das noetische Apriori seiner Theologie."

lung kommt, resultieren aus diesem, gerade in der Auseinandersetzung mit dem reichlich zusammengetragenen Material aus der Tradition der protestantischen Orthodoxie streng eingehaltenen und als Korrektiv eingesetzten, christologischen Erkenntnisweg.

2. Gott und Mensch in der Wirklichkeit des Bundes

Gemäß der in der Einleitung angegebenen Zielsetzung dieses ersten Abschnitts unserer Darstellung ist hier der Kontext aufzuzeigen, in dessen Rahmen die Rede vom Gericht für Barth möglich, sinnvoll und notwendig wird. Wenn wir diesen Bezugsrahmen unter dem Leitgedanken des Bundes entfalten, so deshalb, weil von diesem Schlüsselbegriff der Theologie Barths Licht fällt auf die in der Offenbarung kundgegebene Wirklichkeit Gottes, sein Wesen und sein Handeln wie auch auf die von hier aus betroffene Wirklichkeit des Menschen. Wenn Gott schon im voraus der unsere ist,[2] wie bereits die in den Prolegomena dargebotene Trinitätslehre aufzuweisen bemüht ist, und wenn Gott sich in der Offenbarung dem Menschen zuwendet und gerade so, in dieser Zuwendung, alle anderen Möglichkeiten, Gott zu sein, ausscheidet, damit aber sein Dasein für den Menschen nicht notwendig, aber doch faktisch – nach Ausweis der Offenbarung – zu seinem Sein gehört,[3] und wenn dies alles in der Kategorie des Bundes signalisiert ist, dann muß sich auch von hier aus aufhellen lassen, was Barth aussagen will, wenn er vom Gericht spricht. Anders formuliert: Wenn es keinen anderen Gott gibt als den, der sich dem Menschen verbunden hat,

---

2 KD I/1, 404; vgl. dazu E. Jüngel, Gottes Sein ist im Werden. Verantwortliche Rede von Gottes Sein bei Karl Barth, Tübingen ²1967, 7.30.40.

3 Vgl. KD II/1, 288: „Gott ist, der er ist in der Tat seiner Offenbarung." Vgl. dazu E. Buess, Zur Prädestinationslehre Karl Barths: ThSt (B), H. 43, Zollikon-Zürich 1955, 34: „Eben in der Fülle, in der er sich selber genügt, schenkt er sich dem Menschen. Diese Fülle ist ja diejenige seiner Liebe, und eben in dieser Liebe ist, indem sie sich dem Menschen zuwendet, die Möglichkeit, den Menschen sich selber zu überlassen, immer schon verworfen zugunsten einer endgültigen und vorbehaltlosen Koexistenz mit dem Menschen. So als der, der sich uns von innen heraus zu eigen gibt: der in Verwirklichung dieser Möglichkeit die entgegengesetzte als leeren Schatten hinter sich läßt: so begegnet er uns in Jesus Christus. Seine ewige Wahl ist der Akt, in dem er diese Möglichkeit zur Verwirklichung erwählt und also der andern Möglichkeit die Verwirklichung abspricht, so daß sie in den Bereich des bloß Möglichen zurücksinkt . . . In ihr ist ewig entschieden, daß Gott, was er ohne den Menschen ist, nicht ohne den Menschen bleiben will, daß die Liebe, die er ewig in sich selber ist, dem Menschen ewig offenstehen soll." Vgl. auch W. Härle, Sein und Gnade. Die Ontologie in Karl Barths Kirchlicher Dogmatik: Theologische Bibliothek Töpelmann, Bd. 27, Berlin/New York 1975, 21: „Die Frage nach der Bedeutung der Aussage ‚Gott ist' kann also nicht anders beantwortet werden als im Blick auf das Tun Gottes in der Christusoffenbarung, und von hierher *findet* sie ihre Beantwortung." Vgl. auch R. W. Jenson, Cur Deus homo? The Election of Jesus Christ in the Theology of Karl Barth, Diss. Heidelberg 1960, 62: „The Act in which God turns to us and his Essence are *identical*. But this Act reaches its final determination as *decision*. The identity is thus a choice, a *free* identity."

wenn Gott somit nicht anders dasein will denn als Bundesgott, als der dem Menschen zugewandte Gott, dann kann die mit dem Terminus Gericht umschriebene Wirklichkeit nur als eine solche verstanden werden, die innerhalb dieser (vorläufig umschriebenen) Relation Gott – Mensch eine Funktion zu erfüllen hat, deren Sinn also nur innerhalb dieses Bezugsfeldes zu ermitteln ist. Es ist daher unerläßlich, zunächst einen zumindest flüchtigen Blick zu werfen auf die Kernaussagen der beiden nach Barth sich notwendig ergänzenden Teile seiner Gotteslehre,[4] der im ersten Teilband enthaltenen Lehre über Gottes Wesen und Vollkommenheiten (KD II/1) und der dieser neben- und beigeordneten Lehre über Gottes Gnadenwahl (KD II/2).

Im Zentrum des ersten Teils der Gotteslehre steht die Aussage: Gott ist der in Freiheit Liebende.[5] Die Weise, wie Barth diesen Satz ausgelegt, vermag davon zu überzeugen, daß es bereits hier der Sache nach um die Realität des Bundes geht, auch wenn der Terminus nur eine beiläufige Erwähnung findet.[6] Denn bereits hier kommt es Barth darauf an, zu zeigen, daß Gott immer schon sich selbst in huldvoller Zuneigung in Beziehung setzt[7] zur Kreatur, also nicht nur in sich selbst Gott sein will, obwohl dies keine Einsamkeit bedeutet,[8] obwohl Gottes Gottsein in sich selbst absolut vollkommen ist, ebenso wie die schon in seinem Sein ad intra sich ereignende Liebe als ewige Hingabe von Vater, Sohn und Geist.[9]

Betrachten wir nun Barths Analyse des Spitzensatzes: Das Sein in der Liebe gehört so sehr zur Gottheit Gottes, Gott ist mit der Liebe in der Weise identisch (nicht umgekehrt), daß Barth hieraus folgern kann: „Er ist der *Liebende*. Er ist darin Gott, es besteht darin das Göttliche Gottes, daß er liebt, und das ist sein Lieben: daß er Gemeinschaft mit uns sucht und schafft."[10] Gottes liebender und gerade als solcher sich selbst in höchster Freiheit bestimmender Wille tendiert dahin, des Menschen Gott zu sein und den Menschen als seinen, Gottes Menschen anzusprechen. In der Zuwendung zum Menschen macht Gott seine auch ohne diese Selbstkundgabe wirkliche und wahrhafte Liebe, die also eines Selbstbeweises ad extra nicht bedarf, um diesen Namen zu verdienen, auch nach außen hin wahr. Barth bringt dies auf die schlichte und schöne Formel: „Er will *der Unsrige sein*,

---

4 K. Barth macht KD II/2, 3ff.85 den Zusammenhang und die Zusammengehörigkeit der beiden Teile seiner Gotteslehre (KD II/1 und KD II/2) deutlich. Jenson, a.a.O., 67 macht aufmerksam auf die beide Teile der Gotteslehre beherrschenden Leitgedanken: Liebe und Freiheit (Gottes).

5 Vgl. KD II/1, 288-361: „§ 28 Gottes Sein als der Liebende in der Freiheit".

6 KD II/1, 405ff.432f.

7 A.a.O., 308; vgl. Härle, a.a.O., 56.   9 KD I/1, 494.507f.

8 KD I/1, 374; KD II/1, 308.   10 KD II/1, 309.

und er will, *daß wir die Seinigen seien.* Er will zu uns gehören, und er will, daß wir zu ihm gehören. Er will nicht ohne uns sein, und er will nicht, daß wir ohne ihn seien."[11]

Zum rechten Verständnis des hier Gemeinten und zum Aufweis, daß er hier nicht mit einem Allgemeinbegriff „Liebe" arbeitet, der etwa gleichzusetzen wäre mit der zur höchsten Vollkommenheit gesteigerten Realität dessen, was als menschliche Liebe bekannt ist, erläutert Barth in einem viergliedrigen Gedankenschritt die von ihm vorgenommene Prädizierung Gottes als des Liebenden. Es geht dabei darum, den Satz „Gott ist der Liebende" im streng auf die Sache gerichteten Blick als analytischen Satz zu interpretieren (Liebe als Prädikat *dieses* Subjekts) und nicht als synthetische Verknüpfung zweier anderweitig geklärter Allgemeinbegriffe. Die hier angefügten Überlegungen sollen nun in der gebotenen Kürze nachvollzogen und vorgestellt werden:

(1) Zunächst: Gottes Liebe erweist sich darin als göttliche Wohltat, daß sie „Gemeinschaft *um ihrer selbst willen*"[12] schafft. Barth kommt es darauf an, zu zeigen, daß der Inhalt dieser Liebe nicht von ihrem Geber unterschieden werden darf. „Gott gibt uns, indem er uns liebt, nicht etwas, sondern sich selbst."[13] Barths Intention kommt sehr klar zum Ausdruck in der Umstellung der Thomasischen Definition des Liebenden. Während Thomas definiert: „Amans sic fit extra se in amatum translatus, inquantum vult amato bonum et operatur per suam providentiam, sicut et sibi",[14] korrigiert Barth: „Amans sic vult amato bonum et operatur per suam providentiam sicut et sibi, inquantum fit extra se in amatum translatus."[15]

(2) Gegenstand der göttlichen Liebe ist nicht das zu solcher Begegnung würdige und geeignete, sondern das fremde, sündige, ja feindselige Geschöpf. „Die Liebe Gottes schlägt immer eine Brücke über einen Abgrund."[16] Darin liegt die rettende Funktion der göttlichen Liebe, die das „in sich Verlorene"[17] nicht aufgibt und fallen läßt.

(3) Gottes Liebe läßt sich keinem Zweck unterordnen. Zwar handelt Gott als der Liebende auch zu seiner Ehre, zwar wirkt er damit auch des Menschen Heil; beides aber ist dem eigentlichen Akt der Liebe nachgeordnet. Bündig erklärt Barth: „... Gott liebt, weil er liebt: weil eben dieses Tun sein Sein, sein Wesen, seine Natur ist."[18]

(4) Gottes Liebe entspringt nicht einem eigenen Bedürfnis und folgt nicht einer außer ihm selbst (außerhalb seiner Natur) vorhandenen Notwendigkeit. „Es gehört nicht zu Gottes Tun und also Sein, daß es als Liebe einen

11 A.a.O., 307f.
12 A.a.O., 310.
13 Ebd.
14 S. th. I, 20, 2 ad 1.
15 KD II/1, 311.
16 A.a.O., 312.
17 Ebd.
18 A.a.O., 313.

Gegenstand in einem von ihm unterschiedenen Anderen haben müßte."[19] Faktisch bedeutet Gottes Liebe ein Überströmen in den geschöpflichen Bereich, jedoch nicht auf Grund einer seinem Wesen immanenten Notwendigkeit. Damit dürfte nun auch eine deutliche Abgrenzung zur Position Hegels vollzogen sein.[20]

Die von Barth hier angeschlossene Betrachtung über die Freiheit Gottes[21] fügt dem vorstehend skizzierten Gedankengang weniger neue materiale Elemente hinzu, als sie die über Gottes Liebe getroffenen Aussagen unter den unangefochtenen Primat der absoluten Souveränität und Unverfügbarkeit Gottes stellt.

Der hier besprochene Sachverhalt erfährt eine unübersehbare christologische Zentrierung im Rahmen der Lehre Barths über Gottes Gnadenwahl. Im folgenden ist nicht beabsichtigt, eine Übersicht zu vermitteln über die Entfaltung dieses Themas bei Barth. Es soll nur auf den zentralen Ansatzpunkt und die besondere Akzentuierung aufmerksam gemacht werden.

Zunächst ist zu bemerken, daß Barth im Rückgriff auf die Foederaltheologie des Joh. Coccejus[22] die Kategorie des Bundes ausdrücklich aufnimmt und für die Auslegung der hier zu verhandelnden Sache fruktifiziert. Man wird ohne Übertreibung sagen können, daß dem Terminus „Bund" nunmehr die Funktion eines Schlüsselbegriffs zugewiesen wird. Barth erklärt, er wolle „den Begriff der Prädestination zurückführen auf den biblischen Begriff des *Bundes* oder *Testamentes*".[23] Wie sehr er von dieser Wirklichkeit her denkt und welche Bedeutsamkeit er diesem Gedanken beimißt, wird offenkundig, wenn er in der Einleitung definiert: „... dieser Bund ist das Verhalten, in welchem Gott kraft der Entscheidung seiner freien Liebe Gott sein will und ist, das vom christlichen Gottesbegriff als solchem nicht zu lösen ist, das wir mit diesem zusammen zu begreifen haben, wenn er der christliche Gottesbegriff sein soll, und das wir darum zum Gegenstand eines zweiten Teils der Gotteslehre machen müssen."[24]

Was ist das Anliegen? Es geht – wie E. Buess hervorhebt – um die Fundierung und Geltendmachung der biblisch bezeugten Einsicht, daß man zweierlei auszuschließen habe: *„Den dem Menschen gegenüber indifferenten*

19 A.a.O., 315.
20 Vgl. Barths Kritik an den Zumutungen der Hegelschen Religionsphilosophie für die Theologie: ProtTh 372-378, bes. 377.
21 KD II/1, 334-361.
22 Johannes Coccejus, 1603-1669, war „der erste große Vertreter der Föderaltheologie". (E. Bizer, Coccejus [Coch], Johannes: RGG³1, 1841.) Coccejus versuchte, mit Hilfe des Gedankens des Bundes die Offenbarung (AT und NT) zusammenzufassen und zu periodisieren. Vgl. dazu außer dem o. zitierten Artikel von E. Bizer KD IV/1, 62ff.
23 KD II/2, 109.
24 A.a.O., 7.

Gott und den *Gott gegenüber indifferenten Menschen.*"[25] Oder, positiv gewendet: Es soll in Folgsamkeit gegenüber dem Zeugnis der Schrift und in Abwehr der in der traditionellen Lehre enthaltenen Irrtümer, Fehldeutungen und Mißverständnisse zur Geltung gebracht werden: Gott und Mensch gehören zusammen, nicht schicksalhaft oder irgendeiner Notwendigkeit folgend, sondern allein im freien Willen Gottes begründet, der mit seiner ewigen Liebe identisch ist. Kraft dieses Grundwillens Gottes gehört der Mensch zu Gott. Im Anfang, d. h. im voraus zu aller geschichtlichen Wirklichkeit, vor der Schöpfung und vor Beginn einer Geschichte zwischen Gott und Mensch hat Gott sich selbst bestimmt[26] zum Bund mit dem Menschen und den Menschen erhoben zur Gemeinschaft mit sich. Dieser Entschluß ist identisch mit der in Jesus Christus von Ewigkeit her vollzogenen Erwählung des Menschensohnes (Jesus) zur Gemeinschaft mit dem Gottessohn.

Barth stützt sich in diesem Zusammenhang auf die beiden ersten Verse des Johannesprologs (Joh 1,1-2), denen er eine sorgfältige, aber auch eigenwillige[27] Exegese widmet.[28] Er findet hier ausgesprochen und belegt: Schon im Anfang war der Mensch Jesus bei Gott. Dem Joh 1,1 verwendeten Logosbegriff kann nur die Funktion eines „Platzhalters"[29] zukommen für den, dessen Name einige Verse später genannt wird: Jesus Christus. Barth stellt damit eine Gleichung her zwischen dem Logos auf der einen und Jesus auf der anderen Seite. Dann aber läßt sich die Folgerung nicht vermeiden: „Er, Jesus, ist im Anfang, ist bei Gott, ist selbst Gott von Art."[30] Es ist zu beachten, daß die unbekannte Größe (Logos) in der dreigliedrigen Satzreihe von Joh 1,1 (1a, 1b,1c) durch die bekannte Größe (Jesus) ersetzt ist. Auf diesem Weg kommt Barth zu seiner Kernaussage. Soll der Johanneische Logos abgesehen von seiner Identität mit Jesus definiert werden, so ist festzuhalten: „Er ist das Prinzip, der innergöttliche Grund der Offenbarung, der Selbstmitteilung Gottes an die Menschen."[31] Damit ist nun auch impliziert: Die beiden ersten Verse des Johannesevangeliums enthalten nicht nur eine Präexistenzaussage, sie zielen auch auf die göttliche Wahl, die Prädestination Gottes am Anfang. So schließt Barth seine Auslegung mit der Feststellung, wir seien aufgerufen, „Gottes Wort, Beschluß und Wahl im

25 Buess, a.a.O., 33.
26 KD II/2, 108.
27 Vgl. die hier einsetzende Kritik von G. Gloege, Zur Prädestinationslehre Karl Barths. Fragmentarische Erwägungen über den Ansatz ihrer Neufassung, in: Ders., Theologische Traktate, Bd. 1, Göttingen 1965, 99ff.; ferner die vorsichtige Distanzierung von Jenson, a.a.O., 260.289f.
28 KD II/2, 102-106.   30 Ebd.
29 A.a.O., 103.   31 A.a.O., 104.

Anfang aller Dinge und also auch im Anfang unseres eigenen Seins und Denkens und so auch im Grund unseres Glaubens an Gottes Wege und Werke im Namen und in der Person Jesu Christi zu erkennen – oder umgekehrt: eben in dieser Person das Wort, den Beschluß, die Wahl Gottes in ihrem Anfang, eben in ihr die Instanz, an die wir uns hinsichtlich des Ziels und Ursprungs aller Dinge endgültig und absolut zu halten haben, nicht nur *wie* an Gott, sondern *als* an Gott selbst, weil eben Gott selbst in allen seinen Wegen und Werken schlechterdings diesen Namen tragen wollte und also wirklich trägt: der Vater unseres Herrn Jesu Christi, der Sohn dieses Vaters, der Heilige Geist dieses Vaters und dieses Sohnes."[32]

Der Entschluß Gottes zur Gemeinschaft mit dem Menschen, in Jesus Christus vor aller Zeit vollzogen, ist sein Grundwille, die Grundbestimmung, hinter der nicht noch einmal nach einem uns unbekannten, von diesem Entschluß verschiedenen decretum absolutum gefragt werden darf. Es gibt nur das „decretum concretum",[33] und das ist Jesus Christus. „Er war die Wahl des Bundes Gottes mit dem Menschen."[34]

Ist dem aber so, dann muß nach Barth theologisch präzise formuliert werden: „Die göttliche Prädestination ist die *Erwählung Jesu Christi*."[35] Und dieser Satz ist sogleich in zweifacher Hinsicht aufzuschlüsseln und auszulegen, dahingehend nämlich, „daß Jesus Christus *der erwählende Gott*, und: daß er *der erwählte Mensch* ist".[36] Barth hat damit von der zeitlichen Verwirklichung des Bundes, vom Offenbarungs- und Versöhnungsgeschehen in Jesus Christus geschlossen auf dessen ewige Voraussetzung.[37]

Nur wenn Jesus Christus der erwählende Gott ist, läßt sich nach Barth der hier hinsichtlich des Menschen allein geltende Bundeswille sichern, neben dem nicht noch eine andere Grundabsicht, ein anderer uns verborgener Wille und Plan Gottes gesucht werden darf. Und nur wenn Jesus Christus zugleich der erwählte Mensch ist, läßt sich nach Barth erklären, daß Gott nicht nur *einen*, sondern *den* Menschen schlechthin erwählt hat, in Jesus Christus die „als sein Volk vereinigten anderen Menschen".[38] So allein ist für Barth Eph 1,4 in rechter Weise verstanden und ausgelegt.[39] Bei alldem darf nicht vergessen werden, daß Gottes in Jesus Christus grundgelegter und geschlossener Bund mit dem Menschen reiner Gnadenbund ist und somit allein auf

32 A.a.O., 106.
33 A.a.O., 173.
34 A.a.O., 109.

35 A.a.O., 110.
36 Ebd.

37 A.a.O., 171; vgl. auch Barths Erklärung seiner erkenntnistheoretischen Voraussetzungen, a.a.O., 157-168; vgl. ferner Jüngel, a.a.O., 14.
38 KD II/2, 6.
39 Vgl. a.a.O., 125.

Gottes gnädigem, allem menschlichen Verdienst (auch dem Verdienst Jesu)[40] und aller menschlichen Würde vorangehendem Wohlgefallen beruht.[41] M. So hat den hier verhandelten Sachverhalt bündig und präzise zusammengefaßt: „Der Grundwille Gottes ist ... die in seiner in sich schlechthin genügenden Proseität Ereignis gewordene ewige Erwählung, d. h. die göttliche Selbstbestimmung zur Einheit mit dem menschlichen Sein Jesu als Begründung des Bundesverhältnisses mit allen Menschen, welche in der Menschwerdung realisiert worden ist. Dabei besteht die Freiheit Gottes darin, daß er in diesem seinem Weg stets bei seiner eigenen Sache bleibt und dieses protologische primum das *Erste* sein läßt, dem weder das menschliche Sein noch die Sünde vorangehen kann."[42]

3. Das Gericht als Implikat der heiligen Gnade Gottes

Barth hatte bereits gegen Ende seiner Darlegungen über Gottes Liebe[43] festgestellt, alles folgende könne nur den einen Satz „Gott liebt" wiederholen und umschreiben.[44] Für die unserem Thema zugrunde liegende Fragestellung ist im weiteren Verlauf der Barthschen Gotteslehre seine Auslegung und Erklärung der beiden der Vollkommenheit der göttlichen Liebe zugeordneten Begriffspaare Gnade und Heiligkeit sowie Barmherzigkeit und Gerechtigkeit von besonderer Bedeutung. Genau im Rahmen der hier aufgenommenen begrifflichen Entfaltung der Vollkommenheit der göttlichen Liebe gelangt nämlich Barth an einen Punkt, an dem es für ihn unvermeidlich wird, die Idee des göttlichen Gerichtshandelns begrifflich und sachlich einzuführen und deren theologische Relevanz zu reflektieren. Das Motiv des Gerichts erfährt damit eine Ortung, ihm wird innerhalb der Gotteslehre der theologisch legitime Ort zugewiesen. Hier zum ersten Mal kommt zum Ausdruck, welche Bewandtnis es mit der Rede vom Gericht hat, von welchen Voraussetzungen Barth herkommt und in welche Richtung er blickt, wenn er von Gottes Gerichtshandeln spricht.

Die präzise Definition der Gnade bietet sich an als Einsatzpunkt der hier anzustellenden Überlegungen. Barth antwortet auf die Frage nach dem Wesen und Inhalt der Gnade folgendermaßen: „Gnade ist das Sein und Sichverhalten Gottes, das sein Gemeinschaft suchendes und schaffendes Tun auszeichnet als bestimmt durch seine eigene, freie Neigung, Huld und

---

40 A.a.O., 120.
41 A.a.O., 126f.
42 M. So, Die christologische Anthropologie Karl Barths, Göttingen 1973, 73.
43 KD II/1, 306-334.
44 A.a.O., 318.

Gunst, die durch kein Vermögen und durch keinen Rechtsanspruch der Gegenseite bedingt, aber auch durch keine Unwürdigkeit und durch keinen Widerstand dieser Gegenseite gehindert ist, sondern jede Unwürdigkeit und jeden Widerstand zu überwinden kräftig ist. "[45] Das letzte Glied der Definition bringt klar zum Ausdruck: Der Gnade selbst inhäriert ein Moment des Widerspruchs, der Überwindung des ihr entgegengesetzten Widerstandes. Gott ist gnädig und bleibt es auch angesichts des vom Geschöpf gegen ihn vorgetragenen Angriffs. Gott antwortet auf den ihm und seinem Handeln von seiten der Kreatur in maßloser Verkennung der göttlich geordneten Wirklichkeit entgegengebrachten Widerstand nicht mit einer Abkehr, einer Suspendierung seiner huldvollen Zuwendung, auch nicht mit Gleichgültigkeit oder furchtbarer, sein Werk vernichtender Rache, sondern eben mit Gnade, aber mit einer den Widerstand von vornherein überwindenden, überbietenden und damit niederschlagenden Gnade.

Gott begegnet der Sünde bzw. dem sündigen Menschen nicht anders denn als der gnädige Gott. Er bleibt der Gnädige, auch und gerade dann, wenn die Sünde sein Gnädigsein in Frage stellt und eben gerade das – Gottes Gnade und in ihr den gnädigen Gott – nicht will und nicht wahrhaben will. Da, wo die Sünde Gottes Gnade in unerhörter Selbstübersteigerung ablehnt, wo der Mensch das Angebot gnadenhafter Gemeinschaft mit Gott ausschlägt (und damit das Unmögliche möglich machen will), da läßt Gott den Menschen nicht fallen (er müßte ja ins Nichts zurückfallen), sondern bewahrt ihm seine Gnade, erhält sie aufrecht und erweist so seine Treue. Gnade widersetzt sich also dem Aufstand des Menschen, und zwar dergestalt, daß sie sich machtvoll behauptet und durchsetzt. „Wie wir an Gott selber sündigen, so setzt Gott selber sich für uns ein, indem er uns gnädig ist... Darum und so geschieht gerade durch die Gnade das allein Wirksame gegen die Sünde. Darum wird sie durch die Gnade in der Wurzel angegriffen und ausgerottet."[46] Der in der Sünde gegen seinen Schöpfer aufbegehrende Mensch begegnet immer nur dem gnädigen Gott. D. h., Gott entzieht sich nicht und zieht seine Gnade nicht zurück. Gerade deshalb, weil er auf dem Plan bleibt, weil er den Menschen nicht verläßt, der seinerseits Gott verlassen und so eben gottverlassen, gottlos und gnadenlos leben will, gilt: „...Gottes Gericht, aber auch Gottes Zurechtweisung können da nicht fehlen, wo Gott gnädig ist."[47] Damit ist zum erstenmal präzise der Zusammenhang aufgewiesen zwischen Gnade und Gericht. Das Gericht ergeht gerade deshalb, weil Gottes Gnade nicht zurückweicht. Das Gericht ist somit umschrieben als die

45 A.a.O., 396f.   46 A.a.O., 400.   47 Ebd.

Gestalt, in der dem Sünder als solchem die Gnade Gottes erhalten bleibt.[48] Barth legt äußersten Wert auf die Feststellung, daß auch der zürnende Gott kein anderer ist als der gnädige und gnädig bleibende Gott. „Gott ist *vere et proprie gratiosus*. Er ist es auch als der von uns geleugnete und gehaßte und also als der uns zürnende Gott."[49]

Im Begriff der Heiligkeit kommt dieses der Gnade eigene, in ihr implizit enthaltene Moment des Sieges, des unangefochtenen Durchbruchs gegenüber jeglichem Widerstand – und das bedeutet ja das Gericht – mit Vehemenz zur Geltung. Denn heilig ist Gott darin, daß er „jeden Widerspruch und Widerstand ihm gegenüber verurteilt, ausschließt und vernichtet und also in dieser Gemeinschaft allein seinen eigenen und als solchen guten Willen gelten und geschehen läßt".[50] Mit Heiligkeit ist demnach keine zweite Wirklichkeit angesprochen neben der der Gnade, sondern ein Wesenszug der Gnade selbst hervorgekehrt. Heiligkeit offenbart den göttlichen Ernst der Gnade. „Eben auf diesem Weg *kommt* es unvermeidlich und unübersehbar zur Wahrheit und Wirklichkeit des Gerichtes und also der Heiligkeit seiner Gnade."[51] Damit ist in diesem, das Wesen der göttlichen Gnade auslegenden Begriff die engste Bezogenheit von Gnade und Gericht statuiert: „Die Heiligkeit Gottes ist die Einheit seines Gerichtes mit seiner Gnade. Heilig ist Gott darin, daß seine Gnade Gericht, sein Gericht aber auch Gnade ist."[52] So ist das Gericht identifiziert als Antwort des *gnädigen* Gottes auf die in der Sünde sich manifestierende heillose Unbotmäßigkeit des Menschen. Gericht ist also kein zweites Wort Gottes neben und außerhalb seiner Gnade, sondern deren Gestalt, die sie dort annimmt, wo der Sünder ihr sein trotziges Nein entgegenhält. Gericht bezeichnet ein integrales Moment der Gnade selbst. Wir halten fest: Der Begriff der Gnade impliziert als solcher und in Verbindung mit dem Begriff der Heiligkeit das Gericht als sieghafte

---

48 Damit dürfte dem von P. Althaus 1924 aufgestellten Postulat nunmehr entsprochen sein. Vgl. P. Althaus, Theologie und Geschichte. Zur Auseinandersetzung mit der dialektischen Theologie: ZSTh 1 (1923/24) 761: „Wir können Gottes Liebe nicht durch Hinweis auf sein Richten beschreiben, wenn wir nicht zuvor Gottes Richten als Werk seines Willens, Menschen in seine Gemeinschaft zu ziehen, verstanden haben." Vgl. auch H. Gollwitzer, Zur Einheit von Gesetz und Evangelium. In: Antwort, 303: „Nur wenn das Gericht seine Notwendigkeit in Gottes Wesen und damit im Wesen seiner Beziehung zu mir hat, also in letzter Einheit mit seiner Gnade steht, nur dann, wenn Gott nicht anders Gott sein kann, also auch nicht anders der gnädige Gott, von dem ich lebe, als so, daß er sein Recht durchsetzt und die Sünde straft – nur dann, wenn ich das Gericht nicht wegwünschen kann, weil ich damit zugleich Gott in seiner Gnade wegwünschen würde –, nur dann kann ich mich wirklich dem Gerichte beugen." Vgl. ferner B. Klappert, Promissio und Bund. Gesetz und Evangelium bei Luther und Barth: Forschungen zur systematischen und ökumenischen Theologie, Bd. 34, 112, 116. Eine kritische Position hinsichtlich der Barthschen Zuordnung von Gnade und Gericht bezieht. Gloege, a.a.O., 125.

49 KD II/1, 401.   51 A.a.O., 406.
50 A.a.O., 403.   52 A.a.O., 408.

Durchbrechung und Aufhebung jedes möglichen Widerstandes. Noch bevor der Mensch (der Sünder) in den Gesichtskreis der theologischen Überlegung tritt, als Gegenstand und Thema des theologischen Gesprächs auftritt (der Zusammenhang ist ja der der Gotteslehre!), ist bereits der Begriff des Gerichts als eines Implikats der Gnade formuliert und definiert.

Übergehend zur Besprechung des Begriffspaares Barmherzigkeit – Gerechtigkeit, womit keine Alterierung des Themas einsetzt, sondern eine weitere Entfaltung und Nuancierung des gleichen Grundgedankens,[53] dringt Barth vor zu einer christologischen Konzentration des bisher zwar nicht unverbindlich, aber noch relativ allgemein formulierten Sachverhalts. Barth erreicht nun faktisch bereits die Ebene der Christologie bzw. Soteriologie. Seine Darlegungen gipfeln in einer Betrachtung des Mysteriums des Karfreitags, dessen Signatur als Einbruch des in seiner furchtbarsten Gestalt brennenden göttlichen Zorns er scharf konturiert. Angebahnt und vorbereitet ist die hier gewonnene christologisch-soteriologische Perspektive durch die die Bewegung seines Denkens schon signalisierende Definition der beiden Leitbegriffe: Die Barmherzigkeit bewegt Gott zur Teilnahme an dem durch die Sünde verursachten Elend des Geschöpfs,[54] seine Gerechtigkeit bestimmt ihn zur Wahrung seiner Würde.[55]

Barth ist zunächst darum bemüht, den auch hier waltenden engen Zusammenhang herauszuarbeiten. Barmherzigkeit und Gerechtigkeit stehen nicht im Widerspruch zueinander, sondern bestimmen sich gegenseitig. So kann weder die Rede davon sein, daß Gott Gnade vor Recht ergehen läßt, noch davon, daß er sein Recht erbarmungslos durchsetzt. Vielmehr gilt: „Gott braucht seiner Gerechtigkeit nichts zu vergeben, indem er barmherzig ist. Gerade indem er barmherzig ist, ist er *gerecht*. Er ist barmherzig, indem er wirklich fordert und dementsprechend straft und belohnt."[56]

Nun aber stellt sich die Frage: Wo, in welcher Weise stellt Gott definitiv sein (vom Menschen angegriffenes und gebrochenes) Recht wieder her und erweist so gleichzeitig seine Barmherzigkeit? Barth gibt die hier fällige Antwort im Verweis auf das Geschehen des Karfreitags. Im Leiden und Sterben Jesu Christi spricht Gott das eine, unüberbietbare Wort seines göttlichen Erbarmens und bringt gleichzeitig im gleichen Akt sein Recht zur Geltung. „... gerade dort, wo die göttliche Liebe und also Gottes Gnade und Barmherzigkeit in derjenigen Eindeutigkeit bezeugt wird, in der sie dann notwendig als der Sinn und die Absicht auch der ganzen übrigen Schrift erkannt werden muß, gerade dort, wo sie ein für allemal Ereignis wurde,

53 A.a.O., 413f.   55 A.a.O., 423.
54 A.a.O., 417.   56 A.a.O., 431.

nämlich in *Jesus Christus* – gerade dort begegnet sie uns nach dem nicht mißzuverstehenden Zeugnis des Neuen Testamentes selber als göttlicher *Zornesakt, Gerichtsakt, Strafakt.*"[57]

Was aber ist näherhin der Inhalt und die Bedeutung des Karfreitagsereignisses? Das, was hier geschieht, so erläutert Barth, ist nichts anderes als der vernichtende Schlag, das Losbrechen des göttlichen Zornes wider die Sünde, ja wider den Menschen als Täter dieser Sünde. „Denn das ist das Furchtbare, das ist das göttliche Nein des Karfreitags: daß dort alle Sünde Israels, alle Sünde der ganzen Menschheit, unsere Sünde und jede einzelne unserer Sünden tatsächlich Gegenstand des göttlichen Zornes und der göttlichen Vergeltung geworden ist."[58] Daraus erklärt sich die Furchtbarkeit des Kreuzesereignisses, daß hier wirklich „das unendliche Gewicht *des* Schmerzes, *des* Todes getragen worden ist, an den unser Schmerz und Tod in aller seiner Herbheit von ferne nicht heranreicht".[59]

Hier ereignet sich das Gericht, dem gegenüber sich alle anderen Gerichtsdrohungen und Leidensergüsse nur als schwache Präfigurationen und Abschattungen präsentieren. Auch der Leidensweg Israels mit all seinen entsetzlichen Stationen, an denen dieses erwählte Volk gerade um seiner Erwählung willen dem brennenden und verzehrenden Feuer der göttlichen Reinigung standhalten und zu Teilen der Vernichtung anheimfallen mußte, war „das eigentliche wirkliche Gericht Gottes *noch nicht*".[60] Mit alldem ist doch erst hingewiesen auf das Ereignis, in dem alle Drohung in letzter Schärfe wahr wird, und auf den, der das Gericht in aller Radikalität kosten sollte. „Der in Israel wirklich Leidende, den Zorn und das Gericht Gottes Erleidende – das ist nicht Israel selbst und als solches, sondern das ist der, in dessen Erwartung Israel den Sinn seiner Existenz hat: Israels Messias in dem Leiden seines einen einzigen Leidenstages."[61] Damit steht für Barth fest: „Das wirkliche Gericht Gottes ist doch die Kreuzigung Christi ganz allein."[62] Und seine Betrachtung des Karfreitagsereignisses läßt sich zusammenfassen in dem Satz: „Dies ist die Bedeutung des Todes *Jesu Christi*, daß dort Gottes verurteilende und strafende Gerechtigkeit losgebrochen ist und die menschliche Sünde, den Menschen als Sünder, das sündige Israel wirklich geschlagen und getroffen hat."[63] Darin ist zugleich impliziert: Es bedurfte schon des Eintretens Jesu Christi, des Sohnes Gottes selbst, damit Gottes Gerechtigkeit ihren Lauf nehmen und seine Barmherzigkeit wirklich voll zur Geltung kommen konnte. Jesus Christus allein konnte in der Kraft des

57 A.a.O., 443.
58 A.a.O., 444.
59 Ebd.
60 A.a.O., 445.

61 Ebd.
62 Ebd.
63 A.a.O., 446.

Sohnes den Zorn Gottes auf sich nehmen (den Menschen als solchen hätte dieses Gericht vernichtet und vertilgt), in ihm allein konnte Gott sich selbst (in der Durchsetzung seines Rechts) und seinem Geschöpf (indem er sein Gericht nicht dieses, sondern seinen eigenen Sohn treffen ließ) treu bleiben, in ihm ist aber auch die Sünde des Menschen wirksam erledigt, gebüßt und hinweggetragen, so „daß es objektiv kein Gericht mehr über uns gibt, daß wir also auch keines mehr zu fürchten haben".[64]

Wir schließen an dieser Stelle die Darstellung der für unser Thema wichtigen Grundzüge der Gotteslehre (in ihrem ersten Teil) ab. Es kam darauf an, hinzuweisen auf den Zusammenhang, in den die Kategorie des Gerichts bei Barth zu stehen kommt. Das Anliegen war, zu zeigen, daß vom Gericht bei Barth nur im Hinblick auf Gottes (verzehrende) Liebe, seine Gnade und sein Erbarmen gesprochen werden kann. Das Gericht ergeht um der Gnade willen. Im Gericht wird Gott sich selbst und seinem Geschöpf nicht untreu, beweist er vielmehr seine Treue angesichts des menschlichen Aufbegehrens und Versagens. Über diesen Zusammenhang – das war hier zu zeigen – unterrichtet bereits die Gotteslehre (als Lehre von Gottes Wesen und Vollkommenheiten), insofern sie einschärft: Der Gott der Liebe, der in seiner Gnade heilige und in seinem Erbarmen gerechte Gott ist auch immer schon der Gott des Gerichts, und umgekehrt: der Gott des Gerichts ist kein anderer als der Gott der verzehrenden Liebe.

4. Das Gericht als Implikat der göttlichen Gnadenwahl

In unseren Erwägungen zur Barthschen Prädestinationslehre hatten wir festgestellt: Gott hat sich von allem Anfang entschlossen zum Gnadenbund mit dem Menschen. In Jesus Christus ist dieser Bund nicht nur in der Zeit definitiv vollzogen, in ihm ist auch die dem Vollzug vorausliegende, nämlich im Anfang (vor aller Geschichte) stehende Wahl und Entscheidung getroffen. Barth treibt von hier aus die Frage weiter voran: „Was wählte Gott in der ewigen Erwählung Jesu Christi"?[65] In formaler Übereinstimmung mit der traditionellen reformatorischen Prädestinationslehre hält er an einem doppelten Gegenstand und einem doppelten Inhalt der Prädestination fest: Gottes Gnadenwahl ist auch für ihn praedestinatio gemina.[66] Denn Gott bestimmt sowohl sich selbst als auch sein Geschöpf, er verfügt über sich

64 A.a.O., 454.
65 KD II/2, 176.
66 Barth behält zwar den Begriff der doppelten Prädestination (praedestinatio gemina) bei, weist aber die damit in der calvinischen Tradition verbundene Vorstellung zurück, als habe Gott nach ewigem Ratschluß einen Teil der Menschen zum ewigen Heil, den anderen Teil der Menschheit aber zu ewiger Verdammnis vorherbestimmt. Vgl. KD II/2, 187: „Es ist die die

selbst und über den Menschen als seine Kreatur. Ebenso fällt diese Bestimmung inhaltlich auseinander: Denn wenn Gott für sich selbst die Gemeinschaft mit dem Menschen wählt und andererseits den Menschen zur Gemeinschaft mit sich selbst erhebt, ist jeweils etwas vollkommen Verschiedenes ausgesagt. Nun ist ins Auge zu fassen, was Gott selbst in dieser doppelten Wahl, in der es auch nach Barth um Annahme und Verwerfung geht, zuteil wird. Barth erklärt: „Was nach dieser Seite in Betracht kommt, das kann doch nur dies sein, daß Gott sich selbst, seine Gottheit, seine Macht und seinen Besitz als Gott in Frage stellt. Bedeutet es für den Menschen sicher unendlichen Gewinn, unerhörte Erhöhung, daß Gott sich ihm zu eigen geben, sein Gott sein will, so muß es für Gott auf alle Fälle eine Kompromittierung bedeuten, wenn er sich selbst dazu entschließt, diesen Bund einzugehen. Wo der Mensch nur gewinnen kann, da kann Gott nur verlieren."[67] Und noch präziser: Wenn es in der Prädestination um Heil und Unheil, Erwählung und Verwerfung geht – wovon Barth keineswegs abrückt –, dann gilt eben: „In der Erwählung Jesu Christi, die der ewige Wille Gottes ist, hat Gott *dem Menschen das Erste, die Erwählung*, die Seligkeit und das Leben, *sich selber aber das Zweite, die Verwerfung*, die Verdammnis und den Tod *zugedacht*."[68]

Inwiefern, so ist nun zu fragen, ist Gott von vornherein kompromittiert, wieso begibt Gott sich in „sichere Gefahr",[69] wenn er den Menschen zu seinem Bundesgenossen wählt? Barth gibt folgende Auskunft: Gott geht in der Erschaffung des Menschen bereits ein Risiko ein. Denn der von ihm gut geschaffene Mensch ist durch die Realität des Bösen, des Nichtigen eo ipso der Bedrohung ausgesetzt. Der Mensch ist gefährdet, da er nicht Gott, sondern Kreatur ist, weil er nicht in der gleichen triumphierenden Souveränität wie Gott dem Bösen gegenübersteht, der es von vornherein nur ausschließen, bannen und verwerfen kann. Das Böse kann den Menschen anfechten und Macht über ihn gewinnen, wenn dieser sich nicht an das Verbot Gottes hält, sondern sich im Ungehorsam für das entscheidet und dem Raum gibt, was Gott von Anfang an verworfen hat. Genau das ist aber geschehen. Der Mensch ist faktisch von seinem Schöpfer und Bundesherrn abgefallen und darum sein Feind, Verräter und Widersacher. Nun hat aber Gott gerade diesen Menschen erwählt[70] und damit sich selbst „dem tatsächli-

---

überlieferte Prädestinationslehre so belastende Vorstellung von der Ebenmäßigkeit, von dem Gleichgewicht, in welchem Gott wie zur Rechten Seligkeit, so zur Linken Verdammnis beschließen und aussprechen würde, der wir uns von hier aus mit allem Nachdruck widersetzen müssen." Wie im folgenden gezeigt wird, gibt Barth dem Begriff der doppelten Prädestination einen neuen Inhalt.

67 KD II/2, 177.   69 Ebd.
68 Ebd.   70 A.a.O., 179.

chen Angriff und Zugriff des Bösen"[71] ausgesetzt. An dieser Stelle stößt Barth zu härtesten Formulierungen und zu schroffsten Paradoxa vor, wenn er fragt: „Denn was kann das: daß Gott selbst Mensch, dieser Mensch wird, anderes heißen, als daß er sich des Widerspruchs gegen sich selbst, in den doch der Mensch verwickelt ist, seinerseits schuldig erklärt und daß er sich selbst dem Gesetz seiner Schöpfung, in der solcher Widerspruch gegen ihn nur Unheil und Verderben nach sich ziehen kann, unterwirft, daß er also sich selber zum Gegenstand des *Zorngerichtes* macht, unter das sich der Mensch gestellt hat, daß er selbst sich der vom Menschen verdienten Verwerfung unterzieht, selber die *Verdammnis,* den Tod und die *Hölle* schmeckt, die des von ihm abgefallenen Menschen Teil sein müßten?"[72] Die völlige Wendung, die die Prädestinationslehre (im Vergleich zu ihrer in der reformatorischen Tradition entwickelten Gestalt) genommen hat, wird noch einmal deutlich sichtbar, wenn Barth zusammenfassend formuliert: „Wollen wir wissen, *was Gott für sich selbst wählte,* indem er die Gemeinschaft mit dem Menschen erwählte, dann können wir nur antworten, *er wählte unsere Verwerfung.*"[73]

E. Jüngel gibt ein Resümee des gesamten hier besprochenen Sachverhalts, wenn er im Blick auf Gottes vorbehaltlose Bejahung des Menschen sagt: „Insofern aber dieses ‚Ja‘ der Gnade das ins Sein gerufene Geschöpf von der Bedrohung durch das Nichts befreit, setzt Gottes gnädiges ‚Ja‘ sein Sein dem Nichts aus. Gottes Gnade bedeutet deshalb in letzter Konsequenz Gottes Selbstpreisgabe."[74] Barth scheut sich nicht, in diesem Zusammenhang sogar von einem „Leiden" Gottes[75] zu sprechen. Gott selbst nimmt das dem Menschen als Folge seiner Sünde gebührende Leiden auf sich. Mit all dem ist im Hinblick auf den Menschen ein „Freispruch" ausgesagt.[76] Darin offenbart sich das Gefälle der Barthschen Prädestinationslehre, hier wird das Ziel sichtbar: Die Verwerfung ist vom Menschen weggenommen, so daß er in keiner Weise der Verworfene mehr sein kann.[77] Ein Verzicht Gottes auf die

---

71 Ebd.   72 Ebd.

73 Ebd.

74 Jüngel, a.a.O., 121.

75 KD II/2, 179. G. Berkouwer, Der Triumph der Gnade in der Theologie Karl Barths, 281 spricht in diesem Zusammenhang von „Theopaschitismus". Für Barth gehe es hier in seiner Rede vom Leiden Gottes um „einen wesentlichen Aspekt, um den Aspekt der Inkarnation, des Kreuzes und des Todes des Sohnes Gottes" (ebd.). Vorsichtiger und zurückhaltender urteilt U. Hedinger, Der Freiheitsbegriff in der Kirchlichen Dogmatik Karl Barths: SDGSTh, Bd. 14, Zürich 1962, 53, Anm. 81. Vgl. auch G. Gloege, Zur Versöhnungslehre Karl Barths. In: Ders., Theologische Traktate, Bd. 1, 146.

76 KD II/2, 183. A. Ebneter, Der Mensch in der Theologie Karl Barths, Zürich 1952, 37 fragt im Zusammenhang seiner Diskussion des Verhältnisses von Schöpfung und Versöhnung und deren christologischer Grundlegung bei Barth: „Wo findet Barth in der Bibel diesen allgemeinen Freispruch?"

77 KD II/2, 182.

durch Sünde und Verrat heraufbeschworene Verwerfung kommt also nicht in Frage. Das Unverzeihliche bleibt unverzeihlich. Aber Gott läßt „die Qual, die das Unverzeihliche nach sich ziehen mußte, seine eigene Qual sein".[78] E. Buess drückt dies im Anschluß an Barth folgendermaßen aus: „Gott sagt, indem er Ja sagt, auch Nein. Aber er sagt das so, daß die vernichtende Gewalt des Nein ihn selber trifft, so daß für uns nichts als Ja bleibt. *Er wählt für sich selber die Verwerfung, deren wir uns schuldig gemacht haben, damit für uns nur Erwählung übrigbleibe.* Er wählt für den mit ihm selber identischen Einen den Zorn, mit dem er ewig wider alle Sünde steht, damit seine Wahl für die Vielen nichts als Gnade bedeute."[79]

Die Befragung der Barthschen Prädestinationslehre hinsichtlich ihrer Gerichtsaussagen führt somit zu folgendem Ergebnis: Barth lehrt eine am Anfang, d. h. im voraus zu aller von Gott verschiedenen Wirklichkeit, getroffene göttliche Entscheidung zum Gnadenbund mit dem Menschen. Diese Entscheidung ist in Jesus Christus von Ewigkeit her gefallen. Sie hat den Charakter einer in Freiheit vollzogenen Wahl und ist als solche praedestinatio gemina. Sie enthält eine zweifache Bestimmung: Gottes Selbstbestimmung zur Gemeinschaft mit dem Menschen, der immer schon der von Gott abgefallene Sünder ist, und die Bestimmung des Menschen zur Gemeinschaft mit Gott. Insofern der Mensch als Sünder, seiner Berufung zum Trotz, den Bund gebrochen hat, zieht er notwendigerweise den Zorn, das Gericht Gottes auf sich herab. Gottes Treue hält aber auch am bundesbrüchigen Menschen fest. Als zugleich barmherziger und gerechter Bundesherr übersieht Gott den Frevel des Menschen nicht, er geht nicht an ihm vorüber, sondern verhängt die notwendige Strafe, beschließt aber zugleich, die dem Sünder geltende Verwerfung, die dessen Existenz aufheben, ihn vernichten würde, in Jesus Christus auf sich selbst zu nehmen. Auch diese Entscheidung ist Bestandteil der von Ewigkeit her beschlossenen praedestinatio. Auch sie ist freie, dem Geschöpf in keiner Weise geschuldete und ebensowenig einer göttlichen Notwendigkeit gehorchende, huldvolle, allein aus Gottes Liebe verständliche Zuneigung zum Menschen.

II. DIE SÜNDE ALS ANLASS DES GERICHTS

1. *Gottes Gnadenzuwendung und des Menschen Widerspruch*

Die perverse und tödliche Realität der Sünde kann nur erfaßt werden unter gleichzeitiger Vergegenwärtigung dessen, was Gottes Gnade, seine Selbstbe-

---

78 Ebd.   79 Buess, a.a.O., 11.

stimmung zum Bund und seine Bestimmung des Menschen zum Bundespartner bedeuten. Deshalb sind hier zwei grundsätzliche Aussagen zu machen, eine erste vorgeordnete und eine zweite nachgeordnete. „Die Gnade Gottes, Gottes Bund mit dem Menschen, ist das Erste, des Menschen Sünde ein Zweites: nicht das Letzte und eben darum auch nicht das Erste!"[1] Die Sünde in ihrer furchtbaren und verkehrten Wirklichkeit kann nicht erkannt und verstanden werden ohne vorherig Kenntnisnahme dieses, Gottes wirksames Gnadenhandeln betreffenden Vorworts.

Zur Darlegung des hier zu verhandelnden Tatbestandes können wir daher einsetzen bei dem, was bereits im vorangehenden Abschnitt erarbeitet worden ist. Als beherrschende Kategorie zeigte sich hier der Begriff des Bundes: Gott hat sich mit dem Menschen verbündet, und zwar von Anfang an. (Die Wahrheit dieses Satzes wurde aufgewiesen am Gedanken der Erwählung des Menschen Jesus.[2]) Gott will nicht allein, ohne den Menschen, sondern in lebendiger und liebender Beziehung zu ihm Gott sein. Daraus folgt nun: Menschsein heißt eo ipso in dieser gnadenhaft gewollten und hergestellten, d. h. vorgängig zur menschlichen Entscheidung schon gesetzten Beziehung stehen.

Die Aufrichtung des Bundes impliziert nun auch die Begründung eines Herrschaftsverhältnisses. „Wer gewählt wird, der bekommt eben damit einen Herrn."[3] Gott tritt dem Menschen als Bundesherr gegenüber. Als solcher gibt er ihm ein Gebot, und als solcher kann er von ihm die strikte Beachtung dieses Gebots verlangen. Weil in diesem Bund der Mensch mit einem gnädigen Bundesherrn konfrontiert ist, ist er unbedingt zur Einhaltung der Bundesordnung, zur Erfüllung dieses Gebotes verpflichtet. Ein Despot, ein im Grunde nicht gnädiger Herr könnte dem Menschen nicht mit letzter, unanfechtbarer Autorität begegnen.[4] Das ist gemeint, wenn hier vom Gebot gesprochen wird. In seiner Gnadenzuwendung ergreift Gott Besitz vom Menschen, und der Mensch ist gefragt, wie er zu dieser Beanspruchung sich stelle. Denn Gottes Herrschaft verschafft sich nicht gewaltsam Geltung, sondern appelliert an die Freiheit des Menschen. Barth formuliert diesen Sachverhalt so: „Daß Gott über ihn herrschen will, bedeutet offenbar, daß er seinen Gehorsam will, und damit ist er gefragt nach seinem Gehorsam. Daß Gott ihn zum Dienst bestimmt, bedeutet offenbar, daß er ihn für sich in Anspruch nimmt, und so ist er gefragt, ob er diesem Anspruch gerecht werden wird."[5] Mit diesen beiden Sätzen ist die hier zu stellende Frage

1 KD III/2, 36.
2 S. o. Teil II, I, 2.
3 KD II/2, 11.

4 Vgl. a.a.O., 612-628; KD I/2, 421.
5 KD II/2, 566.

bereits angebahnt. Die Frage nämlich lautet: Was will Gott vom Menschen? Was verlangt er vom Menschen, wenn er sein Gebot an ihn richtet und gerade so sich als gnädig erweist. Oder um mit Barth zu sprechen: „Worauf zielt Gottes Gnade, indem sie dem Menschen zum Gebot wird?"[6] Die Antwort darauf muß lauten: „Es geht in Gottes Anspruch darum, *daß das Tun des Menschen das Tun eines solchen werde, sei und bleibe, der sich das Tun Gottes recht sein läßt.*"[7] Die Gnade bestimmt den Menschen bzw. „sein Tun zu einer Entsprechung, zur Konformität, zur Gleichförmigkeit mit Gottes Tun . . . Es geht darum, daß der Mensch und des Menschen Tun zum Bilde Gottes werde: zum Spiegel, der als solcher, in seiner ganzen Verschiedenheit gegenüber Gott und seinem Tun, nichts anderes als eben ihn und sein Tun darstellt, in dem Gott sich selber und sein Tun wiedererkennt".[8] Der Anspruch, der an den Menschen ergeht, ist also dieser: „Er hat ein solcher zu sein, als ein solcher zu denken, zu reden und zu handeln, dem Gott gnädig ist. Daß Gott gnädig ist, das ist Gottes Tun, und zur Entsprechung diesem Tun gegenüber ist der Mensch mit seinem Tun verpflichtet."[9] Der Mensch ist aufgerufen zum Lobpreis und zum Zeugnis der Gnade. In seinem Verhalten und Tun soll er sich als der erweisen, dem Gottes Gnade zugewendet ist. Daran darf der Mensch sich halten. Wollte er mehr leisten, würde er Gottes Gebot und damit der Gnade nicht gerecht. Wollte er Gottes Gnade gleichsam erobern, um fortan aus eigener Gnade zu leben, wäre ja Gottes Gnade gering geschätzt und verachtet. Gleichförmigkeit des Menschen mit der Gnade besagt aber: „Es muß sein Tun dadurch bestimmt sein, daß er sich das gnädige Tun Gottes *recht* sein läßt . . . Statt ‚sich recht sein lassen‘ könnte man auch sagen: ‚sich gefallen lassen‘ oder ‚gelten lassen‘ oder: ‚in Kraft stehen lassen‘ oder ‚sich halten an‘."[10] Allein damit ist das Rechte getan, und so fährt Barth fort: „Der tut das Rechte, der sich das, was der gnädige Gott für ihn tut, recht sein und gefallen läßt. Es ist der Mensch, indem er aufgefordert ist, das Rechte zu tun, primär und entscheidend dazu und nur dazu aufgefordert, sich daran zu halten, daß der gnädige Gott das Rechte tut. Was immer er, der Mensch, tut, es wird das Rechte sein, wenn er es sich nur gefallen läßt, daß der gnädige Gott das Rechte tut."[11] Auf eine knappe Formel gebracht, könnte man Barths Anliegen folgendermaßen umschreiben: Der Mensch soll den Vollzug seines Menschseins in Übereinstimmung bringen mit dem, was er von Gott her sein darf: das Geschöpf, dem Gottes Gnade widerfahren ist und je neu widerfährt.

Barth kann aber den Zusammenhang von göttlicher Gnade und menschli-

6 A.a.O., 638.
7 Ebd.
8 A.a.O., 639.

9 Ebd.
10 A.a.O., 643.
11 Ebd.

cher Entsprechung noch enger knüpfen. Gottes Gnade zu entsprechen bzw. sie gelten zu lassen, ist nicht nur ein Gebot, das gleichsam von außen an den Menschen herangetragen wird. In seiner theologischen Anthropologie geht Barth noch einen Schritt weiter. Er stellt hier die „Frage nach dem wirklichen Menschen",[12] d. h. er fragt „nach des Menschen Sein und Wesen".[13] Dieses menschliche Wesen ist unserer Erkenntnis zwar nicht direkt zugänglich, weil der Mensch in der Sünde seine Natur zur „Unnatur"[14] verkehrt hat. Aber im Licht des Wortes Gottes, von Jesus Christus her ist uns das geschöpfliche Sein des Menschen nicht schlechthin verborgen. In seiner Offenbarung gibt Gott uns auch Bescheid über unser menschliches Wesen, das durch die Sünde zwar entstellt, aber nicht vernichtet oder aufgehoben ist.[15] Im Zusammenhang seiner Beschreibung des wirklichen Menschen bzw. des von Gott geschaffenen menschlichen Wesens kommt Barth zu Feststellungen, die Gottes Gnade und die menschliche Entsprechung aufs engste einander zuordnen. Barth macht hier klar, daß die Entsprechung zu Gottes Gnade schlechthin zum Sein des Menschen gehört.[16] Wir versuchen, dies näher zu entfalten.

12 KD III/2, 158.

13 Ebd.

14 A.a.O., 30.33f.41ff.

15 Der Grund dafür, daß der Mensch in seiner Sünde seine Natur nicht aufgehoben oder vernichtet hat, liegt darin, daß er als Sünder zwar sich selbst, nicht aber Gott verloren gegangen ist. – KD III/2, 37f. Vgl. zur Problematik der Erkenntnis des menschlichen Wesens, der wir hier im einzelnen nicht nachgehen können, den ganzen Abschnitt „Der Mensch als Gegenstand theologischer Erkenntnis": KD III/2, 20-63.

16 Wir können bereits an dieser Stelle anmerken, daß Barth hier mit einem Wesensbegriff arbeitet, der die Natur „breit in die Gnade hinein öffnet" – H. U. von Balthasar, Karl Barth, 313. W. Härle, Sein und Gnade, 298, spricht vom „soteriologischen Charakter" der Barthschen Ontologie. Wir können auch sagen: Barth verwendet einen konkret-heilsgeschichtlichen Naturbegriff, der die Hinordnung zur Gnade einschließt. Auch die katholische, insbesondere die augustinische Tradition betont, daß die Natur in der faktisch gegebenen Heilsordnung auf die Gnade bzw. die gnadenhafte Erfüllung hingeordnet ist. In Ansehung der absoluten Gratuität der Gnade ist für sie jedoch auch der Begriff einer natura pura, d. h. einer Natur ohne gnadenhafte Vollendung denkbar, ja als theologischer Hilfsbegriff gefordert. D.h., die katholische Theologie hebt, stärker als Barth dies hier tut, Gnade und Natur voneinander ab. Der streng theologische Naturbegriff abstrahiert von der Gnade. Vgl. zur Problematik des Verhältnisses von Natur und Gnade: K. Rahner, Über das Verhältnis von Natur und Gnade. In: Ders., Schriften zur Theologie, Bd. 1, Einsiedeln/Zürich/Köln 1954, 323-345; ders., Natur und Gnade. In: Ders., Schriften zur Theologie, Bd. 4, Einsiedeln/Zürich/ Köln 1960, 209-236; H. U. von Balthasar, Karl Barth, 278-335; J. Alfaro, Natura pura: LThK 7, 809f.; ders., Natur und Gnade: LThK 7, 830-835; S. Otto, Natur (II. Theologisch): HThG 2, 217-221. Eine vorsichtige Kritik zur Position Barths (und Brunners) äußert H. Volk, Die Christologie bei Karl Barth und Emil Brunner. In: Das Konzil von Chalkedon. Geschichte und Gegenwart, hrsg. A. Grillmeier u. H. Bacht, Bd. 3: Chalkedon heute, Würzburg 1954, 672: „Der Unterschied zwischen Barth und Brunner ist in vieler Hinsicht erheblich. Aber in der kritischen Frage, wie der konkrete Mensch in Christus vor Gott steht, liegen auffallende Parallelen. Beide denken die Dinge in einer Weise von oben her, welche erst so theologisch sein will, die wir aber als Engführung verstehen. Ihr Sinn ist ihr Sein. Die Dinge haben nicht ein

Für Barth ist Menschsein nur als *„Sein von Gott her"*[17] zu verstehen. „Der Mensch ist . . . mit Gott so zusammen, daß er *allein* und *gänzlich* von Gott her ist."[18] Damit ist zugleich gegeben, „daß er nur mit ihm und nicht ohne, nicht gegen ihn existieren, denken und reden, wirken und ruhen, sich freuen und sich betrüben, leben und sterben kann".[19]

Dieses „Sein von Gott her" muß aber noch inhaltlich gefüllt werden. Barth meint damit weniger die völlige Abhängigkeit der Kreatur von ihrem Schöpfer als die Existenz aus der Gnade Gottes. Allein durch die Gnade Gottes ist der Mensch, was er ist. *„Gott sagt ihm, daß er ihm gnädig ist."*[20] Damit ist menschliches Sein „das Sein, dem von Gott gesagt ist, daß er ihm gnädig ist".[21] Das heißt, Menschsein ist für Barth nicht anders denkbar als allein von Gottes Gnade her und in Gottes Gnade begründet. „Es bedarf ja dieses Geschehens, es bedarf dessen, daß Gott ihm sagt, daß er ihm gnädig ist, damit der Mensch sei, was er ist, damit er unter allen Geschöpfen gerade dieses sei: der wirkliche Mensch."[22]

Nun entspricht aber dem „Sein von Gott her" eine Bezogenheit auf Gott hin.[23] Der Mensch kann „nicht sein, ohne in eben der Richtung in Bewegung zu sein", von der her er ist.[24] Dem Gnadenwort Gottes entspricht die menschliche Antwort. Sie gehört ebenso zum Sein des wirklichen Menschen wie sein Aufgerufensein von Gott her. Barth faßt diese Bewegung auf Gott hin zusammen im Begriff des Dankens. Dabei ist von vornherein zu beachten: Danken „ist recht verstanden das im schlichtesten Sinn natürliche menschliche Tun".[25] Wie ist das näher zu verstehen? Barth sagt zunächst: „Danken ist das genaue geschöpfliche Komplement zu Gottes Gnade."[26] Darin sind zwei wichtige Feststellungen eingeschlossen: Zum einen ist hier gesagt, daß der Dank, die Entsprechung *zu* bzw. die Antwort *auf* Gottes Gnade schon zum Geschöpfsein des Menschen gehört. „Eben als beansprucht durch dieses Wort und also eben als Entsprechung zu Gottes Gnade haben wir schon das geschöpfliche Sein des Menschen als solches zu verstehen und eben darum als ein Sein in der Dankbarkeit."[27] Im Akt des

---

Wesen, das ohne das Ziel, ohne den Sinn erkennbar wäre. Da aber der Sinn nur aus der Offenbarung erhoben werden kann, ist ohne Offenbarung eine Erkenntnis des Wesens, des Eigentlichen, nicht möglich. Die Dinge sind so von oben abhängig oder haben nicht eine solche Eigenständigkeit, daß dieser eine eigenständige Erkenntnis oder Philosophie zugeordnet wäre. Bei Barth ist die Schöpfung so von Christus her, daß sie ohne Christus nicht gedacht werden kann; bei Brunner hat dies die systematische Form: Sinn ist Sein."

17 KD III/2, 167.
18 A.a.O., 170.
19 Ebd.
20 A.a.O., 196.
21 A.a.O., 197.

22 Ebd.
23 A.a.O., 170.
24 A.a.O., 197.
25 A.a.O., 198f.
26 A.a.O., 199.

27 Ebd.

Dankens setzt der Mensch sein von Gott ihm eröffnetes Sein gleichsam fort. „Was durch das Wort der Gnade Gottes ist, das muß selber sein, indem es dankbar ist."[28] Oder noch prägnanter: Des Menschen „durch das Wort der Gnade Gottes konstituierte Geschichte, sein Sein also geht darin weiter, muß darin weiter gehen, daß es seinerseits ein Danken ist".[29]

Der Satz vom Danken als dem geschöpflichen Komplement ist aber nun auch inhaltlich zu entfalten. Danken meint: „eine Wohltat nicht nur empfangen, annehmen und genießen, sondern sie als solche . . . gelten lassen".[30] Gottes Wohltat am Menschen ist aber seine Gnade.[31] Danken heißt daher: Gottes Gnade gelten lassen.

Dieser Dank, das Gelten-Lassen der Gnade Gottes ist nun die einzige dem Menschen gegebene Möglichkeit zur Verwirklichung seines Seins. Menschliches Sein vollzieht sich nur als ein Sein im Danken. „Die Verwirklichung seines Seins besteht aber darin, daß er Gott dankt."[32] Nicht-Dankbarkeit ist keine menschliche Möglichkeit mehr. Der Gott undankbare Mensch verwirklicht nicht sein Sein, sondern fällt in den Abgrund des Nichts, des Nicht-Seins. Barth sagt: „In welchem Tun aber gerade dieses Danken nicht stattfindet, in dem stockt, in dem bricht ab die Geschichte, in der das menschliche Sein besteht und außerhalb derer es keinen Bestand haben kann, weil es dann dem Worte Gottes widerspricht, durch das es begründet ist."[33] Somit ist es für Barth klar, „daß es der geschlossene Kreis des Verhältnisses zwischen Gottes Gnade und des Menschen Dank ist, in welchem wir das menschliche Sein zu suchen haben".[34]

Von hier aus wird auch der Barthsche Freiheitsbegriff verständlich. Barth wehrt sich gegen die Vorstellung eines dem Menschen gegebenen liberum arbitrium im Sinne einer „neutralen Drehscheibe".[35] Dem Menschen ist wohl Freiheit gegeben. Barth spricht sogar von der „Wahlfreiheit".[36] Aber diese ist und kann nur sein „die Freiheit, in der das *Rechte* gewählt wird".[37] Was das Rechte ist, unterliegt keinem Zweifel. „Das Rechte ist das der freien Wahl Gottes Entsprechende."[38] Nur das verdient Freiheit genannt zu werden, was der Mensch gewinnt in Entsprechung zur Gnade Gottes. „Frei wählen heißt: *sich selbst in seiner Möglichkeit, sich selbst in seinem Sein, sich*

28 Ebd.
29 A.a.O., 200.
30 A.a.O., 199.
31 Ebd.

32 A.a.O., 204.
33 Ebd.
34 A.a.O., 201.

35 A.a.O., 32; vgl. hierzu auch U. Hedinger, Der Freiheitsbegriff in der Kirchlichen Dogmatik Karl Barths, 9-21.
36 KD III/2, 234.
37 Ebd.
38 Ebd.

selbst in seiner Freiheit wählen."[39] Daraus folgt: „Des Menschen Freiheit ist also nie die Freiheit, sich seiner Verantwortung vor Gott zu entschlagen. Sie ist *nicht die Freiheit* zu *sündigen.*"[40]

Wir können unsere Darlegungen zum Begriff des menschlichen Wesens bei Barth zusammenfassen in dem Satz: Im menschlichen Sein als einem von vornherein durch die Gnade Gottes konstituierten Sein ist eingeschlossen die Entsprechung zur Gnade bzw. das Gelten-Lassen der Gnade Gottes.

Erst von dieser mit der Beschreibung des göttlichen Gnadenhandelns und seiner notwendigen menschlichen Entsprechung gewonnenen Höhe aus kann das Phänomen der Sünde nun gesichtet werden. Denn auf dieser Höhe der göttlichen Selbstmitteilung und nicht „im leeren Raum"[41] fällt die Entscheidung des Menschen. Die Frage, wie sich der Mensch Gottes Gnadenangebot gegenüber faktisch verhalte, ist nunmehr dahingehend zu beantworten: Das, wozu er aufgerufen ist, wozu allein er frei ist, das tut er nicht. Die einzige ihm offenstehende Möglichkeit verwirklicht er nicht. Denn der Gnade verweigert sich der Mensch, ihr gegenüber versagt er radikal. Gottes Gnadengebot gehorcht er nicht. Gegenüber Gottes gnädigem Wort erweist er sich als unfolgsamer Hörer, und gerade so wird er zum Sünder. Gottes Gnade schlägt er aus, und gerade darum und darin sündigt er. Damit erweist sich die Sünde in ihrem tiefsten Grund als Widerspruch gegen Gottes Gnade. Sie ist ein „Akt der Feindschaft"[42] gegen Gott, weil sie Gottes gnädiges Wort nicht gelten lassen will. Statt Entsprechung gegenüber Gottes Gnadenhandeln setzt die Sünde den Widerspruch.[43] Statt in Dankbarkeit Gott gegenüberzutreten, wird der Mensch zum Rebellen. Gottes Gnade ist das Genügende, in ihr ist von der Seite Gottes aus das Rechte getan. Aber der Mensch will sich daran nicht genügen lassen, er will nicht von der Gnade leben, sondern sein Recht selbst in die Hand nehmen.[44] So kann Barth sagen: „Eben das ist die Sünde: des Menschen Sonderung von der Gnade Gottes, aus der und in der er sein Sein und Wesen hat. Darin besteht die Sünde, daß er Gottes Gnade und damit sich selbst versäumt."[45] Auf diesen grundlegenden, das Wesen der Sünde als Gnadenfeindschaft auslegenden Gedanken kommt

---

39 A.a.O., 235.
40 Ebd.
41 A.a.O., 40; vgl. hierzu R. W. Jenson, Cur Deus homo, 31: „Sin occurs only as negative reaction to God's grace, and indeed to God's *forgiving* grace in Jesus Christ."
42 KD III/2, 37.
43 KD IV/1, 154.
44 Vgl. a.a.O., 383: Barth spricht hier von „der mutwilligen Verkennung der Wahrheit..., daß wir nicht für uns selbst zu sein brauchen, weil Gott für uns ist, unsere Sache seine Sache".
45 KD III/2, 39; vgl. Jenson, a.a.O., 31: „In summary, sin is a lack of correspondence with God's grace – to sinful man."

Barth immer wieder zurück. Denn hier liegt nach seinem Urteil der Ursprung der Sünde, der in den verschiedensten Varianten und Ausprägungen sündigen Geschehens immer wieder zum Vorschein kommt. Daher gilt: „In ihrer Wurzel und Grundform ist alle Sünde nichts anderes als eben Undankbarkeit: des Menschen Verweigerung des einen, aber Notwendigen, das ihm, dem Gott sich gnädig verbündet hat, zukommt und zugemutet ist."[46]

Indem der Mensch der Gnade Gottes entgegentritt, sich ihr gegenüber feindlich verhält und sie verwirft, statt ihr Werk im Gehorsam an sich geschehen zu lassen und so in der Partnerschaft zu Gott zu leben, kommt es von seiner Seite zum Bundesbruch. Der Mensch, der sich dem gnädigen Gott nicht unterordnet, nach eigener, gnadenloser Herrschaft strebt, seine Herkunft und sein Sein, die beide in Gottes liebender Zuwendung begründet sind, verleugnet, bricht den Bund. Das ist sein Werk von jeher: der Bundesbruch. Und diese Verfehlung qualifiziert ihn seit jeher: er ist immer schon bundesbrüchig. Um mit Barth zu sprechen: „Eben des Menschen Geschichte bestand nämlich von ihrem Anfang – und besteht auch als Geschichte jedes einzelnen Menschen – nicht in einem Halten des Bundes, sondern in dessen Bruch, nicht in einem Ergreifen seiner Verheißung, sondern in deren Verwerfung, nicht in einer Ausführung seines Gebotes, sondern in dessen Übertretung, nicht in der der Gnade Gottes entsprechenden Dankbarkeit, sondern in einer sinn- und gegenstandslosen, in einer aufs tiefste nichtigen, aber in ihrer Nichtigkeit nur zu wirklichen Rebellion gerade gegen seine Gnade."[47]

Wenn Barth dann die Sünde als „Zwischenfall", ja als „Urphänomen aller Zwischenfälle" und „Inbegriff des Nicht-Notwendigen, Nicht-Ordnungsgemäßen, alles Sinn- und Planwidrigen" apostrophiert[48], kommt ihr Charakter als störendes Element zur Geltung. Die Sünde erweist sich als Hemmnis und Störfaktor der Geschichte des Bundes, als das dem Plan Gottes widrige und entgegenstehende Moment. Wenn sie auch Gottes Bund nicht aufhalten kann, weil dazu ihre Macht nicht ausreicht – denn der Mensch hat den Bund nicht gestiftet, so kann er ihn in seiner Verfehlung auch nicht aufheben[49] –, so bringt sie doch den Menschen als dessen Ziel zu Fall, aus dem es kein Erheben mehr aus eigener Kraft gibt. Sie weist den Menschen als untauglichen Partner aus, der als Anknüpfungspunkt des Gnadenbundes radikal ausfällt, weil er sich selbst zu Fall gebracht und unmöglich gemacht hat, weil er an einen Ort getreten ist, an dem er nur vergehen kann. „Und so

---

46 KD IV/1, 43.
47 A.a.O., 71.

48 A.a.O., 48.
49 KD III/2, 38.

scheint Gottes ihm zugewendete Gnade gewissermaßen ins Leere zu stoßen, der Mensch, dem sie zugewendet ist, als ihr Empfänger auszufallen und – soviel an ihm liegt gnadenlos geworden – auch als Geschöpf seinerseits ins Leere zu fallen. So scheint Gott . . . letztlich doch auch wieder mit sich selbst allein bleiben zu müssen."[50] Darin liegt die zerstörerische Potenz der Sünde, daß sie die von Gott in liebender Huld gesetzte Gemeinschaft zwischen Schöpfer und Geschöpf aufheben und annullieren will. Daß ihr dies nicht gelingt, weil auch der Mensch in seiner Sünde noch von Gottes Gnade umgriffen ist, weil auch der Sünder aus der Gnade nicht herausfallen kann, ändert nichts an der Verwerflichkeit und Gefährlichkeit dieses Versuchs.[51]

In der Flucht vor Gottes Gnade, die der Sünder haßt, im Ausbrechen aus dem Gnadenbund verfehlt der Mensch sein Wesen. Er holt seine ihm von Gott zugedachte Wirklichkeit nicht ein. So verdirbt ihn die Sünde total und radikal. Seine Sünde ist nicht nur ein Akt der Feindschaft gegen Gott, sondern, weil er als der wirkliche Mensch anders als aus dessen Gnade nicht leben kann, die „tödliche Gefährdung"[52] seiner selbst. „Indem der Mensch sündigt, wählt er, was er, nachdem es von Gott verneint und verworfen ist, als Gottes Geschöpf nicht wählen kann. Wählt er es dennoch, so verrät er eben damit auch sich selbst. Er läßt sich dann fallen. Er tritt dann gewissermaßen neben sich selbst hinaus dahin, wo er nicht stehen kann. Er überliefert sich dann selbst der Schande und dem Verderben."[53] Als „die durch nichts zu rechtfertigende und zu entschuldigende Rebellion"[54] Gott gegenüber ist die Sünde zugleich im Hinblick auf das Sein des Menschen der Absturz ins Nichts, den nur Gottes vom Menschen verneinte, aber in diesem Widerspruch nicht unwirksam gemachte Gnade aufhalten kann.

Als Ergebnis dieses ersten Versuchs, das Wesen der Sünde zu erfassen, läßt sich zusammenfassend festhalten: Sünde ist die Verweigerung der Entsprechung und des Dankes gegenüber Gottes Gnade. Sie „ist in allen ihren Aspekten der eine unerklärliche und unverrechenbare Widerspruch des Menschen gegen das Ereignis der Gnade".[55] Weil der Mensch aber nur im Gnadengehorsam sein Menschsein verwirklichen kann, bedeutet die Sünde zugleich die Verfehlung der menschlichen Existenz. „Indem die Sünde das

50 KD IV/1, 72.
51 A.a.O., 74.
52 KD III/2, 37.
53 Ebd.; vgl. Jenson, a.a.O., 118: „Sin is precisely the self-contradiction involved in attempting not to be the one whom *I am in Jesus Christ.*"
54 KD III/2, 40.
55 W. Krötke, Sünde und Nichtiges bei Karl Barth: Theologische Arbeiten, Bd. 30, Berlin 1970, 56.

Verhältnis zu Gott pervertiert, pervertiert sie auch das Menschsein des Menschen. Der in der Perversion seines Seins existierende Mensch ist aber umgekehrt notwendig der von Gott abgekehrte Mensch."[56] Gleichzeitig verwirkt der Mensch sein Partner-Sein in dem von Gott gestifteten Bund und problematisiert damit den Plan Gottes im Rahmen der Bundesgeschichte. Der Mensch der Sünde fällt in einen Abgrund, aus dem er sich nicht mehr erheben kann. Total und radikal der Sünde verfallen, ist der Mensch vor Gott total und radikal unmöglich, unwürdig und unbrauchbar geworden. Jede Verkürzung dieser Sicht bedeutet eine Verkennung des bedrohlichen Ernstes der Sünde.

2. Der Griff nach dem Nichtigen

In einem ersten Schritt wurde versucht, das Wesen der Sünde aus ihrer negativen Relation zur göttlichen Gnade zu bestimmen: Sünde erwies sich in ihrer Wurzel als Gnadenfeindschaft. Diese Antwort muß nun ergänzt werden. Dazu ist die Frage weiter voranzutreiben: Was tut der Mensch, indem er sich von Gott abkehrt, sich weigert, von Gottes Gnade zu leben? Wohin wendet sich der Sünder, der vor der Gnade flieht? Was wählt der Mensch, der — seine Freiheit Gott gegenüber mißbrauchend — sich nicht für das einzig ihm Mögliche, sondern für die unmögliche Möglichkeit entscheidet? Nach Barth ist darauf zu antworten: In der Sünde entscheidet sich der Mensch für das, was von Gott verworfen und ausgeschlossen ist, was gerade nur als fliehender Schatten vor Gott vergehen kann. Barth nennt dies das Nichtige. Bevor nun die Beziehung der Sünde zum Nichtigen näher fixiert werden kann, muß zunächst analysiert werden, was unter diesem Begriff des Nichtigen und der damit bezeichneten Wirklichkeit zu verstehen ist.

Barth kommt zum ersten Mal auf diesen Gegenstand zu sprechen im Zusammenhang seiner im ersten Teil der Schöpfungslehre vorgetragenen Auslegung des priesterschriftlichen Schöpfungsberichts, näherhin des Verses Gen 1,2.[57] Wir versuchen, dem hier entwickelten Gedankengang zu folgen. Entgegen dem in der Tradition vielfach vorgebrachten Lösungsvorschlag, demzufolge Gen 1,2 bereits den Beginn der Schöpfung im Sinne einer Bereitstellung des noch unförmigen Materials im Auge habe, interpretiert

---

56 A.a.O., 62.
57 KD III/1, 111-121; vgl. hierzu Krötke, a.a.O., 37ff.; K. Lüthi, Gott und das Böse. Eine biblisch-theologische und systematische These zur Lehre vom Bösen, entworfen in Auseinandersetzung mit Schelling und Karl Barth: SDGSTh, Bd. 13, Zürich/Stuttgart 1961, 99ff.; J. F. Konrad, Abbild und Ziel der Schöpfung. Untersuchungen zur Exegese von Genesis 1 und 2 in Barths Kirchlicher Dogmatik III, 1: Beiträge zur Geschichte der biblischen Hermeneutik, Bd. 5, Tübingen 1962, 93-117.

Barth diesen Vers als „*Karikatur* des tellurischen Weltalls".[58] Was ist damit gemeint? Barth geht davon aus, der Verfasser von Gen 1,1-2,4a habe mit diesem gleichsam als Fremdkörper zwischen die Überschrift (Gen 1,1) und den eigentlichen Beginn der Erzählung des Handlungsablaufs (Gen 1,3) eingeschobenen Satz eine Welt abgesehen von Gottes schöpferischem Wort schildern wollen, eine Welt, die im Blick auf die wirkliche Schöpfung nur als vergangen und ausgeschlossen qualifiziert werden könne. Es handle sich um eine Möglichkeit, die der Schöpfer, indem er schuf, sogleich verworfen und hinter sich gelassen habe. Hier wird — so ist Barths Exegese zu verstehen — für einen Augenblick das Schreckensbild einer chaotischen Welt projiziert, die doch sofort nur als verneint, gebannt und durch die Wahl des Kosmos (der geordneten, eben nicht chaotischen Wirklichkeit) ins Unrecht gesetzt verstanden werden kann. „Die Erde als *tohu* und *bohu* ist die Erde, die als solche *nichts* ist, die ihren Schöpfer verhöhnt und die auch für den Himmel über ihr nur eine Beleidigung, eine Bedrohung mit derselben Nichtigkeit sein kann."[59] Hier wird deutlich, daß Barth das Chaos, das, was die Welt ohne den Schöpfungsakt Gottes wäre, was nun aber durch das Schöpfungswort nicht zu positivem Sein erhoben worden, sondern abgetan und zurückgedrängt ist, mit dem Nichtigen identifiziert. Der Sachverhalt wird folgendermaßen exemplifiziert: Gen 1,2 handle „von der Möglichkeit, die Gott, indem er zur Schöpfung schritt, *übergangen*, an der er verachtend *vorübergegangen* ist, wie auch ein menschlicher Schöpfer, indem er ein bestimmtes Werk wählt, ein anderes, viele andere vielleicht, *nicht* wählt und also *verwirft*, an ihnen vorübergeht, sie unausgeführt hinter sich läßt".[60]

Damit stellt sich aber nun unweigerlich die Frage nach der Realität dieses von Gott verneinten Bereichs: Kommt dem Nichtigen, dem von Gott als Chaos ausgeschlossenen Bereich Wirklichkeit zu? Barth geht diesem Problem im dritten Teil seiner Schöpfungslehre[61] ausführlich nach, gibt jedoch auch in dem hier visierten Kontext eine vorläufige Auskunft. Er konstatiert, daß „auch diese Welt in ihrer absurden Weise wirklich ist, ganz anders als die von Gott gewollte und geschaffene Welt: als die Welt des Nicht-Existierenden, des Wesenlosen, des durch und durch Unguten".[62] An dieser widerspruchsvollen Verwirklichung des Chaos, die sich „immer nur hinter dem Rücken Gottes"[63] ereignen kann, ist aber das Geschöpf nicht unbeteiligt.

58 KD III/1, 114.
59 A.a.O., 115.
60 A.a.O., 119; Hedinger, a.a.O., 50, stellt die Frage, ob hier nicht einfach die Vorstellung von der menschlichen Wahl einer Möglichkeit, die die Verwerfung anderer Möglichkeiten einschließe, auf Gott übertragen werde.
61 Vgl. KD III/3, 402-425.
62 KD III/1, 119.   63 A.a.O., 120.

Von Gott her gesehen ist dieser Bereich vergangen, das Geschöpf kann ihm jedoch in absurdem Widerspruch zu einer schattenhaften Gegenwart verhelfen, es kann dem Nichtigen rufen, und dieser Ruf bleibt nicht ohne Konsequenzen: „Die Kreatur kann so töricht sein, sie kann sich des unbegreiflichen Aufruhrs schuldig machen, am Worte Gottes und damit am Grund und Maß selber – auch ihrer eigenen – Wirklichkeit vorbei, auf ihre prinzipielle Vergangenheit, auf jenes *hajeta* und also auf jenen Zustand des Chaos zurückzublicken und zurückzukommen: zu lieben, was Gott, indem er als der Schöpfer liebte, gehaßt hat und damit den Haß statt die Liebe Gottes des Schöpfers auf sich zu ziehen."[64] Vor einer näheren Untersuchung der Beziehung des Geschöpfes zum Nichtigen ist nun im Blick auf Barths Erörterungen in KD III/3 der Realitätscharakter, die „Ontik des Nichtigen"[65] präziser herauszuarbeiten.

Nun darf jedoch nicht übersehen werden, daß der Erfassung des hier zur Diskussion stehenden Gegenstands Grenzen gesetzt sind. Jeder Versuch, das Nichtige zu definieren und so hinsichtlich dieser Materie zu einer befriedigenden Klarheit zu gelangen, führt in eine gewisse Verlegenheit: An der eigentümlichen Realität des Nichtigen scheitert notwendig jeder Erklärungsversuch. Denn das Nichtige kann, da es aus jedem Maß und jeder Norm herausfällt, nicht erklärt, sondern „nur festgestellt werden als das in sich *Widerliche*".[66] So haftet auch der Besinnung Barths auf diese Wirklichkeit eine nicht zu bestreitende tastende Vorsicht und Unsicherheit an. Seine Darstellung entbehrt überdies nicht der Problematik.[67]

Barth geht folgendermaßen vor: Einer positiv deutenden Stellungnahme schickt er zwei negativ abgrenzende, mögliche irrige Schlußfolgerungen abweisende Bemerkungen voraus. Zunächst ist, so Barth, aus der Tatsache, daß das Nichtige weder mit Gott noch mit dem Geschöpf in eins gesetzt werden darf, nicht zu schließen, es sei ein Nichts. Aus der in der Offenbarung bezeugten Kampfgeschichte Gottes gegenüber dem Nichtigen ergibt sich vielmehr die Folgerung, daß es „gar sehr ‚ist‘".[68] Das aber bedeutet: „Das Nichtige ist nicht das *Nichts*".[69] Ist es aber etwas, so darf es jedoch auch nicht identifiziert werden mit der Schattenseite der Schöpfung, die nach Barth konstituiert ist durch das „Nicht-Gottsein des Geschöpfes" einerseits

---

64 Ebd.; vgl. hierzu Konrad, a.a.O., 114-117.
65 KD III/3, 407.
66 A.a.O., 408.
67 Vgl. zur Kritik an Barths Lehre vom Nichtigen Härle, a.a.O., 227-269; A. Quadt, Gott und Mensch, 215f.348.
68 KD III/3, 402.
69 A.a.O., 403.

und durch „die Verschiedenheiten und Grenzen innerhalb der Geschöpfwelt" andererseits.[70] Eine Verwechslung des Nichtigen mit dieser doppelten Begrenzung des Geschöpfes, die „als seine Unterscheidung von Gott und als seine innere Unterscheidung"[71] zu seiner Natur gehört, darf also nicht in Frage kommen. Wohl grenzt das Geschöpf auf seiner Schattenseite an das Nichtige. „Es ist aber diese Grenze selbst und als solche nicht das Nichtige; es hat jene Schattenseite der Schöpfung als solche mit dem Nichtigen nichts zu tun."[71a]

Was das Nichtige wirklich ist, tritt vielmehr und ausschließlich in Erscheinung im Zusammenhang mit Gottes Gnadenhandeln. Indem Gott Gnade übt, richtet und verwirft er notwendigerweise auch. Man könnte sagen: Gottes Gnade läßt immer auch einen Schatten zurück. Oder mit Barths Worten: „Gott ist immer auch *heilig*, d. h. aber sein Sein und Tun geschieht immer auch in einem bestimmten *Gegensatz*, immer auch in realer Negation, Defensive und Aggression. Das *Andere*, von dem sich Gott trennt, demgegenüber er sich selbst behauptet und seinen positiven Willen durchsetzt, ist das *Nichtige*."[72] Das Nichtige ist damit also durchaus als seiend gedacht, wenn auch in einer eigentümlichen, einer mit dem Sein Gottes auf der einen und dem Sein des Menschen auf der anderen Seite nicht zu vergleichenden (daher in einer dritten!) Weise. Sein Sein wurzelt im Unwillen Gottes, der nein sagt, indem sein Wille positiv wollend bejaht und erwählt. Damit aber ist es. „Nicht einfach nichts, sondern eben das Nichtige und als solches nicht ohne sein eigenes, wenn auch böses, verkehrtes Sein ist auch das, was er kraft seiner Entscheidung von sich stößt und hinter sich läßt."[73] Oder, auf die einfachste und schlichteste Formel gebracht, lautet die hier mögliche Beschreibung: „Das Nichtige ist das, was Gott *nicht* will. Nur davon lebt es, daß es das ist, was Gott *nicht* will. Aber eben davon lebt es: weil und indem nicht nur Gottes Wollen, sondern auch Gottes Nichtwollen *kräftig* ist und also nicht ohne reale Entsprechung sein kann. Die reale Entsprechung des göttlichen Nichtwollens ist das Nichtige."[74]

Zur rechten Beschreibung der Eigenart des Nichtigen darf schließlich ein weiterer Aspekt nicht unterschlagen werden, der noch einmal seinen bedrohlichen und gefährlichen Charakter offenbar macht: Das Nichtige ist das Böse. Als solches stellt es sich der Realisierung des Plans Gottes mit dem Menschen in den Weg. Es hintertreibt und stört die positive Aufnahme des göttlichen Gnadenhandelns durch den Menschen. Deshalb ist es nach Barth

70 Ebd.
71 Ebd.
71a Ebd.

72 A.a.O., 405.
73 A.a.O., 406.
74 Ebd.

„gnadenfremd, gnadenwidrig, gnadenlos".[75] Setzt Gott seine Ehre darein, den Menschen an sein Ziel, die gnadenhafte Gemeinschaft, den Bund zu führen, und kann der Mensch allein aus Gottes Gnade leben, so schiebt sich das Nichtige in der Gestalt des Bösen als das Hindernis schlechthin zwischen diese positiv von Gott gewollte und gesetzte, vom Menschen zu realisierende und zu ratifizierende Beziehung und stört sie. Deshalb kann Barth sagen: „In diesem Charakter steht es also sowohl Gott wie dem Geschöpf nicht neutral, nicht nur als ein Anderes, Drittes, steht es vielmehr beiden als *Feind* gegenüber, *beleidigt* es Gott und *bedroht* es sein Geschöpf, ist es von oben wie von unten gesehen das *Unmögliche*, das *Unerträgliche*."[76] Die Tatsache, daß Gott, der allein dem Nichtigen gewachsen ist, von seiner Seite her das Notwendige zur letztendlichen Bewahrung seines Geschöpfs vor dem hier drohenden Angriff unternimmt und in Jesus Christus gleichsam in Wiederholung der am Anfang der Schöpfung verhängten Verwerfung diese Macht tatsächlich besiegt und aus dem Feld geschlagen hat, so daß das Nichtige als das endgültig Vergangene nur noch eine Schein- und Schattenexistenz (diese allerdings!) führen kann, darf nicht über dessen in sich gefahrvollen Charakter hinwegtäuschen. Dies ist zu bedenken, wenn die Tragweite der menschlichen Sünde nun auch in dieser Richtung reflektiert werden soll.

Die eingangs gestellte Frage lautete: Was tut der Mensch, wenn er sich von Gott abkehrt? Darauf ist nun zu antworten: In seiner Sünde gewährt er dem Nichtigen Einlaß in die Schöpfung, von der es durch Gottes machtvolles Wort ferngehalten war. Die Schöpfung war von Gott bewahrt vor dem drohenden Chaos. Das Nichtige war ausgeschieden. Durch die Schuld des Menschen hält es nun Einzug in diesen Bereich, zu dem ihm der Zutritt verwehrt war. Das ist der furchtbare Schaden, den der Mensch in seiner Sünde anrichtet. „Er hat hier gewissermaßen die Schleuse geöffnet."[77] Und so bedeutet die Sünde „den Einbruch des *Chaos* in den Raum der Schöpfung, die Aufrichtung der Gegenregierung des Nichtigen, d. h. des von Gott Verneinten und Verworfenen, des radikal *Bösen*, des ihm und seinem Werk nur Entgegengesetzten".[78] Das Ausbrechen aus dem Bund mit Gott bleibt nicht ohne Folgen. Der Mensch ist ipso facto eine neue, verheerende Bindung eingegangen. Und das ist die „unmögliche, grundlose, sinnlose Verbündung mit der von Gott dem Schöpfer vom Licht geschiedenen und verworfenen Finsternis".[79] Die Grenzüberschreitung des Nichtigen, die ihm von Gott verwehrt war, ist nun nicht mehr aufzuhalten. Das Böse nimmt

---

75 A.a.O., 408.
76 Ebd.
77 KD IV/1, 540; vgl. KD III/4, 417; vgl. ferner Konrad, a.a.O., 114-117.
78 KD IV/1, 484.   79 A.a.O., 594.

nun seinen Lauf und fordert gleichsam sein Recht. „Nun ist der Mensch der finstere Ort, wo das Unrecht sich in seiner Nichtigkeit festsetzen, breit machen, ausleben darf, als ob es ein Recht dazu hätte."[80] Die mit der Sünde eingetretene Unheilssituation duldet also keine Verharmlosung. Der Einfall des Bösen ist gleichbedeutend mit der „Revolution des Nihilismus, an deren Ende nur die Nihilisierung alles kreatürlich Seienden stehen könnte".[81]

3. Die Provokation Gottes

Die hier gebotene Beschreibung des Phänomens der menschlichen Sünde soll zum Abschluß gebracht werden mit einer kurzen Besinnung auf einen Aspekt, der zwar hier und da kurz tangiert, aber noch nicht expressis verbis zur Sprache gebracht wurde. Um dieses Moment sichtbar zu machen, empfiehlt es sich, einzusetzen bei einem Gedankengang, den Barth mit dem Begriff der Ehre Gottes verknüpft. Dazu ist noch einmal kurz zurückzublenden auf den zentralen Ansatzpunkt der Barthschen Gotteslehre. Barth hatte hier vorgetragen: Gott hat sich selbst von allem Anfang her dazu bestimmt, des Menschen Gott zu sein. Gott könnte sich an sich selbst genügen lassen. Aber als der gnädige Gott wählt er den Menschen zu seinem Bundespartner und wendet ihm seine göttliche Huld und Liebe zu. Genau an diesem Punkt kommt nun aber das Motiv der Ehre Gottes ins Spiel. Gott handelt in seiner Geschichte mit dem Menschen nicht nur zum Heil der Menschen, sondern auch zu seiner eigenen Ehre. Wenn Gott sich offenbart und so auf den Menschen zukommt − gnädig, barmherzig und hilfreich, in Mitteilung seiner überströmenden Herrlichkeit, in der er dem Menschen Teilhabe gewährt an der innergöttlichen Bewegung des Liebens und Geliebtwerdens −, dann geschieht dies auch um seiner Ehre willen. Auch hier besteht keine Notwendigkeit. Gott muß nicht seine Ehre erst suchen, indem er in eine Beziehung zu seinem Geschöpf eintritt. Aber faktisch handelt er so und nicht anders. Im Blick auf diese Tat der Offenbarung sagt Barth: „Gott ist der in diesem Ereignis handelnde Herr. Wir betonen zunächst: *handelnd:* in diesem Ereignis und also zu unserem Heil und zu seiner Ehre."[82] Uns kommt es in diesem Zusammenhang auf die im letzten Satzglied vorgenommene enge Verbindung von Heil und Ehre an. Hier kündigt sich an, daß für Barth Heil und Ehre grundsätzlich aufeinander verweisen: Gott handelt zu seiner Ehre, wenn er das Heil der Menschen wirkt, und Gott hat nichts anderes im Sinn als das Heil der Menschen, wenn er seine Ehre durchsetzt. Das Zentrum, in dem sich die Linien treffen, ist das Christusereignis bzw. die der geschichtlichen Wirklichkeit vorausliegende Gnadenwahl: „Gerade

---

80 A.a.O., 602.   81 A.a.O., 456.   82 KD II/1, 294.

darein setzt Gott seine eigene Ehre: so gnädig zu sein. Darüber ist entschieden in der Erwählung des Menschen Jesus: daß Gott so gnädig ist."[83]

Gottes Ehre ist in gleicher Weise herausgefordert, sie wird sich wieder bewähren, wenn es gilt, dem bedrängten Geschöpf zu Hilfe zu eilen und es vor der tödlichen Bedrohung durch die Chaosmächte zu bewahren. Seine Ehre bewegt ihn zur Reaktion gegen die mit der Sünde entstandene Krisis. „Gott muß und will Gerechtigkeit walten lassen: die Ehre seiner Schöpfung, die Ehre des für ihn geschaffenen und bestimmten Menschen und so seine eigene Ehre verteidigen gegen den Übergriff der von ihm verneinten, nur durch die Kraft seiner Verneinung existierenden Schattenwelt Satans."[84] Der Name Jesus Christus bezeichnet den geschichtlichen Ort, an dem Gott seine Ehre unüberbietbar zur Geltung bringt. In Jesus Christus gelangt Gottes Ehre zu sieghaftem Durchbruch. So kann Barth sagen: „Es geht also nicht nur um das Geschöpf, es geht um des Schöpfers eigene Sache und Ehre in der Geschichte seines Helfens, wie sie in seiner Gegenwart im Menschen Ereignis und wie sie in seiner Offenbarung in ihm erkennbar wird."[85]

Der Begriff der Ehre Gottes umfaßt sodann aber auch noch eine andere Dimension. Er qualifiziert nicht nur Gottes Engagement zugunsten seiner Schöpfung, zum Heil des Menschen, er bezeichnet auch – im Sinne des Genetivus objectivus verstanden – jene gleichsam reflektierende Bewegung, die von seiten des Geschöpfs dem Schöpfer geschuldete Anerkennung und Achtung. Darin erfüllt das Geschöpf seine Berufung, indem es Gott das zukommen läßt, was ihm gebührt: Dem Menschen ist aufgetragen, Gottes Gnadenerweis dankbar anzunehmen und geschehen zu lassen. Darin gibt er Gott die Ehre. Und darauf liegt nun der Akzent: Gott will so *geehrt* sein, daß der Mensch auf sein Heilsangebot eingeht, ihm als dem gnädigen, zum Heil der Kreatur wirkenden Herrn nicht mit Verachtung, sondern mit Anerkennung begegnet. Diese Ehre schuldet das Geschöpf seinem Schöpfer. Dieser zweifache Sinn des Begriffs der Ehre Gottes kommt sehr prägnant zum Ausdruck in einer der am Sein des Menschen Jesus orientierten anthropologischen Thesen Barths. Hier heißt es: „Ist es bei dem Menschen Jesus so, daß es bei dem in ihm stattfindenden göttlichen Handeln zugunsten aller und jedes Menschen zugleich um die Freiheit, Souveränität und Ehre Gottes geht, dann muß – wenn es hier bei aller Ungleichheit auch Gleichheit gibt – jedes Menschen Wesen, sofern ihn jene Geschichte ja wesenhaft angeht, ein solches sein, das sich nicht Selbstzweck ist, das vielmehr in der *Ehre Gottes* (eben darin, daß es an jener Geschichte teilnehmen darf) seine eigentliche *Bestimmung* hat."[86]

---

83 KD II/2, 130.   84 A.a.O., 133.   85 KD III/2, 80.   86 A.a.O., 85.

Der Mensch ist also dazu berufen, Gott in der Weise zu ehren, daß er sich jener Bewegung einordnet, in der Gott seinerseits zu seiner eigenen Ehre handelt. Wir kommen nun auf unser eigentliches Problem, wenn wir fragen: Wird der Mensch jener Berufung folgen und Gott die Ehre geben? Die Antwort darauf kann nach Barth nur negativ lauten: Der Mensch erfüllt Gott gegenüber nicht seine Schuldigkeit. Er verweigert ihm die Ehre, ja er entehrt ihn.[87] Damit ist nun eine dritte Dimension der Sünde aufgedeckt: Der Sünder tritt Gott zu nahe, er schändet die Ehre seines Schöpfers, er durchkreuzt Gottes Heilsplan und unternimmt den Versuch, ihn ins Unrecht zu setzen. Gerade weil Gott sich soweit engagiert hat, daß er das Heil des Menschen mit seiner Ehre verknüpft hat, so daß seine Ehre auf dem Spiel steht, wenn seine Heilsabsicht gefährdet ist, gerade weil Gott in dieser Weise Gnade übt, kann sich der Sünder zu dem Unmöglichen versteigen: zur Beleidigung und zur Schmähung Gottes. Der Sünder vergreift sich nun direkt an Gottes Ehre,[88] ja seine Sünde bedeutet einen Raub an der Ehre seines Schöpfers.[89] Deshalb ist die Sünde noch nicht ausreichend charakterisiert, wenn sie als desinteressierte Abkehr von Gott gedeutet wird. In ihrer Absicht und Tendenz liegt vielmehr eine Zerschlagung dessen, was Gott aufgebaut hat. Sie will zerstören, was Gott zu seiner eigenen Sache gemacht hat.[90] Insofern ist sie ein Anschlag auf Gottes Ehre. „Diesem, dem gnädigen Gott, nimmt der sündige Mensch seine Ehre, um eben damit zuerst seine eigene, die des von diesem Gott geschaffenen Geschöpfs in den Staub zu ziehen. Er würde nicht sündigen, wenn Gott nicht dieser, und wenn er selbst nicht dieses Geschöpf wäre."[91]

Gerade deshalb, weil hier seine eigene Ehre angegriffen ist, läßt die Sünde Gott nicht unberührt. Sie könnte ihn freilich nichts angehen, da er aus reiner Gnade das Heil der Menschen an seine Ehre gebunden hat.[92] Er könnte sich auch an ihr so rächen, daß er die Konsequenz eintreten ließe, nach der die Sünde strebt: das Ende der Geschichte zwischen Gott und Mensch.[93] Aber gerade so handelt Gott nicht. Der um seiner Ehre willen den Menschen in

---

87 Barth sieht sich in diesem Punkt in Übereinstimmung mit Anselm von Canterbury – vgl. KD IV/1, 540.

88 KD IV/1, 595; KD IV/2, 450.

89 KD I/2, 61.

90 KD IV/1, 455.

91 KD III/2, 40.

92 Vgl. KD IV/2, 451.

93 Vgl. KD IV/1, 84: „Gott konnte den Menschen, da dieser es so haben wollte, fallen und ausfallen lassen; er hatte und hat genug andere Geschöpfe, in deren Gegenwart er den Menschen nicht vermissen mußte. Er handelt in der *Treue* des *Bundesherrn;* er wäre aber sich selbst nicht untreu geworden, wenn er den vom Menschen gebrochenen Bund als erledigt und aufgehoben angesehen hätte." Vgl. auch KD IV/1, 233.

seinen Bund berufen hat, läßt sich durch das frevelhafte Aufbegehren des Sünders, durch den von dieser Seite aus unternommenen Anschlag auf seine Ehre nicht beirren. Vielmehr gilt nun noch einmal: „Er setzte seine Ehre eben darein, gerade dieses Geschöpf nicht ausfallen zu lassen, den Bundesbrecher nicht mit Aufhebung des Bundes zu bestrafen, gerade den sündigen Menschen dennoch und nun erst recht zu lieben, seinem Ziel entgegenzuführen und also seiner Treue keine Grenzen zu setzen."[94]

Nun darf aber nicht der Eindruck entstehen, als handle es sich in der Sünde um einen erträglichen Zwischenfall, den Gott gleichsam übersehen und außer acht lassen könnte. Gott ist hier vielmehr aufs höchste provoziert und beleidigt. Er kann diese Verletzung seiner Ehre nicht auf sich beruhen lassen. Er will und muß sie verteidigen, und so will und muß er gegen den Angreifer vorgehen. Darin besteht die Provokation der Sünde, daß sie, indem sie seine Ehre schändet und beschmutzt, Gott zur Reaktion herausfordert.[95] Gott reagiert aber auf dieses Unrecht mit seinem verzehrenden Zorn. Die Geschichte Gottes mit dem Menschen kommt nicht zum Stillstand, sie nimmt ihren weiteren Verlauf, weil Gott an seinem Ziel festhält. Aber sie nimmt eine andere Gestalt an. Sie ereignet sich nun in einer veränderten, fremden Gestalt, Gott kann sein opus proprium nur fortführen in der Gestalt des opus alienum. Gottes Gnade weicht nicht, Gott verzichtet gerade als der gnädige Bundesherr nicht darauf, seine Ehre durchzusetzen gegen die ihr zugefügte Schmähung. Aber die Geschichte Gottes mit dem Menschen kommt nun unter ein negatives Vorzeichen zu stehen, das durch die Sünde eingetragen worden ist: Der gnädige Gott begegnet dem Sünder nun mit seinem vertilgenden Zorn, der Mensch wird nun zum Gegenstand des Zorns. Barth wendet sich ganz entschieden gegen Ritschl, der die Zornesaussagen als Exponenten eines inadäquaten Gottesbildes streichen will.[96] Die Eliminierung der den Zorn Gottes betreffenden Aussagen könnte nur aus einer tiefgreifenden Verkennung der Gnade resultieren. Demgegenüber gilt, daß Gott treu bleibt und um dieser Treue willen den Sünder mit seinem Zorn heimsucht. „Daß ihm Gottes Gnade zugewendet ist, bedeutet nun: daß sie ihm, der sie verachtet und haßt, der nicht von ihr leben will, zur *Ungnade*, zum *Zorn* und *Gericht* wird. Daß Gott sein Freund ist, heißt nun: daß er, der an ihm handelt, als ob er sein Feind wäre, ihn tatsächlich auch zu *seinem Feinde haben* muß."[97]

Das ist, nach dieser Seite hin betrachtet, die Tat der Sünde und ihre Frucht: der Anschlag auf Gottes Ehre, auf den Gott nur mit seinem Zorn und

94 KD IV/1, 84.   96 A.a.O., 545.
95 A.a.O., 545.602.   97 A.a.O., 537.

Gericht antworten kann. Es ist die Tat, die dem Menschen nur das eine einbringt: daß er sich selbst unter Gottes Gericht stellt, Gottes Zorn herausfordert, vor dem er nur vergehen kann. Der ganze Ernst der Sünde zeigt sich noch einmal in Barths Apostrophierung des Sünders: „Nun ist er der vor Gott Unmögliche und Unerträgliche, der vor ihm nicht bleiben, nur verschwinden kann."[98] Eine Situation ist heraufbeschworen, die vor Gott nicht bestehenbleiben kann, die eine Bereinigung in aller Strenge verlangt.

III. DIE INKARNATION ALS BEDINGUNG UND ANKÜNDIGUNG DES GERICHTS

1. Das Problem

Die nunmehr in Angriff zu nehmende Aufgabe besteht darin, die soteriologische Relevanz der Inkarnation unter dem uns interessierenden Aspekt des Gerichts herauszuarbeiten, wobei der Begriff Inkarnation im weiteren Sinn, Menschwerdung und Menschsein Jesu Christi umfassend,[1] verstanden werden soll. Wir wollen prüfen, inwieweit sich das Gerichtsmotiv, unter dessen beherrschender und maßgeblicher Auswertung Barth seine Versöhnungslehre konzipiert hat, bereits in der Darstellung der Inkarnation, in der Annahme und Realisierung des Menschseins durch den Sohn Gottes ankündigt. Die Frage, der wir hier nachgehen wollen, lautet also: Inwieweit ist in der Menschwerdung und im Menschsein Jesu Christi bereits antizipiert, was im Ereignis von Golgatha, im Kreuz, von Barth als Gericht ausgelegt, zur Vollendung kommt? Inwieweit wirkt hier bereits voraus, was den Tod Jesu zum Heilsereignis qualifiziert, das über ihn hereinbrechende Gericht, in dem Gott selbst sein Urteil über die Sünde ausspricht und vollzieht? Wir wollen herausfinden, in welchem Sinn Jesu Leben als konsequent beschrittener Weg auf ein Ziel hin, als Gang zum Kreuz, von dem im Tod über ihn ergangenen Gericht durchwirkt ist. Die Frage betrifft also den Zusammenhang von Menschwerdung, Leben und Sterben Jesu unter dem Aspekt des Gerichts: In welcher Weise stehen schon das irdische Leben Jesu Christi und dessen Beginn in der Menschwerdung im Schatten des Gerichts?

---

98 A.a.O., 602; vgl. ebd.: „Dieser Mensch muß sterben und es ist − wohlverstanden! − gerade die ihm verborgene Gnade der Gerechtigkeit Gottes, die diese Vergeltung verlangt, kraft derer er nicht leben darf, sondern sterben muß."
1 Vgl. KD IV/2, 38f.

2. Die Annahme des sündigen Fleisches

Bereits in seinem im Rahmen der Prolegomena zur Kirchlichen Dogmatik entworfenen christologischen Aufriß[2] entwickelt Barth das Verständnis der Menschwerdung Jesu Christi auf einer Linie, die er auch in den späteren, der Versöhnungslehre im engeren und eigentlichen Sinn gewidmeten Bänden seines Werks nicht mehr preisgegeben hat: Was in Joh 1,14 – an dieser zentralen Stelle orientieren sich seine Ausführungen[3] – konzentriert ausgesagt sei, gehe über die bloße Feststellung der Annahme einer (nicht weiter qualifizierten) menschlichen Natur durch Jesus Christus hinaus. Gewiß ist dieser Stelle nach Barth zunächst zu entnehmen, daß der göttliche Logos in seiner Erniedrigung sich das zu eigen gemacht hat, was reales Menschsein ausmacht: individuelle, leib-seelische Existenz in ihrer Einmaligkeit und zeitlichen Erstreckung zwischen Geburt und Tod.[4] Inkarnation meint also zunächst durchaus: Der Sohn Gottes hat „menschliches *Wesen* und *Dasein*"[5] angenommen. Statt „menschliches Wesen und Dasein" kann man auch sagen: „menschliche Art und Natur, Menschheit, *humanitas,* dasjenige, was einen Menschen zum Menschen macht im Unterschied zu Gott, zum Engel, zum Tier".[6] Darüber hinaus weist jedoch – so Barth – der Begriff σάρξ von Joh 1,14 in einen tieferen Zusammenhang. Hier schwingt noch eine weitere Bedeutungskomponente mit. σάρξ bezeichnet nach Barth nicht die aus der Schöpferhand gut und gerechtfertigt hervorgegangene unversehrte Menschlichkeit, sondern die durch die Sünde dem Verderben anheimgefallene menschliche Natur, das menschliche Sein in der Verlorenheit. „Fleisch ist die konkrete Gestalt der menschlichen Natur unter dem Zeichen von Adams Fall, die konkrete Gestalt jener ganzen Welt, die vom Kreuzestod Christi her als die alte und schon vergangene gesehen werden muß, die Gestalt des zerstörten, erst wieder mit Gott zu versöhnenden Menschenwesens und Menschendaseins."[7] Der Terminus „Fleisch" weckt immer auch die Erinnerung an die durch die Sünde eingetretene Schädigung des menschlichen Daseins, sein Ausgeliefertsein an das Gesetz der Sünde. Alles, was über die Existenz des Menschen als Sünder gesagt worden ist, klingt hier noch einmal an. Die sarkische Existenz ist die sündige, d. h. also durch ihre Gnadenfeindschaft bestimmte, dem Nichtigen verfallene und so unter Gottes Zorn stehende Existenz des Menschen. Mit Barths Worten: „Fleisch" bezeichnet im biblischen Sinn immer „die durch des Menschen Sünde bestimmte und

2 KD I/2, 134-221.

3 W. Günther, Die Christologie Karl Barths, 19, spricht im Bezug auf diese Stelle mit Recht vom Kernsatz der Christologie Barths.

4 KD I/2, 161.   6 Ebd.

5 A. a. O., 163.   7 A. a. O., 165.

geprägte, d. h. aber verkehrte und damit unendlich bedrohte, dem Sterben nicht nur, sondern dem Tode, dem Vergehen verfallene Menschennatur".[8]

Und nun sagt Barth: Genau die in diesem Sinn fleischliche, d. h. von der Sünde geschädigte Natur hat Jesus Christus im Akt der Inkarnation als auch seine menschliche Natur gewählt und angenommen.[9] Barth kann so weit gehen, zu sagen, daß „Gott selbst in Gestalt eines Sünders unter die Sünder getreten ist".[10] Es fällt nicht schwer, das Anliegen aus dieser Interpretation der Inkarnation herauszuhören: Es geht um die Sicherstellung der Wirklichkeit der Offenbarung, noch mehr aber wohl um die Statuierung der vorbehaltlosen Solidarität des Menschensohnes mit der sündigen Menschheit.[11] Barth weiß, daß er hier bisher weitgehend (auch von Luther und Calvin) eingehaltene und respektierte Grenzen überschreitet.[12] Er selbst nennt die *Fleisch*werdung des Wortes die „Unbegreiflichkeit, die größer ist als die Unbegreiflichkeit der göttlichen Majestät und die Unbegreiflichkeit der menschlichen Finsternis miteinander".[13] Aber Offenbarung kommt nach ihm nur zustande unter der Bedingung der vollkommenen Kondeszendenz des göttlichen Wortes in die Niederungen des sündigen Menschseins. Denn Offenbarung im Sinne des Neuen Testaments heißt, daß Gott Mensch wird. Menschsein aber bedeutet immer schon Im-Fleisch-Sein.[14] Das göttliche Wort „wäre nicht Mensch, wenn es nicht in diesem präzisen Sinne ‚Fleisch' wäre".[15]

Beherrschend jedoch wirkt sich hier Barths Bemühen aus, Jesu Christi Eintritt in die Situation der mit der Sünde beladenen, unter dem Sündenfluch stehenden Menschheit ganz ernst zu nehmen. Eben deshalb gilt für ihn: „Die heilsame Wahrheit darf... nicht abgeschwächt und verdunkelt werden, daß die Natur, die Gott in Christus angenommen hat, identisch ist mit unserer Natur unter Voraussetzung des *Sündenfalls*. Wäre es anders, wie wäre Christus dann wirklich unseresgleichen."[16] Jesu persönliche Sündlosigkeit darf uns nach Barth nicht veranlassen, hier „doch wieder Abstriche zu machen".[17] Jesus Christus hat unsere Natur angenommen. Es steht aber fest, „daß *unsere* Natur nicht die an sich gute menschliche Natur ist".[18] Sie ist vielmehr die *„natura vitiata"*.[19] Barth wehrt sich gegen alle traditionellen Abmilderungen, die Christus eine unversehrte, vom Fall Adams unberührte menschliche Natur zusprechen. Seine Position wird noch einmal besonders

8 KD IV/2, 26.
9 KD II/1, 169.
10 KD IV/1, 188.
11 KD I/2, 166ff.
12 Vgl. a. a. O., 167f.
13 A. a. O., 166.

14 Vgl. Anm. 7 u. 8.
15 KD I/2, 166.
16 A. a. O., 167.
17 Ebd.
18 Ebd.
19 Ebd.

deutlich im Widerspruch gegen den von Honorius I. im monotheletischen Streit aufgestellten Satz: „*A divinitate assumpta est nostra natura, non culpa, illa (natura) profecto, quae ante peccatum creata est, non quae post praevaricationem vitiata.*"[20] Hier wird nach Barth die „heilsame Wahrheit" unterdrückt. Jesus Christus hat sich auf die Ebene des in der Sünde gegen Gott geführten Widerspruchs und so der Gottesferne und der Gottlosigkeit begeben. Deshalb ist von ihm zu sagen: „Gottes Sohn nahm nicht nur unser Wesen an, sondern trat ein in die konkrete Gestalt unseres Wesens, in der wir selbst vor Gott stehen, nämlich als die Verdammten und Verlorenen."[21]

Nach Barth ist weiterhin zu bedenken, daß der Sohn Gottes jüdisches Fleisch angenommen hat, in die Situation und Geschichte gerade Israels in seiner Menschwerdung eingetreten ist.[22] Dies ist deshalb nicht außer acht zu lassen, weil in der Erwählungsgeschichte dieses Volkes zur Anschauung kommt, was es um die Feindschaft, den Ungehorsam und die Sünde gegen Gott ist. Hier kommt ans Licht, was sonst im Fluß der außerisraelitischen Geschichte auch übersehen, entschuldigt und verwischt werden kann: die Tiefe des Abfalls des von Gott erwählten und in seinen Bund berufenen Menschen. Menschwerdung im Raum Israels heißt damit: Jesus Christus tritt ein in die Gemeinschaft eines Volks, das zugleich mit seiner Erwählung auch in beständigem Aufruhr gegenüber dem sich ihm zuwendenden Gott verharrt. Er nimmt selbst die Stelle dieses treulosen, ungehorsamen und widerspenstigen Volkes ein.[23] Gott ist jetzt „sich selber zum Fremden geworden".[24] Die abgründige Tiefe der Kondeszendenz Gottes in Jesus Christus wird offenbar: So nimmt Gott sich des Sünders an. Barth kann sagen: „Der Sohn Gottes in seiner Einheit mit dem israelitischen Menschen Jesus existiert in unmittelbarer und vorbehaltloser Solidarität mit der exemplarisch und manifest *sündigen* Menschheit Israels. Er läßt alles, was gegen diese zu sagen ist – alles, was nicht von Menschen, sondern von Gott selbst durch den Mund seiner Propheten gegen diese gesagt ist – gegen sich selbst gesagt sein. Er nimmt die ganze Untreue, Lüge, Rebellion dieses Volkes, seiner Priester und Könige auf seine eigene Verantwortung."[25] Nun ist nicht mehr zu übersehen, „daß der Logos eben da ist, wo die Menschen sind"[26]. Das bedeutet: „Das göttliche Wort schlägt sich auf die Seite seiner eigenen Widersacher."[27]

Schließlich ist noch auf den Aspekt der Selbstauslieferung an die bedrohliche Macht der Sünde aufmerksam zu machen, der nach Barth im Begriff der

20 DS 487; vgl. KD I/2, 167.
21 KD I/2, 167.
22 Vgl. hierzu KD IV/1, 181-192.
23 A. a. O., 187.

24 A. a. O., 186.
25 A. a. O., 187.
26 KD I/2, 166.
27 Ebd.

Fleischwerdung ebenfalls impliziert ist. Darunter ist zu verstehen: Jesus Christus kannte die Sünde nicht nur von außen. Er setzte sich vielmehr ihrer Gefahr aus. Er war nicht immun gegen sie.[28] Er ließ sich ihren Angriff in all seiner Versuchlichkeit und Drohung gefallen. So kann Barth sagen, daß er „dem Unmöglichen in seiner ganzen Macht, der abscheulichen Möglichkeit der Undankbarkeit, des Ungehorsams, der Untreue, des Hochmuts, der Verzagtheit, der Lüge, ins Auge sah, daß er sie so genau kannte wie sich selbst, daß sie ihm so nahe, ja noch näher trat als jedem anderen Menschen".[29] Und daraus folgt: „Er hatte zu streiten gegen das, was ihn als einen Menschen wie wir andere ebenso, was ihn als den Sohn Gottes im Fleische erst recht, gewissermaßen mit ihm gegenüber gesammelter Kraft, anfocht."[30]

Zu dem bisher Ausgeführten ist zunächst zu bemerken: Barth ist mit dieser so gestalteten Lehre nicht in völliges Neuland vorgestoßen, sondern kann sich berufen auf eine Reihe von Theologen, die die Kondeszendenz des Sohnes Gottes im gleichen Sinn interpretieren, zu deren Ansatz im Verständnis der Inkarnation er sich ausdrücklich bekennt.[31] Unter den in diesem Zusammenhang genannten Theologen, denen er sich verpflichtet weiß, wird neben dem uns bereits bekannten H. F. Kohlbrügge am ausführlichsten H. Bezzel zitiert,[32] den Barth in seiner Münsteraner Vorlesung zum Johannesevangelium im Wintersemester 1925/26 zur Stelle Joh 1,14 schon hatte zu Wort kommen lassen.[33] Ein Vergleich zeigt sogar, daß die Zitate aus H. Bezzel an beiden Stellen (also in der Vorlesung über das Johannesevangelium und in KD I/2) weitgehend identisch sind. Offenbar verdankt Barth gerade diesem Theologen in der hier anstehenden Frage besondere Anregung, die freilich nicht überschätzt werden darf.[34]

Den Kerngehalt der Darlegungen dieses Abschnittes können wir nunmehr folgendermaßen zusammenfassen: Nach Barth hat Christus in seiner Menschwerdung nicht eine von der Sünde unberührte menschliche Natur

28 KD IV/1, 237.

29 A. a. O., 236f.

30 A. a. O., 237; vgl. auch R. W. Jenson, Cur Deus homo, 123: „Our corruption, the decomposition of our being in its contradiction with itself, has been experienced in its substance only by Jesus Christ".

31 KD I/2, 168f. Barth nennt hier: G. Menken, E. Irving, J. Chr. K. von Hofmann, H. F. Kohlbrügge, E. Böhl und H. Bezzel.

32 Vgl. KD I/2, 169.

33 Vgl. K. Barth, Erklärung des Johannesevangeliums (Kapitel 1-8). Vorlesung Münster, Wintersemester 1925/26; wiederholt in Bonn, Sommersemester 1933, hrsg. W. Fürst: Karl Barth – Gesamtausgabe, Abt. II, Zürich 1976, 110.

34 Barth entnimmt seine Zitate Bezzels nicht dessen Werk selbst, sondern der Darstellung der Theologie Bezzels von J. Rupprecht. Er scheint also die Theologie Bezzels nur durch die Darstellung Rupprechts zu kennen. – Vgl. J. Rupprecht, Hermann Bezzel als Theologe, München 1925.

angenommen, sondern eine solche, die identisch ist mit unserer natura vitiata.[35] Damit ist aber erst eine Seite der Barthschen Inkarnationslehre berührt. Barth geht mit gleicher Bestimmtheit der Frage nach, was für die von der Sünde bestimmte menschliche Natur die Aufnahme in die Personeinheit mit dem göttlichen Logos bedeutet. In seiner Antwort auf dieses Problem gelangt er zu Feststellungen, die in einem gewissen Kontrast zu den oben referierten Aussagen stehen.

Barth unterstreicht nämlich, sobald die Realität der unio hypostatica ins Spiel kommt, mit besonderem Nachdruck die mit der Inkarnation gegebene völlige Neukonstituierung der menschlichen Natur Jesu Christi. Er rückt zwar nicht davon ab, daß Jesus Christus das von der Erbsünde affizierte Menschsein angenommen habe, betont nun aber ebenso nachhaltig: „Unser unheiliges Menschsein ist, angenommen und aufgenommen durch das Wort Gottes, ein geheiligtes und also ein sündloses Menschsein".[36] Der Begriff der

---

35 Barth hat mit dieser Sicht der Menschwerdung auch Widerspruch hervorgerufen. E. W. Wendebourg, Die Christusgemeinde und ihr Herr. Eine kritische Studie zur Ekklesiologie Karl Barths: Arbeiten zur Geschichte und Theologie des Luthertums, Bd. 17, Berlin/Hamburg 1967, 90, will den Begriff „Fleisch" verstanden wissen „als Ausdruck für die kreatürlich-menschliche Sphäre ohne jede Abwertung durch die Sünde". Nach Wendebourg ist dieses Verständnis auch auf Joh 1,14 zu beziehen. Vgl. ebd.: „Gerade auch das für unseren Zusammenhang so wichtige Joh. 1,14 erwähnt die σάρξ in *diesem* Sinne und will nicht — wenigstens nicht dem ‚Literar-Sinn' nach — so verstanden werden, daß der Logos mit der Fleischwerdung die *Sünde* der Welt auf sich nahm."
W. Günther, a. a. O., 31f., sieht einen Widerspruch bei Barth darin, daß Jesus einerseits eine potentia peccandi, andererseits aber ein Nicht-Sündigen-Können zugesprochen wird.
Auf katholischer Seite hat H. Bouillard, Karl Barth, Bd. II/1, 117, kritisch Stellung genommen zu Barths Interpretation der Menschwerdung: „ . . . la passion rédemptrice implique évidemment que le Christ ait été l'un de nous, qu'il ait pris notre chair. Mais peut-on entendre par là qu'il ait pris notre nature viciée, la nature humaine placée ‚sous le signe de la chute d'Adam'? On voit mal d'ailleurs comment l'auteur concilie cette thèse avec l'affirmation que le Christ n'a pas péché, puisque d'après lui l'homme corrompt sa nature dans l'acte de son propre péché."
Den katholischen Standpunkt verdeutlicht M. Schmaus, Katholische Dogmatik, Bd. II/2, 246: „Die menschliche Natur Christi ist durch die Verbindung mit dem Sohne Gottes geweiht und geheiligt, weil und insofern sie an der unerschaffenen Heiligkeit (. . .) teilnimmt (gracia unionis, substanzielle Heiligkeit). Die Heiligkeit Gottes wird dabei nicht eine akzidentelle Eigenschaft der menschlichen Natur Christi. Diese empfängt vielmehr daraus, daß sie in der Kraft des göttlichen Ich existiert, welches personhafte Heiligkeit, Würde und Erhabenheit ist, daraus also, daß die personhafte Heiligkeit selbst ihr Ich ist, auch ihrerseits Heiligkeit und Würde, Weihe und Erhabenheit. Weil der aus Maria Geborene Sohn Gottes ist, darum wird Heiliges aus ihr geboren (Lk 1,35)." — Vgl. auch a. a. O., 254: „Es ist Glaubenssatz: Christus war von jeder Sünde, sowohl von der Erbsünde als auch von persönlichen Sünden frei." Vgl. ferner a. a. O., 219: „Die Mutter des Herrn mußte von jeder Gottesferne und von jeder mit dieser wesensmäßig verbundenen Entstellung der Natur bewahrt werden. Der menschgewordene Gottessohn sollte ja hinsichtlich der menschlichen Natur nach ihrem Bilde geformt werden, weil sie eben seine Mutter war, ihm von ihrem eigenen Wesen gab und ihm die Züge ihres leiblichen und geistlichen Antlitzes schenkte. Die irdische Erscheinung des Gottessohnes ist durchtränkt von ihrer Art. Deshalb durfte nichts Gottwidriges, Sündiges, Unreines, Krankes an ihr sein. In ihr ‚konnten' keine schlimmen Eigenschaften oder Anlagen sein, die sie als Keime ins Blut ihres Sohnes mitbringt. Sie mußte aus der Reihe der Geschlechter, die an ihr gebildet und gebaut haben, um so mehr herausgehoben sein, je schlimmer die Erbschaft war, die sich im Strom der Ahnenreihen angehäuft hatte." 36 KD I/2, 170.

Neuschöpfung kann hier nach Barth nicht vermieden werden.[37] Jesus Christus ist der neue Mensch.[38] Denn seine Menschheit rückt mit ihrer Erhebung in die Personeinheit mit dem Sohn Gottes in eine neue Beziehung. Sie ist in ihm konfrontiert mit dem göttlichen Wesen. „Da existiert ja der Menschensohn nur in seiner Identität mit dem Sohn Gottes, sein menschliches nur in Konfrontation mit dessen göttlichem Wesen".[39] Damit widerfährt dem Menschsein Jesu eine völlig neue Bestimmung: „es ist das ganz und gar, durch und durch, von Grund auf und von Haus aus durch Gottes *erwählende Gnade* bestimmte menschliche Wesen".[40] Barth läßt keinen Zweifel daran: Gottes Gnade ist „seine *ausschließliche* und *gänzliche* Bestimmung".[41] Insofern muß man von ihm sagen: Es ist von „Gott *angeeignetes*, *disponiertes*, *geheiligtes* und *regiertes* menschliche Wesen".[42]

Barth beharrt also im Blick auf die menschliche Natur Jesu auf einer zweifachen Aussage: Einerseits besteht er darauf, daß Jesus Christus eine von der Sünde geprägte menschliche Natur angenommen hat, andererseits lehrt er deren ausschließliche Bestimmtheit durch Gottes Gnade. Hier kommt das Anliegen zum Vorschein, zweierlei sicherzustellen: Jesu Gleichheit mit den übrigen unter der Macht der Sünde stehenden Menschen und zugleich seine völlige Ungleichheit. An beidem muß festgehalten werden, wenn es um die Erlösung geht. Wie aber sind die völlige Gleichheit und Ungleichheit Jesu mit den übrigen Menschen zusammen zu denken? Barth antwortet: „Darin ist er uns, ist er auch den Heiligen und Heiligsten ganz *ungleich*, daß sein menschliches Wesen allein und völlig, weil von Grund auf und von Haus aus durch Gottes Gnade bestimmt ist . . . Darin ist er uns aber *gleich*, daß sein so bestimmtes menschliches Wesen als solches auch das unsrige ist."[43]

Barths Distinktion zwischen dem menschlichen Wesen Jesu an sich[44] und als solchem und dem gleichen Wesen unter der Bestimmung der göttlichen Gnade löst jedoch das Paradox nicht auf. Dies geschieht ebensowenig, wenn Barth von der Erhebung der menschlichen Natur Jesu Christi spricht. Die paradoxe Realität wird vielmehr noch einmal beschrieben, wenn es heißt:

---

37 A.a.O., 147; KD IV/2 48.
38 KD I/2, 148; KD IV/1, 53.284; KD IV/2, 31.40.75.
39 KD IV/2, 97.
40 A.a.O., 96.
41 A.a.O., 97.
42 Ebd.
43 A.a.O., 97f.
44 Vgl. a.a.O., 101: „Dieses an sich (scil. das menschliche Wesen Jesu) ist durchaus *nicht* sündlos."

Jesus Christus „ist der von Gott *erhöhte*, nämlich *in* und *aus* seiner Not *über* seine Not, *in* und *aus* seiner Bindung *über* sie, *in* und *aus* seinem Elend *über* dieses erhobene, er ist der (kraft dessen, daß Gott mit ihm Einer ist) freie Mensch: ganz ein Geschöpf, aber seiner eigenen Geschöpflichkeit ganz überlegen, ganz auch der Sünde verhaftet, aber ihr gegenüber ganz unschuldig, weil gar nicht schuldig, sie selber zu tun . . .".[45]

Somit ergibt sich nach Barth auch Jesu Sündlosigkeit nicht aus seinem menschlichen Wesen. „Sie folgt nicht analytisch aus einer Beschaffenheit seines Menschseins."[46] Denn Jesus ist ja „Träger *unseres* menschlichen Wesens, das über seine ihm anerschaffene und als solche ihm unverlorene Güte hinaus (im Widerspruch zu sich selbst) durch die *Sünde* gezeichnet, verkehrt und als sündiges Wesen *verloren* ist".[47] Einzig und allein auf Grund der Bestimmtheit seiner so beschaffenen (d. h. sündigen) Menschennatur durch die göttliche Gnade ist die Sünde für ihn ausgeschlossen, keine wählbare Möglichkeit. Sie kommt deshalb für ihn nicht in Frage, weil er als Gottessohn, d. h. nur in der Einheit mit dem göttlichen Logos zugleich Menschensohn, der Mensch Jesus von Nazareth ist. „Er konnte sie von diesem Ursprung seines Daseins her *nicht* wählen. So *wählte* er sie auch nicht. So *tat* er sie auch nicht."[48]

Auch in der Darstellung der faktischen Sündlosigkeit Jesu bleibt Barth also bei seiner doppelseitigen Aussage über die Menschheit Jesu. Einerseits gilt: Das menschliche Wesen Jesu Christi „an sich ist durchaus *nicht* sündlos".[49] Andererseits steht jedoch die in der Vereinigung mit dem Sohn Gottes erhobene Menschennatur Jesu ganz und gar und ausschließlich unter der Bestimmung der Gnade Gottes.

Dennoch wird man sagen müssen, daß beide von Barth der menschlichen Natur Jesu Christi zugeschriebenen Bestimmungen, ihre sündige Gestalt und ihre Gnadenbestimmtheit, nicht in einem Gleichgewicht einander gegenüberstehen. Ähnlich wie in der Rechtfertigungslehre das „simul iustus et peccator" auf ein „totus iustus" hinzielt,[50] so ist auch hier ein Gefälle unverkennbar: Jesu menschliche Natur ist „in Bewegung, von hier nach dort".[51] Auch Barth erkennt an: In Jesus Christus ist die dem menschlichen Wesen anhaftende Gottwidrigkeit „nicht nur Lügen gestraft, sondern beseitigt, ersetzt durch seine vollkommene Gemeinschaft mit Gott".[52]

---

45 KD IV/1, 143.
46 KD IV/2, 101.
47 Ebd.
48 A. a. O., 102.

49 A. a. O., 101.
50 KD IV/1, 672f.; vgl. KD IV/2, 648f.
51 KD IV/2, 30.

52 A. a. O., 130; in seiner theologischen Anthropologie setzt Barth den Akzent noch einmal anders. Vgl. KD III/2, 59: „Daß die menschliche Natur anders die seinige, anders die unsrige ist, bedeutet zweitens, daß sie als die menschliche Natur Jesu nun eben nicht die durch die

Im Zusammenhang unserer Untersuchung kommt nun allerdings der Lehre Barths, daß Jesus Christus in seiner Menschwerdung eine sündige Menschennatur (natura vitiata) angenommen hat, besonderes Gewicht zu. In dieser Sicht der Menschwerdung kündigt sich nämlich der Gedanke des Gerichts bereits an. Dies soll im folgenden Abschnitt näher entfaltet werden.

3. Das Anheben des Gerichts

Ziel des folgenden Abschnitts ist es, die Implikationen herauszuarbeiten, die sich aus Barths Interpretation der Inkarnation als Annahme des *sündigen* Fleisches ergeben. Von hier aus wollen wir einen Schritt weiter gehen. Wenn Barth davon ausgeht, daß die Weihnachtsbotschaft in ihrer Formulierung von Joh 1,14 die des Karfreitags schon in sich schließt,[53] wenn er ferner das Geheimnis des Kreuzes bezeichnet als „das Geheimnis der Inkarnation in seiner Fülle",[54] dann ist zu erwarten, daß sich in seiner Sicht der Menschwerdung und des Lebens Jesu das abzeichnet, was für ihn den Karfreitag zum Heilsereignis qualifiziert: das Gericht. Genau dies ist nun zu prüfen.

Wenn Jesus Christus in seiner Fleischwerdung sich das Los des sündigen Menschen zu eigen macht, in die Situation der sündigen Menschheit eintritt, dann muß gefragt werden: Was ist die entscheidende Bestimmung, die dieser Situation ihr eigentliches Gepräge verleiht, und was folgt dann daraus für die Sicht der Inkarnation? Vom Menschen her gesehen ist die Sünde, wie aufgezeigt, das konstitutive Merkmal dieser Situation. Aber damit ist noch nicht alles gesagt. Denn auch der Sünder lebt vor Gott. Gerade das macht ihn ja zum Sünder, daß er vor und an Gott schuldig wird. Also kommt der Situation des der Sünde verfallenen Menschen ihre entscheidende Bestimmung aus ihrer Relation zu Gott zu. Die Haltung, die Gott zum sündigen Menschen einnimmt, macht den ganzen bedrohlichen Ernst der Situation aus. Und eben hier setzt unsere Frage ein. Barth formuliert sie so: „Aber was heißt das: an des Menschen Stelle treten, selber ein Mensch, von einem Weibe geboren werden?"[55] Und er antwortet gleich darauf: „Das heißt nun auch für ihn, für Gottes Sohn, für Gott selber: ‚er trat unter das Gesetz'

---

menschliche Sünde verkehrte und verdorbene und so in ihrer Wirklichkeit verborgene, sondern die in ihrer ursprünglichen Gestalt *erhaltene* und *bewahrte* menschliche Natur ist." Vgl. hierzu U. Hedinger, Der Freiheitsbegriff in der Kirchlichen Dogmatik Karl Barths, 63f.: „Der Naturbegriff kann bei Barth verschiedene Bedeutungen haben. Ist die Solidarität Jesu mit uns Sündern Skopus der dogmatischen Ausführungen, erscheint er abgewertet, während er in der Anthropologie und ihrer christologischen Grundlegung positiv gebraucht wird."

53 KD II/2, 131.
54 KD IV/2, 325.
55 KD II/1, 447.

(γενόμενος ὑπὸ νόμον), d. h. er trat dorthin, wo es zwischen der Treue Gottes und der Untreue des Menschen zu jenem notwendigen *Konflikt* kommt. Er machte sich diesen Konflikt zu eigen."[56] Das heißt: Der Sohn Gottes, Jesus Christus selbst, steht jetzt dort, wo der Mensch steht, unter Gottes Zorn; er ist unrettbar und unentrinnbar selbst dem Gericht Gottes verfallen. Sein Menschsein steht nun unter der Drohung des Gerichts Gottes, das die Sünde provoziert hat. Er, der das sündige Fleisch angenommen hat, muß nun auch die Folgen der Sünde tragen. Und deshalb ist er „der von Gott mit dem Tode bedrohte, vor Gottes Gericht dem Tode verfallene Mensch".[57]

Es ist zu beachten, daß der Akzent hier auf dem Menschsein, noch nicht auf dem letzten Akt seines Vollzugs, dem schmachvollen Sündertod liegt. Von Jesu menschlichem Dasein sagt Barth: Es ist von Anfang an Gottes Gericht ausgeliefert. Denn: „Fleisch sein ist ein Sein im Vergehen gerade vor diesem Gott . . . Und wenn nun das Neue Testament vom *Sohn Gottes* sagt, daß er ein *Mensch* war, so hat es auch von ihm das gesagt: er steht unter Gottes Zorn und Gericht, er scheitert und zerbricht an Gott."[58] In erneuter Aufnahme und Fortführung des am Begriff der Fleischwerdung orientierten, bereits bekannten Gedankengangs kann Barth daher konstatieren: „Inkarnation, Annahme der *forma servi,* bedeutet nicht nur *Geschöpf*werdung, *Mensch*werdung Gottes . . ., sondern darüber hinaus: die Selbstauslieferung Gottes an den *Widerspruch* des Menschen gegen ihn, seine Unterstellung unter das Gericht, dem er in diesem Widerspruch verfallen ist, unter den auf ihm liegenden Todesfluch. Was Inkarnation bedeutet, wird offenbar in der Frage Jesu am Kreuz: ‚Mein Gott, mein Gott, warum hast du mich verlassen?' (Mr. 15,34)."[59] Ausdrücklich schließt Barth sich daher der Lehre des Heidelberger Katechismus an, „daß Jesus ‚an Leib und Seele die *ganze* Zeit seines Lebens auf Erden . . . den Zorn Gottes wider die Sünde des ganzen menschlichen Geschlechtes getragen hat'".[60]

Wie in einem Brennpunkt verdichten sich Barths Gedanken zum Menschsein Jesu unter dem hier untersuchten Aspekt in seiner Sicht der Taufe Jesu.

56 Ebd.
57 Ebd.
58 KD IV/1, 190f.
59 A. a. O., 202.
60 Frage 37 des Heidelberger Katechismus lautet vollständig und in der ursprünglichen Fassung: „37. *Frag.* Was verstehestu durch das wörtlein gelitten? *Antwort.* Dasz er an leib vnnd seel, die gantze zeit seines lebens auff erden, sonderlich aber am ende desselben, den zorn Gottes wider die sünde des gantzen menschlichen geschlechts getragen hat, auff dasz er mit seinem leiden, als mit dem einigen Sönopffer, vnser leib vnd seel von der ewigen verdammnusz erlösete, vnn vns Gottes gnade, gerechtigkeyt vnd ewiges leben erwürbe" (Lang, 17). – Vgl. KD IV/1, 181.

Barth hat diesem vom Neuen Testament bezeugten Ereignis besondere Aufmerksamkeit gewidmet, die sich in einer eingehenden Besprechung im Rahmen seiner Tauflehre niederschlägt.[61] Gerade diese den Anfang des Weges Jesu markierende Begebenheit hellt schlaglichtartig die vorauswirkende Kraft des Gerichts auf. Barth setzt die Taufe Jesu am Jordan in engste Beziehung zu seinem Kreuzestod. Beide Ereignisse stehen für ihn zueinander im Verhältnis des Anfangs und der Vollendung. Für ihn liegt in der Jordantaufe „eine klare Antizipation der *Passions*geschichte" vor.[62] In dem, was hier geschieht, kommt (nach der Darstellung Barths) das für die Perspektive der Evangelien so charakteristische Gefälle des Lebens Jesu zu den Endereignissen hin unverkennbar zum Ausdruck. Hier nämlich kommt es zur Offenbarung des Amtes Jesu.[63] Und damit ist die entscheidende Kategorie genannt, die Taufe und Kreuz miteinander verklammert: das Amt Jesu. So kann Barth mit Blick auf die Jordantaufe bemerken: „Das war aber, zugleich mit dem Antritt seines Amtes auch der erste Schritt auf dem Weg, der mit dem Golgatha-Geschehen endigen mußte: in gewissem Sinn schon dessen Vorwegnahme."[64] Bevor nun die Grundzüge der Barthschen Auslegung der neutestamentlichen Überlieferung der Taufe Jesu nachgezeichnet werden, soll zunächst eine kurze Überlegung zum Begriff des Amtes bzw. Dienstes Jesu bei Barth eingeschaltet werden. Barth handelt ausführlich über diesen Gegenstand in seiner christologischen Grundlegung der Anthropologie.[65] Hier erörtert er die Frage, wie Jesu Leben und Amt einander zugeordnet sind. Dabei erhält der Begriff des Amtes auch eine inhaltliche Füllung.

Am Anfang der Überlegungen steht der Aufweis, daß Leben und Amt Jesu aufs engste zusammengehören: „Jesus ist schlechterdings Träger eines *Amtes.*"[66] Sein Leben und die Verwirklichung seines Amtes fallen gleichsam in eins. „Er ist also nicht Mensch und dann auch noch Träger dieses Amtes, so daß er das vielleicht auch nicht, so daß er vielleicht auch Träger eines ganz anderen Amtes sein könnte. Er ist vielmehr Mensch, indem er Träger dieses Amtes ist."[67] Das bedeutet: Jesu Leben erfüllt sich in der Vollstreckung seiner ihm aufgetragenen Sendung. Paulus bringt dies zum Ausdruck in 2 Kor 5,6, wo er bewußt die Kenntnis eines Χριστός κατὰ σάρκα zurückstellt.[68] Die gleiche Perspektive zeigt sich in den Evangelien. Auch sie sind an einem Leben Jesu, abgesehen von seinem Lebenswerk nicht interessiert.[69]

61 KD IV/4, 58-73.
62 KD IV/1, 180.
63 KD III/2, 66.
64 KD IV/2, 286.
65 KD III/2, 64-82.242-264.

66 A. a. O., 66.
67 Ebd.
68 Vgl. ebd.
69 Vgl. a. a. O., 66f.

Barth kann dies alles auf die Formel bringen, daß „Jesus nicht nur eine Geschichte hat, sondern selber diese seine Geschichte *ist*".[70] Wir können im Anschluß an Barth auch sagen: Jesu Leben geht ganz auf in seinem Werk.

Dieses sein Werk ist aber das *„Heilandswerk"*[71] und damit das Werk Gottes selbst. Denn Gott hat sich im Bund zum Gott des Menschen und damit auch, weil ja der Mensch der Sünde als Bundespartner versagt hat, zu dessen Erretter bestimmt.[72] Jesu Werk ist demnach identisch mit Gottes Werk: „Das Heilandswerk der Rettung und des Lebens ist tatsächlich *Gottes* Sache."[73] Im Leben Jesu fallen göttliches und menschliches Werk zusammen. Jesus ist bei seiner eigenen Sache, indem er Gottes Werk ausführt. Oder mit Barths Worten: *„Gottes* Werk geschieht dann, indem dieses *Menschen* Werk geschieht."[74] Auf diese Weise ist Jesus „der Mensch für Gott".[75] Gerade als solcher ist er aber zugleich für den Menschen da.[76] Sein Dasein für Gott fordert und schließt ein seinen Einsatz für den Menschen. Hier liegt ein Verhältnis strengster Entsprechung vor: Jesu Divinität (Sein für Gott) entspricht seine Humanität (Sein für die Menschen).[77] Man muß sogar sagen: Sein Eintreten für die Menschen gründet in seinem Dasein für Gott.[78] Jesu Lebenstat für die Menschen macht offenbar, daß Gott sich des Menschen annimmt. Diese „Menschlichkeit" Gottes selbst ist zutiefst in seinem Gottsein (d. h. innertrinitarisch) begründet.[79] Die Humanität Jesu ergibt sich nicht zufällig, sondern wurzelt im Sein Gottes. Sie bildet Gottes eigenes Sein ab, das ein Sein in Beziehung ist. Sie ist „die *imago Dei*".[80] Deshalb gilt: „Der Mensch Jesus muß ebenso für den Menschen sein, wie er für Gott ist."[81]

Wir können uns mit diesen wenigen Hinweisen begnügen. Die Erwägungen zum Amt Jesu bieten den Hintergrund, auf dem Barths Deutung der Taufe Jesu gesehen werden muß. Denn im Geschehen am Jordan wird Jesu Amt offenbar. Barth kann im Blick auf die Taufe Jesu auch von dessen „Dienstantritt"[82] sprechen. Damit ist freilich nicht gemeint, daß Jesus in der Taufhandlung erst in sein Amt eingesetzt, daß ihm hier erst die Salbung des Hl. Geistes zuteil würde. Jesus ist — wie die lukanischen Kindheitserzählungen deutlich bekunden — von Anfang an Retter und Heiland.[83] In seiner

70 A. a. O., 69.
71 Ebd.
72 A. a. O., 259.

73 A. a. O., 72.
74 Ebd.
75 A. a. O., 64.242.248.

76 Dies darzulegen, ist der Skopus des Abschnitts KD III/2, 242-264.
77 Vgl. KD III/2, 258: „Seine Humanität *entspricht* aber aufs genaueste seiner Divinität."
78 Vgl. KD III/2, 258-260.
79 A. a. O., 260-264.
80 A. a. O., 261.

81 A. a. O., 259.
82 KD IV/4, 72.
83 Vgl. KD III/2., 66.

Taufe tritt Jesus den Weg an, der ihn schließlich nach Golgatha führt. Wie sich dort seine Sendung vollendet, deutet sich bereits hier an, indem sein Amt offenbar wird.

Die Jordantaufe bezeichnet Sinn und Absicht der Sendung Jesu. Sie macht sichtbar, in welcher Weise Jesus von seinem Amt in Anspruch genommen ist. Barths Darlegungen erschließen eine dreifache Dimension des Geschehens: Indem Jesus ich taufen läßt, vollzieht er einerseits seine Unterordnung unter Gottes Willen, andererseits seine Zuordnung zu den Sündern.[84] Mit dieser Gehorsamstat in ihrer zweifachen Ausrichtung schickt er sich an, „das zu tun, was als Werk Gottes für den Menschen und als des Menschen Werk für Gott nur er tun konnte und in seinem Leben und Sterben als Messias Israels und Heiland der Welt wirklich getan hat".[85] Barths Gedankengang, den wir im folgenden nachzeichnen, gliedert sich dementsprechend in drei Schritte.

In einem ersten Gang wird untersucht, in welcher Weise Jesus in seiner Taufe Gott gegenübertritt. Dazu ist zunächst auf die Johanneische Bußpredigt als Ausdeutung des zeichenhaft realisierten Vorgangs zu verweisen. Soll nämlich der Sinn der Johannestaufe auch und gerade für Jesus ermittelt werden, so ist der Kommentar der Täuferpredigt mitzuhören. Diese kreist nun eindeutig um den Gedanken des von Gott her zu erwartenden Einbruchs seiner Herrschaft, seines Gerichts, in deren Folge dann auch mit der Vergebung der Sünden gerechnet werden darf. Für diese als unmittelbar bevorstehend angekündigte Tat Gottes fordert Johannes eine entsprechende Vorbereitung, die sich nur in Form einer radikalen Umkehr realisieren kann. Umkehr bedeutet aber: Gott recht geben, „indem man seinem Zorn standhält, weil es ein berechtigter Zorn ist".[86] Darin ist eingeschlossen das Bekenntnis der Sünden. Damit ist die Tragweite des Tuns Jesu zu ermessen. Er erkennt ausdrücklich die Buß- und Umkehrpredigt des Täufers als auch ihn betreffendes Gotteswort an, er unterwirft sich der in ihr für die unmittelbare Zukunft angekündigten Tat Gottes. Mit Barths Worten: „Das also: das kommende Reich, das kommende Gericht Gottes, die kommende Vergebung der Sünden, vollzogen durch Gottes heilschaffende Gerechtigkeit, war der Inhalt des Wortes Gottes, das auch Jesus aus dem Munde des Johannes vernommen hat. Dieser kommenden Tat Gottes beugt er sich im voraus; für sie machte er sich und war er bereit. Im Blick auf ihr Bevorstehen hat er sich taufen lassen."[87] Barth deutet die im Geschehenlassen der Taufe sich dokumentierende Zustimmung Jesu zur Täuferpredigt und sein Ein-

84 KD IV/4, 59.
85 Ebd.

86 A. a. O., 63.
87 A. a. O., 62.

stimmen in die von Johannes geforderte Umkehrbewegung als Anerkenntnis des Rechts Gottes, auch und gerade gegen seine Person, der Rechtmäßigkeit des Gerichts und des Zornes Gottes gerade im Blick auf sein Menschsein. „Er verwarf den gerade ihn angehenden Ratschluß Gottes nicht, sondern *bejahte* ihn. Er gab also Gott auch gegen sich selbst recht. Er floh also nicht vor seinem kommenden Gericht, sondern *anerkannte* seine Notwendigkeit gerade für seine Person."[88]

Der zweite Gedankengang ergibt sich unmittelbar aus dem ersten. Jesu vorbehaltlose Selbstdemütigung und Unterwerfung unter den Gericht und Zorn einschließenden Willen Gottes führt ihn an die Seite der Sünder. Barth scheut sich nicht, auch Jesus ein Bekenntnis seiner Sünden, vollzogen im Akt der Taufe, zuzusprechen. Die Tragweite dieses Tuns – so Barth – läßt sich nicht auflösen in eine symbolhafte Handlung. „Hier wurde ... nicht Theater gespielt."[89] Es hieße den Ernst der Situation verkennen, wollte man für Jesus nur eine symbolträchtige Geste in seiner Teilnahme an dem hier vollzogenen Ritus postulieren, eine vollgültige Identifikation mit der Lage derer, die hier zum Jordan schreiten, sein Eintreten in die Reihe der Sünder in Abrede stellen. Nach Barth gilt vielmehr das Bekenntnis der Sünden für Jesus in einem ungleich tieferen, aber auch bedrohlicheren und ernsthafteren Sinn als für alle anderen, denen er sich hier anschließt. Jesus nämlich trägt ihre Sünden. Hier tritt das Wort Joh 1,29 vom Lamm Gottes in Kraft. Jesus nimmt die Sünden der Vielen tatsächlich auf sich, und so sind sie seine Sünden. Deshalb darf hier von Jesu Sündenbekenntnis im radikalen Sinn gesprochen werden. Denn: „Keiner hat da seine Sünden so aufrichtig, so ohne allen Seitenblick auf andere wirklich als *seine* Sünden bekannt wie Er, der von Ewigkeit her dazu erwählt und bestimmt war, in seiner Person für aller Menschen Sünden einzustehen, ihre Schande und ihren Fluch an ihrer Stelle zu tragen, der für sie verantwortliche Mensch zu sein und als solcher, ganz und gar der Ihrige, zu leben, zu handeln, zu leiden. Das ist es, was Jesus, indem er sich von Johannes mit allen anderen taufen ließ, zu tun begonnen hat. Das war die Eröffnung seiner Geschichte als aller anderen Heilsgeschichte."[90]

Barth vermeidet also strikt, Jesus von der in der Johannespredigt enthaltenen „Anklage und Drohung"[91] auszunehmen. Und so verwundert es nicht, wenn Barths Überlegungen hier einmünden in einen Ausblick nach vorne auf die Vollendung der am Jordan angetretenen und offenbar gewordenen Sendung. Denn der Zusammenhang zwischen dem Antritt seines Amtes und

---

88 A. a. O., 64.
89 A. a. O., 65.

90 Ebd.
91 A. a. O., 66.

dem furchtbaren, aber gerade in seiner Bitterkeit siegreichen Abschluß, der Vollendung seines Wegs, läßt sich nicht auflösen. So muß gleichsam, wenn Jesu Amt, in dessen Wahrnehmung er schon jetzt begriffen ist, offenbar werden soll, auf das Ende geblickt werden. Das Geheimnis seiner Sendung erschließt sich von ihrem Höhepunkt her. Daher verknüpft Barth seine Auslegung der Taufszene mit einem Blick auf die Ölbergstunde: „Man darf und muß wohl auch hier an das Gebet von Gethsemane denken, in welchem (Mr. 14,36 Par.) von dem *Zorneskelch* (Jes. 51,17) die Rede ist, der nicht Anderen, nicht dem verkehrten Menschengeschlecht, sondern eben *Jesus* gereicht wird, den er wohl an sich vorübergehen zu lassen wünscht, um sich dann doch nicht zu weigern, ihn, weil sein Vater es so will, bis auf den letzten Tropfen auszutrinken. Eben als ‚das Lamm Gottes, welches der Welt Sünde trägt' (Joh. 1,29), eben indem er es annimmt, nach dem fast unerträglich scharfen Ausdruck 2. Kor. 5,21 von Gott zur Sünde ‚gemacht', mit ihr identifiziert und also nach Gal. 3,13 zum ‚Fluch' geworden zu sein, geht er an den Jordan . . .“[92].

In einem dritten Schritt bringt Barth seine Besinnung auf die Taufperikope zum Abschluß mit einer Synthese der bisher erarbeiteten Gesichtspunkte: Jesu in der Taufe vollzogene Unterwerfung unter Gott stellt ihn sofort in eine Reihe mit den Sündern. Beides gehört hier unauflöslich zusammen. Indem Jesus sich Gott unterwirft, begibt er sich unter die Sünder. Und indem er sich den Sündern zugesellt, leistet er den von Gott verlangten Gehorsam. Die Bedeutung dieses Demutsakts liegt aber darin, daß Jesus auf diese Weise seinen Gott und den Menschen gewidmeten Dienst antritt. In der so am Anfang seines Wegs geleisteten Gehorsamstat, in der er sich beugt unter das durch den Mund des Johannes verkündigte, ihn in einmaliger Weise, nämlich als dessen Vollstrecker in Anspruch nehmende Wort Gottes, wird Jeus nun durch die vom Himmel her vernehmbare Stimme und durch die gleichzeitige Herabkunft des Hl. Geistes bestätigt. Darin liegt der Sinn dieser von allen Evangelien bezeugten, gleichsam „mythologisierend"[93] beschriebenen göttlichen Antwort: Gott erwidert den Gehorsam Jesu durch sein Bekenntnis zu ihm, d. h. durch die ausdrückliche Anerkennung und Gutheißung seines Werks. Barth zieht hier noch einmal die Parallele zu Kreuz und Auferstehung. Die göttliche Antwort bekundet am Jordan ebenso wie im Geschehen der Auferweckung die ausdrückliche gnadenhafte Anerkennung und Validierung der Gehorsamstat des Sohnes, die hier, im „Dienstantritt"[94] anhebt, um sich dort im Kreuz zu vollenden. Gottes Gnadenantwort rückt aber die Tat des Sohnes, des Menschen Jesus, in ein

92 Ebd. 93 A. a. O., 70. 94 A. a. O., 72.

um so helleres Licht: Diese ist nichts anderes als das restlose Bekenntnis zu seiner Sendung und damit die Auslieferung an den Willen des Vaters. Der Wille des Vaters tritt zunächst aber – die Erinnerung an die „Gethsemane-Szene"[95] und an das „Rätsel der Passion"[96] läßt sich nicht unterdrücken – nur in der Gestalt des Unwillens, in der Verdeckung des Zorns und des Gerichts in Erscheinung. Der Wille Gottes impliziert für Jesus das Gebot zum „Begehen jenes Weges in die Tiefe, des Weges des Gottesknechts von Jes 53".[97] Übereignung an den Willen des Vaters bedeutet also für Jesus nichts anderes als die Selbstauslieferung an sein Gericht. Das ist die spezifische Gestalt seines Gehorsams, die schon hier im Akt der Jordantaufe in Erscheinung tritt.

Soweit die Interpretation Barths! Es sollte gerade anhand seiner Besprechung der Tauferzählung verdeutlicht werden, wie bei Barth Anheben und Vollendung der Sendung Jesu ineinandergreifen und miteinander unlösbar zusammenhängen. Wir können jetzt das Ergebnis dieses Abschnitts folgendermaßen resümieren: In seiner Menschwerdung, indem er das sündige Fleisch annimmt, tritt Jesus in eine Welt, die dem Gericht Gottes verfallen ist. Der Begriff „Fleisch" bezeichnet den Menschen, „der unter dem göttlichen *Urteil* und *Gericht* steht".[98] Als der Mensch gewordene Sohn Gottes steht Jesus Christus also schon unter Gottes Gericht. In seinem Gang zum Jordan, indem er sich der Johannestaufe unterzieht, ratifiziert Jesus öffentlich, was schon im Vollzug der Menschwerdung impliziert ist. Schon hier, nicht erst auf seinem Kreuzweg und in seinem Tod am Kreuz, stellt Jesus sich unter das Gericht Gottes. Schon hier erkennt er die Rechtmäßigkeit des göttlichen Gerichts an, gerade für seine Person. Schon hier liefert er sich ganz dem Zorn Gottes aus.

4. Die Übernahme des Elends

Wir haben bisher gesehen: Für Barth bedeutet schon die Inkarnation, daß der Mensch gewordene Sohn Gottes unter dem Gericht steht. Jesus Christus selbst beugt sich dem Gericht, indem er sich von Johannes taufen läßt und damit den Weg antritt, der ihn nach Golgatha führt. In der Taufe kommt zugleich zum Ausdruck, daß er in einer Reihe mit den Sündern steht. Mehr noch: Hier schon zeigt sich, daß ihn die Sünde in qualitativ anderer Weise berührt als die Vielen. Barth hatte festgestellt: „Keiner hat da seine Sünden so aufrichtig, so ohne allen Seitenblick auf andere wirklich als *seine* Sünden

95 Ebd.
96 Ebd.

97 A. a. O., 73.
98 KD I/2, 165.

bekannt wie Er, der von Ewigkeit her dazu erwählt und bestimmt war, in seiner Person für aller Menschen Sünde einzustehen . . .".[99] Die Sünde geht Jesus in anderer Weise an als die Vielen. Im Kreuz wird das „admirabile commercium",[100] die καταλλαγή,[101] der Tausch in vollster Realität sichtbar. Jesus Christus wird zum eigentlichen Träger der Sünde, damit sie den Sündern abgenommen wird.

Dieser Tausch, der Übergang der Sünde der Menschen auf den Einen, der damit zu ihrem eigentlichen Träger wird, deutet sich bereits im Leben Jesu an. Die Taufe am Jordan enthält, wie wir sahen, nach Barth einen ersten Hinweis darauf. Noch deutlicher bringt Barth dies zum Ausdruck in einer Meditation über Mt 9,36,[102] die er dem Abschnitt „Der königliche Mensch"[103] einfügt. Der engere Zusammenhang ist folgender: Barth umschreibt das Dasein des Menschen Jesus für die übrigen Menschen.[104] Wie aber ist das Dasein Jesu für die Menschen näherhin zu verstehen? Barth gibt darauf unter anderem Antwort in seiner Deutung des angegebenen Verses aus dem Matthäusevangelium, den er in folgender Übersetzung zitiert: „Da Jesus das Volk sah, erbarmte es ihn, denn sie waren abgequält und erschöpft (‚verschmachtet und zerstreut‘) wie Schafe, die keinen Hirten haben".[105]

Der Schlüsselbegriff, an dem sich Barths Auslegung orientiert, ist das in diesem Vers Jesus zugeschriebene σπλαγχνίζεσθαι. Barth macht zunächst darauf aufmerksam, daß dieses σπλαγχνίζεσθαι bzw. ᾽εσπλαγχνίσθη „ausdrücklich von dem durch die Städte und Dörfer Galiläas wandernden, lehrenden, verkündigenden und heilenden Menschen *Jesus* von *Nazareth*"[106] ausgesagt ist. Was bedeutet dieser Begriff? Barth sagt: „Der Ausdruck ist unübersetzbar stark: das Elend, das er vor sich hatte, ging ihm nicht nur nahe, nicht nur zu Herzen − ‚Mitleid‘ in unserem Sinne des Begriffs wäre kein Wort dafür −, sondern in sein Herz, in ihn selbst hinein, so daß es jetzt ganz sein Elend, viel mehr das seine als das der Elenden, letztlich und im Grunde − er nahm es ihnen ab und auf sich − nicht mehr das ihrige, ganz das seinige war. Er erlitt es an ihrer Stelle."[107]

Bereits in seiner christologischen Grundlegung der Anthropologie hatte Barth den Begriff ähnlich definiert: „Das Leid, die Sünde, die ganze Verlassenheit und Bedrohtheit dieser Menschen, dieses Volkes gingen Jesus

99 KD IV/4, 65.
100 Zum Begriff des „admirabile commercium" vgl. R. Weier, Die Erlösungslehre der Reformatoren, 7f.
101 Zur Grundbedeutung von καταλλάσσειν vgl. KD IV/1, 80.
102 KD IV/2, 205-208.
103 A. a. O., 173-293.
104 A. a. O., 200-213.
105 A. a. O., 205.
106 Ebd.
107 Ebd.

nicht nur nahe, nicht nur zu Herzen, sondern in sein Herz, in ihn selbst hinein, so daß dieses ganze Elend nun auch in ihm, nun sein eigenes Elend und als solches von ihm viel schärfer gesehen, viel schmerzlicher erlitten wurde als von ihnen. ἐσπλαγχνίσθη heißt: er nahm dieses Elend auf sich, er nahm es den Elenden geradezu ab, er machte es zu seiner eigenen Sache, zu seinem eigenen Elend."[108] Dieser Begriff σπλαγχνίζεσθαι, verweist also sogleich auf den anderen wichtigen Begriff des Elends, dem wir in der KD häufig begegnen.[109] Barth hat auch ihn genau umschrieben. Wir folgen hier jedoch dem Gang der Überlegungen Barths und betrachten zunächst das Volk, das sich in dieser elenden Situation befindet und dem Jesus sich in seinem Erbarmen zuwendet.

Wer sind die ὄχλοι von Mt 9,36? Der Begriff umschreibt nach Barth „das Menschenvolk als Masse, als Menge, als Haufe, ‚die Leute‘, das namenlose ‚Man‘".[110] Die Bezeichnung will also im umfassenden Sinn verstanden werden: „Genau genommen gehörte niemand nicht dazu."[111] Aber es schwingt auch ein qualitativer Unterton mit: Es handelt sich um „die Menge, in der die Menschen eigentlich keine Menschen mehr waren".[112] Mit diesen ὄχλοι tritt Jesus in eine besondere Solidarität, die darin besteht, „daß er nichts von ihnen wollte als ihr Elend, um es ihnen ab- und auf sich zu nehmen".[113]

Der Begriff der Solidarität erhält hier aber eine besondere Prägung. Denn die Verbindung mit der Masse führt Jesus sofort „auch in die große, die größte Einsamkeit ihnen gegenüber".[114] Barth erinnert hier an die Gewohnheit Jesu, abgeschieden von der Menge zu beten, und zieht sogleich die Parallele zu der großen Vereinsamung in der Passion: „Man ahnt schon Gethsemane und Golgatha, wenn man etwa Mr. 6,46 liest, wie er sich ihnen (wie übrigens auch seinen Jüngern) zu entziehen pflegte, um zu beten."[115]

Worin aber besteht das Elend der Menschen, das Jesus so nahe geht? Bevor wir diese Frage aus unserem Zusammenhang heraus beantwortetn, verweisen wir zunächst auf Barths Ausführungen zur Barmherzigkeit Gottes im Rahmen seiner Gotteslehre. Dort erfährt der Begriff des Elends eine grundlegende Klärung. Elend bezeichnet hier den Widerstand des Menschen gegen Gott im Licht von dessen Barmherzigkeit,[116] den menschlichen

---

108 KD III/2, 252; vgl. KD IV/3, 2. Hälfte, 885f.
109 Barth spricht an folgenden Stellen vom Elend des Menschen: KD II/1, 415ff.420.439. KD IV/1, 10.13.94.122.142ff.147.158.189.191. KD IV/2, 27.798.825.870. KD IV/3, 2. Hälfte, 924.
110 KD IV/2, 205.
111 Ebd.
112 A. a. O., 206.
113 Ebd.
114 Ebd.
115 Ebd.
116 KD II/1, 417.

Widerspruch gegen den Schöpfer als Gegenstand von dessen Teilnahme und Sorge.[117] Man könnte auch sagen: Elend meint des Menschen „Sein in der Sünde",[118] wie es sich gegenüber dem barmherzigen Gott darstellt, nämlich als Not und Leid, das der Mensch sich zwar selbst zufügt, das aber doch seinen Schöpfer nicht unberührt läßt.[119]

Dieser Hintergrund ist im Auge zu behalten, wenn Barth in unserem Zusammenhang (der Auslegung von Mt 9,36) einen weiteren Aspekt des Elends beschreibt. Barth sieht in der Notiz Mt 9,36, daß die Volksscharen „zerquält und erschöpft waren wie Schafe, die keinen Hirten haben", eine Anspielung auf den Weheruf über die versagenden Hirten Israels in Ez 34, 2-6.[120] Das Elend des Volks besteht darin, daß ihm die rechten Hirten fehlen. „Das war das Elend des Menschenvolkes, das Jesus sah, um deswillen es ihn erbarmte, das er ihm ab und auf sich nahm, unter dessen Last er sterben mußte . . ."[121].

Die Situation des Volks wird klar im Kontrast seiner unbrauchbaren Hirten, die ihr Amt zum eigenen Vorteil ausnutzen, zu dem rechten Hirten, der seiner Berufung gerecht würde. Der rechte Hirt wäre nach Auskunft des von Barth zitierten Ezechielwortes ein solcher, der sich wirklich des Volkes und jedes einzelnen annähme, der ihm nicht als einer namenlosen Masse, sondern als einem Volk von Menschen begegnete und seine Verantwortung als dessen Haupt und Diener wahrnähme.[122] Gegenüber dieser Aufgabe haben aber alle bisherigen Hirten versagt. „Sie waren nicht für das Volk, sie waren im Grunde für sich selbst da: sie haben sich selbst geweidet."[123]

Der Platz des rechten Hirten ist also im Grunde unbesetzt. Und diesen Platz nimmt Jesus ein. Barth bemerkt: „Genau dorthin gehörte er selber."[124] Indem er die Hirtenstelle dieses Menschenvolkes einnimmt, liegt nun das Elend des Volkes auf ihm. Barth bekräftigt noch einmal, daß es „in sein Herz, in ihn selber"[125] hineingeht, nicht ohne im Blick auf Joh 10,11 anzumerken, daß dieses Amt bzw. das in ihm übernommene Elend ihn das Leben kosten wird.[126] Barth schließt seine Erwägungen mit dem Hinweis, daß in dem so beschriebenen Erbarmen Jesu Gottes eigenes Erbarmen, seine Gnadenheimsuchung Gestalt gewonnen, sich der Menschen angenommen hat und daß so die dem Volk zugedachte große Freude Wirklichkeit geworden ist.[127]

117 A. a. O., 420.
118 KD IV/3, 2. Hälfte, 924.
119 KD II/1, 417.
120 KD IV/2, 206.
121 A. a. O., 207.
122 Ebd.
123 Ebd.
124 A. a. O., 208.
125 Ebd.
126 Ebd.
127 Ebd.

Wir können die für uns wichtigen Hinweise dieses Abschnitts folgendermaßen zusammenfassen: Jesus tritt den Volksscharen, denen er auf seinem Weg vom Jordan nach Golgatha begegnet, in der Haltung des Erbarmens gegenüber. Erbarmen ist aber hier nach Barth nicht als bloßes Mitleiden zu verstehen, sondern in einem tieferen Sinne. Den hier gebrauchten Begriff σπλαγχνίζεσθαι interpretiert Barth als Öffnung des Herzens für das Elend der Vielen. Jesus läßt das Elend der ὄχλοι in sein Herz, in sich selbst eindringen. H. U. von Balthasar hat im Blick auf die Ölbergstunde vom „Einlaß der Sünde"[128] gesprochen. Im Anschluß an Barths Deutung von Mt 9,36 könnte man dieses Wort hier aufgreifen: Indem Jesus Christus den Volksscharen gegenübertritt, kommt es zum Einlaß des Elends. Jesus nimmt das Elend und damit auch die Sünde der Vielen auf sich, ja in sich hinein. Dieses Elend führt ihn ans Kreuz, unter seiner Last wird er sterben. Die Stellvertretung Jesu, wie sie am Kreuz offenbar wird, wo Jesus nach Barth den Ort aller Sünder einnimmt,[129] kündigt sich damit bereits auf seinem Weg nach Golgatha an, da Jesus sich des Volkes erbarmte, d. h. nichts von ihm wollte, „als ihr Elend, um es ihnen ab- und auf sich zu nehmen".[130]

IV. DER VOLLZUG DES GERICHTS

1. Einleitung

Wir kommen nun zum Kernstück unserer Darlegungen. Indem sich der Blick nun unmittelbar auf das Leiden und Sterben Jesu Christi richtet, soll geprüft werden, welche Gestalt Barth seiner theologia crucis im engeren Sinne verleiht.

Im Kreuz ereignet sich das Werk der Versöhnung schlechthin. Hier wird das durch die Sünde gestörte Verhältnis des Menschen zu Gott in Ordnung gebracht. Hier wird der gebrochene Bund wiederhergestellt. Aber wie geschieht das? Inwiefern stellt das Kreuz den Wendepunkt vom Unheil zum Heil dar? In welcher Weise hält Gott hier sein Ja zum Menschen angesichts dessen sündiger Verderbtheit durch? Wie wird hier, indem Gott sich selbst *und* den Menschen treu bleibt, der gebrochene Bund wieder aufgerichtet, bestätigt und befestigt? Und: Wie wird aus dem Bundesbrecher der (neue) Bundespartner?

Barth versucht, das hier angesprochene Problem zu lösen im Rückgriff auf

128 H. U. von Balthasar, Mysterium Paschale, 194.
129 S. u. Teil II, IV, 3 unserer Arbeit.
130 KD IV/2, 206.

eine in Frage 52 des Heidelberger Katechismus entdeckte Formel:[1] Das Kreuz ist Gericht. Was das Kreuz Jesu Christi, sein Leiden und Sterben theologisch bzw. soteriologisch qualifiziert, ist das in ihm ergehende Gericht Gottes über den Sünder bzw. die Sünde. Unter diesem Leitmotiv, das er bereits bei Melito von Sardes, Eusebius von Emesa und Athanasius[2] ausgesprochen findet,[3] entwickelt Barth seine Versöhnungslehre. Dies gilt es im folgenden zu entfalten.

2. Der Heiland als Richter

Den bisherigen Weg seiner christologisch-soteriologischen Überlegungen resümierend, beantwortet Barth zunächst die Frage nach dem Wie der göttlichen Antwort auf den Bundesbruch des Menschen mit dem Hinweis auf die in der Inkarnation gewonnene Teilhabe Gottes am Stand und der Situation der unter der Last der Sünde stehenden und so dem tödlichen Verderben entgegentreibenden Menschheit, um dann, das Wozu dieser Aktion ins Auge fassend, zum Zentrum des mit der Quaestio „Cur Deus homo?" bezeichneten Problemkomplexes vorzustoßen.[4] Barth blickt bereits auf das Ende des Weges, der zur Bereinigung des durch die Sünde gestörten Verhältnisses zwischen Schöpfer und Geschöpf und damit zur Wiederherstellung des Bundes führt, er greift also der Lösung des Problems vor, wenn er schon hier die Auskunft bereithält, deren Voraussetzungen und Implikationen im folgenden entfaltet werden sollen: Gott erniedrigt sich in Jesus Christus, „um diesen unseren Stand von innen heraus zu verändern, zum Besseren, ja zum Besten zu wenden, um den auf uns liegenden Fluch

1 Frage 52 des Heidelberger Katechismus lautet: „52. *Frag*. Was tröstet dich die widerkunfft Christi zu richten die lebendigen vnd die todten? *Antwort*. Dasz ich in allem trübsal vnd verfolgung mit auffgerichtem haupt, eben des Richters der sich zuuor dem gericht Gottes für mich dargestellt, vnd alle vermaledeyung von mir hinweg genommen hat, ausz dem Himmel gewertig bin, dasz er alle seine vnnd meine feinde, in die ewige verdamnusz werffe: mich aber sampt allen auszerwehlten zu jm in die himlische freud vnd herrligkeyt neme" (Lang, 21f.). – Vgl. KD IV/1, 231.
2 KD IV/1, 231, fügt Barth für den Fall des Athanasius einschränkend hinzu: „. . . die Echtheit des von R. P. Casey 1935 edierten Traktats über ‚die List des Teufels' vorausgesetzt . . .".
3 Die von Barth angeführten Väterzitate beziehen sich auf folgende Stellen: Meliton von Sardes, Fragment 13: Sources chrétiennes, Bd. 123, Paris 1966, 238; Eusebius von Emesa, Predigten: L'héritage littéraire d'Eusèbe d'Émèse, hrsg. É. M. Buytaert: Bibliothèque du Muséon, Bd. 24, Löwen 1949, 72 *; Eine Athanasius zugeschriebene Predigt: An early homily on the devil ascribed to Athanasius of Alexandria, hrsg. R. P. Casey: JThS 36 (1935) 10. – Vgl. KD IV/1, 231.
Barth schränkt jedoch ein: „Für das, was sich diese Väter bei dieser Wendung – wenn sie, wie es jedenfalls in der Athanasius-Stelle der Fall zu sein scheint, mehr als oratorisch war – im Einzelnen gedacht haben mögen, kann ich freilich keine Gewähr übernehmen" (ebd.).
4 KD IV/1, 231f.

aufzuheben, den uns deckenden Verfall hinfällig zu machen".[5] Dieser Satz enthält in nuce Barths Theologie der Versöhnung. Nun darf jedoch diese Lösung des Problems nicht vorschnell anvisiert werden. Es handelt sich immerhin um den Bruch des von Gott inaugurierten Bundes auf seiten des menschlichen Bundespartners, d. h. um die tödliche Feindschaft zwischen Gott und Mensch, die hier aufgehoben, und um den verheerenden Zorn Gottes, der vom Sünder weggenommen werden muß. So ist in Rechnung zu stellen, daß Gottes Eintreten für den ohne solchen Einsatz verlorenen Menschen *„keine billige* Gnade"[6] ist, sondern Gott selbst zuhöchst beansprucht, ja ihm Äußerstes abverlangt. Damit leitet Barth über zur Darstellung des in der Passion Jesu Christi stattfindenden Gerichts.

Voraussetzung für diese Schau des Kreuzesmysteriums als Geschehen eines Gerichts im Sinne Barths ist das Verständnis Jesu Christi als eines vollmächtigen, in göttlicher Autorität wirkenden Richters. Für diese Sicht kann Barth sich auf das Zeugnis des Neuen Testament berufen. Und so eröffnet er seine Ausdeutung des Karfreitagsereignisses als Gottesgericht mit einer Darlegung, die zunächst die richterlichen Züge des irdischen Auftretens Jesu herausarbeitet. Nach seiner Ansicht gehört die richterliche Komponente notwendig zu dem vom Neuen Testament gezeichneten Bild Jesu als des Retters und Heilands. Das Heilandsamt impliziert die Funktion des Richters, so daß die Schlußfolgerung unumgänglich wird: „Der nicht der Richter wäre, wäre . . . auch nicht der Heiland."[7] Nun ist jedoch nicht außer acht zu lassen, daß Barth die richterliche Tätigkeit nicht auf die Funktion des Verurteilens und Freisprechens beschränkt wissen möchte. In Anlehnung an das alttestamentliche Verständnis der unter dem Titel Richter bekannten charismatischen Führergestalten der Frühzeit weist er dem Richteramt primär die Aufgabe der Wahrung von Frieden und Ordnung als der eigentlichen Absicht des Eintretens für das Recht und der Abwehr des Unrechts zu. Gleichwohl darf jedoch nach Barth die Bedeutung des Richtens im Sinne von Verurteilung und Freispruch nicht ausgeschaltet werden, wenn Jesus Christus als der Richter angesprochen wird. So ist im Hinblick auf diesen Richter auch und sehr wohl zu fragen: „Wer wird da bestehen, wenn Gottes Sohn — in der Tat um Ordnung und Frieden zu schaffen, aber eben dabei auch nicht, ohne die einen zu seiner Rechten, die Anderen zu seiner Linken zu stellen — in die Welt kommen, wenn er die Welt und d. h., alle Menschen (jeden Einzelnen für sich!) ihres Standes wegen zur Rechenschaft,

---

5 A.a.O., 237.
6 Ebd. Vgl. auch unsere Darlegungen in Teil II, I, 3.
7 KD IV/1, 238.

zur Verantwortung ziehen wird"?[8] Der neutestamentliche Befund eröffnet jedenfalls auch den Ausblick auf Jesu Christi Werk als eminent kritisches, d. h. urteilendes und scheidendes Handeln.

Barth erinnert hier zunächst an die Botschaft des Täufers, der das bereits abzusehende Kommen des Reiches Gottes als Einbruch der radikalen, kein Entrinnen erlaubenden Krisis beschreibt. Die von Johannes nach Ausweis der Synoptiker zur Veranschaulichung seiner Verkündigung herangezogenen Bilder der den Bäumen schon an die Wurzel gelegten Axt, der jeder schlechte Frucht tragende Baum weichen muß, um im Feuer verbrannt zu werden (vgl. Mt 3,10), der Feuertaufe (vgl. Mt 3,11), der zum Fegen der Tenne bereitgehaltenen Wurfschaufel und der Aussonderung der dem Feuer verfallenen Spreu (vgl. Mt 3,12) stehen im Dienst der Beschreibung des unmittelbar bevorstehenden und daher in der Haltung der Buße zu erwartenden Gerichtstages. Johannes rechnet unverkennbar mit einem „dies irae", an dem der künftige Richter sein Gericht abhalten wird.

Aber auch abgesehen von der Täuferepisode durchzieht und beherrscht dieses Thema das Neue Testament. Mit dem Kommen Jesu ist in der Sicht des Neuen Testaments auch die Krisis gegenwärtig. Seinem Auftreten haftet unbestreitbar ein richterlicher Ernst an, und die Evangelien lassen in ihrer Überlieferung der Worte und Gleichnisse Jesu keinen Zweifel daran aufkommen, daß in seiner Person die „ultimative Entscheidung"[9] über Heil oder Unheil des Menschen fällt. Barth führt paradigmatisch folgende Stellen an: das Gleichnis des auf Felsen bzw. Sand gebauten Hauses (Mt 7,24), der Ausschluß der Ungehorsamen vom Eintritt ins Himmelreich (Lk 6,46), Jesu Bindung seines Eintretens für die Menschen vor dem Vater an deren Bekenntnis zu ihm (Mt 10,32f.), das Wort vom Schwert (Mt 10,34) und vom Feuer (Lk 12,49), die Nachfolgeworte (Mt 10,38f.), die Wehrufe (Mt 11,20f; 23,13-26) und schließlich die Gerichtsgleichnisse. Im Johannesevangelium tauchen die Begriffe „Gericht", „Richter" und „richten" explizit auf: Der Ungehorsam gegenüber Jesus und seinem Wort, seine Verwerfung hat — wie nun deutlich ausgesprochen wird — den Zorn Gottes bzw. sein Gericht zur Folge (vgl. Joh 3,36; 12,48), während umgekehrt der Glaube vor dem Gericht bewahrt (vgl. Joh 5,24). Weiterhin spricht Joh von der dem Sohn übertragenen Gerichtsvollmacht (Joh 5,22.27), auf Grund deren das nun ausdrücklich als gerecht (vgl. Joh 5,30) und wahr (vgl. Joh 8,16) qualifizierte Gericht tatsächlich ergeht. Mit einem kurzen Blick auf Stellen in der Apg, den Paulinen und der Apk rundet Barth das Bild ab, nicht ohne ausdrücklich auf Röm 1,18-3,20 als *locus classicus* für diese Bedeutung und Funktion Jesu

8 Ebd.   9 Ebd.

Christi als des Richters und also für das richterliche Werk gerade des Evangeliums von ihm"[10] hinzuweisen. Mit diesen Darlegungen über den richterlichen Aspekt der irdischen Existenz Jesu, dessen Verwurzelung im NT er präzise herausarbeitet, möchte Barth das Fundament legen für das nun folgende Gedankengefüge. Erst von hier aus können Person und Werk Jesu in rechter Weise gewürdigt werden: „Er wäre nicht der, der er ist, er täte nicht, was er, als Sohn Gottes zu uns gekommen, *für* uns tut, wenn er nicht auch Dieser wäre: der gar sehr *gegen* uns sprechende Richter."[11]

Dieser Gedanke wird vertieft und profiliert durch einige Verdeutlichungen, die Barth nun anfügt, bevor er übergeht zur Beleuchtung der Einzelaspekte des in der Passion und der Kreuzigung als deren Höhepunkt sich abzeichnenden Gerichtsgeschehens. Barth identifiziert das von Jesus vollzogene Gericht mit dem Gericht Gottes. Insofern kommt ihm, begründet in Gottes Gerechtigkeit, ein ultimativer Charakter zu.

Wenn aber Gott selber in seinem Sohn dem Menschen als Richter entgegentritt, so wird nun weiter gefolgert, dann hat er dem Menschen offenbar etwas zu sagen, was dieser aus sich selbst heraus nicht wissen will und nicht wissen kann. Das aber, was Gott bewegt, dem Menschen als Richter zu begegnen, ist seine Absicht, dem angemaßten Recht des Sünders, der sein eigener Richter sein und sich dem Gericht Gottes nicht beugen will (um allein so im Recht zu sein), sein Recht entgegenzustellen und so den Sünder dem gerechten Gericht zu überliefern. Das Vergehen schlechthin, dessen der Mensch sich als Sünder schuldig macht und das Gottes Gericht auf ihn zieht, ist die unerträgliche Selbstüberhöhung, in der er abseits und gegen Gott sein eigenes Recht sucht, um so sein eigener Richter sein zu können. Dieser menschlich sündigen Selbsterhebung steht in Jesus Christus die göttliche Selbsterniedrigung gegenüber. Und nun zeigt sich, daß gerade „die Erniedrigung des Sohnes Gottes zu unserem Stand, sein in Demut geleisteter Gehorsam als unser Bruder die göttliche *Anklage* gegen jeden Menschen und eines Jeden *Verurteilung*"[12] ist. Gerade in seiner Selbsterniedrigung setzt Gott den Menschen, der in seiner hochmütigen Selbstübersteigerung, in seinem Griff nach Gottgleichheit Gottes Recht verschmäht und Gottes Gericht zu entgehen trachtet, eben sein eigener Richter sein will, radikal ins Unrecht. Gottes Kenosis in Jesus Christus bringt den in seinem Hochmut befangenen Menschen in die Krisis. Gott richtet in der Erniedrigung des Sohnes den sich selbst erhöhenden (und gerade so fallenden) Menschen. Barth drückt dies so aus: „Und eben darum bedeutet die Fleischwerdung des

---

10 A.a.O., 240.   11 Ebd.   12 A.a.O., 241.

Wortes das Gericht, und zwar das verwerfende, das verdammende Gericht, das über alles Fleisch ergeht."[13]

Was bedeutet das, was heißt das nun: unter Gottes Gericht stehen, von Gott gerichtet werden? Barth läßt keinen Zweifel am schrecklichen Ernst dieses Vorgangs: Der von Gott gerichtete Mensch, der Sünder, den Gottes Verneinung und Verwerfung trifft, ist ein Verlorener. Er befindet sich nicht in einem Bereich, in dem er der Macht und der Liebe Gottes entzogen, gleichsam vor Gott in Sicherheit gebracht wäre. Das Nichtige, dem der Sünder im Gericht ausgeliefert ist, steht ja sehr wohl unter Gottes Herrschaft, weit davon entfernt, sich je als eigener unabhängiger Herrschaftsbereich etablieren zu können. Gerade an Gottes Macht, der er sich nicht beugen wollte, gerade an seiner Liebe, an der er sich nicht genügen lassen wollte, leidet der verworfene Mensch. „Die Macht Gottes waltet auch da und über ihm, aber nun als die Macht, die ihn bindet und gefangenhält, die Macht seines Verdammens. Die Liebe Gottes brennt auch da, wo er ist, aber nun als das ihn verbrennende, zerstörende, vernichtende Feuer seines Zornes. Gott lebt auch da und auch für ihn, aber eben Gottes Leben kann ihm, der sein Feind ist, nur Tod bedeuten."[14] Vor dieser schrecklichen, von der Sünde notwendig ausgelösten Konsequenz darf es, so Barth, kein Zurückweichen geben. Die Sünde und ihre Folgen dürfen nicht verharmlost werden. Und die Sünde stürzt, das macht ihren furchtbaren Ernst aus, den Menschen in den Schrecken und die Verderbnis der Verlorenheit vor Gott. „Es bedeutet ewiges Unheil, Gott gegen sich zu haben. Wer aber will, was Gott nicht will, der hat Gott gegen sich, der läuft, rennt, stürzt und fällt also in das ewige Unheil."[15]

Von alldem ist nichts zurückzunehmen, wenn Barth nun darüber reflektiert, was es denn bedeute, daß *Gott* dieses Gericht vollzieht. Barths Gedankengang nimmt folgende Richtung: Nichts erlaubt, damit zu rechnen, dem Sünder könne die Konsequenz im oben beschriebenen Sinn erspart bleiben. Es steht aber sehr wohl in Gottes Macht, sein Gericht so zu vollstrecken, daß das Urteil schließlich für den Sünder auf Freispruch lautet. Gott kann auch, ohne sein Gericht zu suspendieren, ohne dessen Strenge zu mildern, Gnade üben. Gott kann auch als der Richter Gnade walten lassen (was nicht heißt: Gnade vor Recht ergehen lassen!). Es verwundert freilich, daß Gnade und Gericht hier so nebeneinander zu stehen kommen, daß beide gleichzeitig verwirklicht werden, so daß dem Gerichteten und Verurteilten auch Gnade widerfährt. Deshalb spricht Barth auch von einem wunderlichen Gericht.[16] Eben nur in Ansehung des hier handelnden Subjekts kann von

13 A.a.O., 242.   14 Ebd.   15 Ebd.   16 A.a.O., 243f.

einem Gericht gesprochen werden, das Gnade nicht ausschließt. Und genau in dieser Weise hat Gott gehandelt. Gott hat tatsächlich sein vernichtendes Gericht vollstreckt und dennoch gleichzeitig seine Gnade geschenkt. Diese Möglichkeit ist Wirklichkeit geworden in Jesus Christus. Im Blick auf diese „coincidentia oppositorum" schließt Barth den ersten Gang seiner einführenden Überlegung: Jesus Christus ist tatsächlich gekommen, „um die Welt zu *richten*".[17] Gott hat „uns in Jesus Christus tatsächlich gerichtet".[18] Aber gerade in diesem Gericht erweist sich seine Gnade.

3. Das Ereignis der vierfachen Stellvertretung

Im Blick auf das Kreuz Jesu Christi und seine Ausdeutung als Gericht nimmt Barth zunächst zwei formale Abgrenzungen vor, in denen er den Charakter dieses Geschehens in seinem *Ereignis-* und *Stellvertretungs*aspekt unterstreicht, man könnte auch sagen, auf seine Geschichtlichkeit einerseits und auf seine Heilsstruktur andererseits verweist. Beides sind wesentliche Komponenten des hier zur Diskussion stehenden Vorgangs, die nicht aufeinander reduziert werden können. Das Christusereignis, um dessen Höhepunkt es nun geht, muß sowohl als erzählbare Geschichte, d. h. als raumzeitlich bestimmbares, damals und dort stattgefundenes Geschehen anerkannt werden, damit sich seine Heilsrelevanz nicht in bloße, eines geschichtlichen Grundes entbehrende Bedeutsamkeit hinein verflüchtigt, als auch in seiner heilshaft universalen, alle Geschichte schlechthin umgreifenden und bestimmenden Gültigkeit, damit seine Bedeutung sich nicht zu reiner Exemplarität innerhalb eines umgreifenden Ganzen verflacht. Barth bringt dies zum Ausdruck in der Formel: „*Jesus Christus für uns*".[19] Sie umfaßt beide Pole: „das Bedeutsame" und seine „Bedeutsamkeit",[20] das Geschehen in seiner konkreten Einmaligkeit und seine alle menschliche Existenz ohne zwischengeschaltete (sakramental oder existentiell verstandene) Vermittlung erfassende Heilsbedeutung. Man könnte auch sagen: Die Formel „Jesus Christus für uns" bringt die Einmaligkeit des Lebens und Sterbens Jesu als Geschichte und universale Heilsgeschichte zur Geltung. Der in diesem Zusammenhang von Barth zur Umschreibung der Heilswirklichkeit herangezogene Begriff der Stellvertretung reflektiert dabei die dem Christusereignis immanente Bestimmung aller Geschichte zur Heilsgeschichte: Indem Jesus Christus die Stelle des sündigen Menschen einnimmt, ist alle Geschichte grundsätzlich zum Heil hin entschieden. Und umgekehrt gilt: Das Heil ist geknüpft an die

---

17 A.a.O., 243.
18 A.a.O., 244.

19 A.a.O., 245. 252.
20 A.a.o., 245.

im Leiden und Sterben vollzogene Stellvertretung. Barth artikuliert also mit dem Stellvertretungsgedanken den Heilscharakter des geschichtlich verifizierbaren (aber nicht zu verobjektivierenden, d. h. zum bloßen Objekt neben anderen nivellierbaren) Ereignisses, seinen Aspekt als Geschehen für uns. Im folgenden ist zu beachten: Barth stellt das Leiden und Sterben Jesu als Ereignis dar, dessen Heilsstruktur formal darin sichtbar wird, daß Jesus Christus hier in Stellvertretung für die Menschheit gehandelt hat. Darin löst sich auch für ihn die scheinbare Antinomie, daß Gott den Sünder richtet und ihm zugleich gnädig ist. Diese im Leiden und Sterben eingenommene Stellvertretung weist einen vierfachen materialen Aspekt auf, in dem sich der Gerichtscharakter des hier vorgestellten Geschehens manifestiert.[21]

a) Der wahre Richter an unserer Stelle

Barth formuliert den ersten Aspekt der Stellvertretung dahingehend: „Jesus Christus war und ist *für uns,* indem er als *Richter* an unsere Stelle getreten ist."[22] Damit verweilt er, bevor er auf den Ablauf des wunderlichen Gerichts eingeht, noch für einen Augenblick bei der Person des Richters. Vor der Darstellung des Gerichtsvorgangs lenkt er den Blick noch einmal zurück auf den, der hier handelt: In welcher Eigenschaft, kraft welcher Vollmacht, in Wahrnehmung welchen Amtes tritt hier Jesus Christus seinen Gang zum Kreuz an? Zum rechten Verständnis des folgenden muß hier präzise Auskunft erteilt werden. Man könnte das Problem folgendermaßen umschreiben: Barth vergegenwärtigt noch einmal den bereits vorgestellten Gesamteindruck des Lebens Jesu in seinem hoheitlich-richterlichen Aspekt als Kontext zur rechten Deutung des letzten Aktes im Vollzug dieses Lebens, als Anleitung zur rechten Interpretation seines Todes. Wie vom Tod Jesu her ein Licht auf die Gesamtheit seines Lebens fällt, so steht umgekehrt auch der Tod im Kontext seines Lebens und muß von daher visiert werden. Dann aber ist zu folgern: Der, der hier zum letzten, entscheidenden Akt die Szene betritt, der hier in der Passion, im Leiden und Sterben, in der gehorsamen Hinnahme des schmachvollen Todes sein Leben vollendet, ist der, der zuvor als „erschreckend Einsamer"[23] durch die Mitte seiner Mitmenschen hindurchgegangen ist und „sich im Verlauf und Ergebnis seines Zusammenseins mit ihnen, im Vollzug seiner Verkündigung und seines Werkes und in dessen Erfolg als ihr *Richter* erwiesen"[24] hat. Oder, um auf die oben gestellte Frage zu antworten: Auch in diesem letzten Teil seines Lebens, in den auf sein

---

21 Vgl. zum folgenden B. Klappert, Die Auferweckung des Gekreuzigten. Der Ansatz der Christologie Karl Barths im Zusammenhang der Christologie der Gegenwart, Neukirchen ²1974, 198-225.

22 KD IV/1, 254.   23 A.a.O., 247.   24 Ebd.

Sterben unmittelbar zustürzenden Ereignissen handelt Jesus Christus als Richter. So gewinnt Barth im Blick auf das Leben Jesu die rechte Perspektive auf seinen Tod hin. Das bringt die zugleich zurückschauende und vorgreifende Feststellung zum Ausdruck: „Indem er für uns richtet, fällt die Entscheidung darüber, wer er ist, der sich dann für uns richten läßt, um sich eben darin als das Machtwort Gottes herauszustellen, durch das wir freigesprochen werden: als der für uns Gerechtfertigte und Überwindende. Er ist *Subjekt*, nicht nur Objekt – Subjekt gerade, indem er auch Objekt ist – in diesem Geschehen: der *Herr* gerade in der gehorsamen Erfüllung dieses ihm zu unseren Gunsten aufgetragenen Werkes allertiefster Erniedrigung. "[25]

Diese die Subjektsfrage klärende und auf die Vollmacht des hier auftretenden Richters abstellende Aussage erhält ihr volles Gewicht im Kontrast zur Beschreibung der Rolle des Menschen. Denn wer ist der Mensch? Nach Barths Auskunft ist er der, der sich immer schon im Streben nach Gottgleichheit, im Trachten nach dem Gott allein vorbehaltenen Wissen um Gut und Böse und so in der Anmaßung des göttlichen Richteramtes versündigt hat. „Er wird damit zum Sünder, daß er selbst sein möchte wie Gott: selber Richter. "[26] Und so ist in Ansehung des in seinem Hochmut verblendeten Menschen festzustellen: „Mensch sein heißt praktisch: *Richter* sein wollen, befähigt und befugt sein wollen, uns selbst frei und gerecht und die Anderen mehr oder weniger schuldig zu sprechen. "[27] Gerade dieses angemaßten Amtes ist der Mensch aber mit dem Auftritt des wahren, rechtmäßigen und allein legitimen Richters enthoben. Nun, da der wahre Richter sein Amt antritt, ist der Mensch in seiner grotesken Rolle nicht nur angegriffen und bedroht, sondern aus seiner Position verdrängt. Sein Ansinnen ist als unmögliche Verirrung entlarvt, seine „feste Burg in die Luft gesprengt".[28] Das Erscheinen des wahren Richters hat die Absetzung des falschen Richters und die Suspendierung seines angemaßten Richteramtes zur Folge. Jesus Christus, dem zukommt, was der Mensch sich nur per nefas zusprechen konnte, tritt an seine Stelle. „Ihm und nicht dem Menschen gehört dieses Heiligtum. Er hat das zu tun, was da zu tun ist. "[29] Nun fungiert der rechte Richter. Nun ist das gerechte Gericht, im Gegensatz zu allem doch immer wieder nur je neues Unrecht produzierenden menschlichen Treiben, zu erwarten. Hier greift nun der Gesichtspunkt der Stellvertretung ein. Denn in der Ankunft des wahren Richters hat sich ein wirklicher Platzwechsel vollzogen: Jesus Christus ist nicht nur Richter „*über* uns"[30], sondern auch

25 A.a.O., 258.
26 A.a.O., 254.
27 Ebd.
28 Ebd.
29 Ebd.
30 A.a.O., 255.

„*für* uns, an unserer Stelle".[31] Das heißt: An dem Ort, an dem der Mensch seine angemaßte Rolle gespielt hatte, steht nun der wahre Richter: „Er weiß, urteilt, entscheidet genau dort, wo wir es für unsere Sache halten, das Alles zu tun. Das zu tun ist in Wirklichkeit nicht unsere, sondern seine Sache, und eben er führt sie denn auch."[32] Indem dieser Richter auf den Plan tritt, ist zugleich Gottes vom Menschen in untauglichem und von vornherein zum Scheitern verurteiltem Versuch problematisiertes Hoheitsrecht wieder aufgerichtet. Denn indem dieser Richter seines Amtes waltet, kommt es zum „Geschehen des Gerichtes, in welchem eben diese Funktion die Gottes *selbst* ist. Es ist die Funktion *Gottes* als des Menschen Richter, die in Jesus Christus ein für allemal wiederhergestellt ist."[33] Dieser tiefgründige Satz weist schon voraus auf die besondere Weise, in der dieser Richter sich Recht verschaffen wird. Es ist der göttliche Richter, der nun, den falschen Richter absetzend, sein Gericht halten wird. Aber dieses Gericht wird doch in ganz unerwarteter Weise vonstatten gehen. Denn der göttliche Richter ist eben an die Stelle des Menschen getreten. Auf den Menschen gesehen, bedeutet dies: Er, der zu Unrecht diesen Platz eingenommen hat, ist nun aus seiner unrechtmäßig besetzten Domäne vertrieben. Das bedeutet Demütigung, zugleich jedoch auch Entlastung von der „Plage"[34], sich selbst immer wieder seiner Unschuld versichern, sein Recht suchen und von seinem vermeintlichen Wissen um Gut und Böse immer wieder Gebrauch machen zu müssen. Was diese Stellvertretung, dieser Platzwechsel im Hinblick auf den göttlichen Richter bedeutet, entwickelt der nächste Gedankenschritt.

b) Der Richter als der an unserer Stelle Angeklagte und Verurteilte
Die zweite Stellvertretungsaussage reflektiert über den Ort, den der Richter, in seinem Gang zum Kreuz nun deutlich sichtbar, eingenommen hat: „Jesus Chrisus war und ist für uns, indem er an unsere, der *Sünder* Stelle getreten ist."[35] Es leidet keinen Zweifel, daß dieser Ort, an den ihn seine Stellvertretung führt, ein restlos disqualifizierter, beschmutzter, vom Vergehen der Gottesfeindschaft entstellter ist. Denn der bisherige, durch das Erscheinen des wahren Richters entfernte Inhaber dieses Ortes ist ja der sich im Aufruhr als Gottesfeind gebärdende Mensch. Und es besteht ebenfalls kein Zweifel, daß der wahre Richter sich dieses Aufruhrs, der Fortführung der ungerechten Sache nicht schuldig machen wird: „Er tritt ganz gewiß nicht dazu an diese unsere Stelle, um auch das zu tun, was wir da tun."[36] Es ist nicht zu

31 Ebd.
32 Ebd.
33 Ebd.

34 A.a.O., 256.
35 A.a.O., 259.
36 Ebd.

vergessen, daß er sich als der göttliche Richter an diesen Ort begibt. Und so wird er hier auch richten. Der Unterschied zu der damit aufgehobenen verkehrten Ordnung besteht darin: Es ist der legitime Richter, der nun an die Stelle des Menschen tritt. Und es ist deshalb „das *gerechte* Gericht, das er an unserer Stelle übt".[37] Dieses gerechte Gericht erfolgt aber damit, daß der rechtmäßige Richter nun für das an diesem Ort begangene Unrecht und für den Unrechttäter, den Menschen in seinem frevelhaften Aufbegehren gegen Gott, haftet. Er übernimmt die Verantwortung für das, was hier an diesem Ort geschehen ist, an dem der Mensch sich dazu verstieg, Gottes Gericht in seine Hand zu nehmen, und so zum Sünder wurde. Er übt sein Gericht so aus, er richtet, indem er das Unrecht des Menschen, die Sünde, auf sich nimmt. Barth warnt davor, den unerbittlichen Ernst dieser Stellvertretung zu verkennen. Die Identifikation Jesu Christi mit dem Menschen als Unrechttäter kann nicht streng genug gedacht werden. Hier ist nichts unter Berufung auf Jesu persönliche Sündlosigkeit abzuschwächen. Was das heißt, daß Jesus Christus sich für die Sünde haftbar und verantwortlich macht, beschreibt Barth nicht weniger drastisch als Luther in seinem Kommentar zu Gal 3,13. Auf ihn beruft sich denn auch Barth hier ausdrücklich und erklärt dessen Gleichsetzung Jesu Christi mit dem „omnium maximus latro, homicida, adulter, fur, sacrilegus, blasphemus etc. quo nullus maior unquam in mundo fuerit",[38] als vollkommen berechtigte und korrekte Auslegung.[39] Man darf hier nicht vor der Härte dieser Identifikation und auch nicht vor der Schärfe des Ausdrucks zurückschrecken. Die Sünde des Menschen ist nun tatsächlich auf Jesus Christus gefallen. Sie ist ihm aufgeladen. Er selbst hat sie auf sich genommen. Und so ist sie die seinige. Indem er sich zum verantwortlichen Träger der Sünde macht, „hört sie auf, unsere Sünde zu sein, geht sie uns nichts mehr an, ist uns das Recht und die Möglichkeit, sie fernerhin als unsere Sache zu betreiben und zu vertreten, aberkannt und abgeschnitten".[40] Der Vollzug dieses Tausches, des Platzwechsels besagt eben: „Unsere Sünde ist nicht mehr unsere, denn sie ist seine, Jesu Christi Sünde."[41] Und dies geschieht nicht kraft irgendeiner Notwendigkeit, sondern im Ereignis der grenzenlosen göttlichen Liebe und Barmherzigkeit, die die Gerechtigkeit nicht zum Verschwinden bringt.[42] Denn die Sünde ist nicht irgendwie sein Anteil geworden, sondern „Gott — und als gehorsamer Sohn des Vaters er selbst — hat sie zu der seinigen gemacht".[43] Ebensowenig wie

---

37 Ebd.
38 WA 40 I, 433,26-28.
39 KD IV/1, 261f.
40 A.a.O., 260.

41 A.a.O., 261.
42 A.a.O., 260.
43 A.a.O., 261.

Luther scheut Barth die letzte Konsequenz: Nicht nur ist die Sünde des Menschen auf ihn gelegt, sondern damit gilt zugleich, daß „er für sich und ganz allein der rechthaberische Mensch, der Übertreter, der Gottesfeind"[44] ist, ja, „daß er für uns zum Sünder gemacht ist".[45]

Und nun ist noch ein Schritt weiter zu gehen. Es ist ja nicht zu vergessen, daß die Sünde, als der gegen Gott gerichtete Akt der Feindschaft, Gottes Zorn herausfordert und verdient. Der Sünder steht ja unter Gottes Zorn. Auch das ist nun voll auf Jesus Christus anzuwenden: Ihn trifft nun „die Anklage, das Urteil, der Fluch, die dort auf uns fallen müssen".[46] Er ist nun „der eine verworfene Mensch: das Lamm, das der Welt Sünde trägt, damit die Welt sie nicht mehr tragen müsse und könne, damit sie radikal und total von ihr weggenommen sei".[47] Darin also besteht das perfekte Gericht dieses Richters. Der Richter selbst läßt sich richten. Darin ist die Funktion Gottes als Richter wiederhergestellt, daß der rechtmäßige Richter selbst das Gericht erduldet. „Es geschah da, daß der Sohn Gottes das gerechte Gericht über uns Menschen damit vollstreckte, daß er selbst als Mensch an unsere Stelle trat und an unserer Stelle das Gericht, dem wir verfallen waren, über sich selbst ergehen ließ."[48] Damit ist das Zentrum dieser zweiten Stellvertretungsaussage umschrieben: Jesus Christus ist „der ganz allein Gerichtete und Verurteilte, Verworfene, wie er auch ganz allein der in unsere Mitte getretene und amtierende Richter ist".[49]

All diese Aussagen liest Barth heraus aus der neutestamentlichen Passionserzählung und erklärt so die in den Evangelien tradierte Darstellung des Leidenswegs Jesu zum Verifikationskriterium seiner theologischen Interpretation. Dieser Einbruch des Gerichts über den Richter ereignet sich – so Barth –, indem Jesus, seinen Gang nach Jerusalem vollendend, sich den ungerechten Richtern vorführen läßt, um aus ihrem Mund ohne den geringsten Versuch, seine eigene Ehre zu retten – gerade so aber seine Ehre wahrend – das ungerechte Urteil entgegenzunehmen und so die Ereignisse, die im Kreuzweg und der Hinrichtung als der Vollstreckung des unrechtmäßigen Bluturteils ihren Kulminationspunkt erreichen, ihren freien Lauf nehmen zu lassen. Nach Barth wird „spätestens von der Gethsemane-Szene ab"[50] das Subjekt des Gerichts zu dessen Objekt. „Kommt dieses Gericht überhaupt zum Vollzug – und das scheint es doch zu sein, was die Evangelisten im zweiten Teil ihrer Erzählung sagen wollen – dann eben so, in dieser Umkehrung."[51]

44 Ebd.
45 Ebd.
46 A.a.O., 260.
47 Ebd.

48 A.a.O., 244.
49 A.a.O., 261.
50 A.a.O., 262.
51 Ebd.

Genau das mußte aber geschehen, das Gericht mußte sich in seinem Vollzug gegen den Richter selbst wenden, wenn es zur Aufhebung der Sünde kommen sollte, wenn nun statt der vielen dieser eine als der eine große Sünder dastehen sollte, zu keinem andern Dienst bestellt als zu dem, die Welt von ihrer Last zu befreien. Zur Hinwegnahme der Sünde mußte dieser Tausch stattfinden: „die Verwandlung dieses Anklägers in den Angeklagten, dieses Richters in den Gerichteten, die Kennzeichnung und Behandlung des Heiligen Gottes als des Gottlosen."[52] Barth selbst spricht hier von der „Unerhörtheit dieses Geschehens",[53] die sich in der Verzagtheit Jesu in der Gethsemanestunde, in seinem Verlassenheitsruf am Kreuz, im Zögern des Pilatus, das ungerechte Urteil zu fällen, und schließlich in den von Barth als Reaktion des Kosmos beschriebenen Vorgängen der Verfinsterung, des Zerreißens des Tempelvorhangs und des Felsen und Gräber aufbrechenden Erdbebens widerspiegelt.

c) Der Richter als der an unserer Stelle dem Tod Überlieferte
Barth treibt in einem dritten Schritt — dem Duktus der neutestamentlichen Passionsüberlieferung folgend — seine Gerichtsdarstellung zum Höhepunkt. Die Überschrift zeigt die Richtung an, die der Gedankengang nun nimmt: „Jesus Christus war und ist für uns, indem er an unserer Stelle *gelitten* hat, *gekreuzigt* wurde und *gestorben* ist."[54] Vergegenwärtigen wir uns noch einmal das Ergebnis des unmittelbar vorausliegenden zweiten Schrittes: Jesus Christus hat die Sünde auf sich genommen, ist so selbst zum Sünder gemacht. Ihn trifft nun das Gericht, das Urteil, der Zorn und der Fluch Gottes. Noch aber ist das im Gericht ergangene Urteil nicht vollstreckt, noch hat der Fluch nicht den Sünder vernichtend getroffen, und noch ist Gottes Zorn nicht losgebrochen, wie es dann zu seiner Zeit der Fall sein wird.

Es geht also in seinem Vollzug um die vernichtende Kraft des Gerichts. Offenbar wird nun die im Zorn sich manifestierende verzehrende Potenz der göttlichen Liebe – in all ihrer Furchtbarkeit. Wo Gottes Zorn waltet, da geht es um Vernichtung und Tötung. Darin liegt sein Schrecken. Gottes Zorn schlägt und tötet, auch wenn er nach Barth in nichts anderem besteht als im Brennen der göttlichen Liebe.[55] Und genau dies ist nun zu bedenken. So ist also auf dieser Stufe der Reflexion zunächst das im zweiten Gang gewonnene Ergebnis dahingehend zu präzisieren: „Der Richter, der Israel und die Welt

---

52 Ebd.
53 Ebd.
54 A.a.O., 269.
55 A.a.O., 100.242.546.629; vgl. a.a.O., 190.326. 435.540.

damit richtete, daß er sich selbst richten ließ, vollzieht dieses wunderliche Gericht als der Mann, der unter Pontius Pilatus gelitten hat, gekreuzigt wurde, gestorben ist und begraben wurde."[56] Diese Aussage stellt zunächst einmal ab auf den Charakter des hier visierten Geschehens als freiwillige, raumzeitliche und göttliche Aktion bzw. Passion. Damit soll das Kreuz als ein nicht im Sinne eines Geschicks zu verstehendes, sondern in der Freiheit des hier handelnden Subjekts angenommenes, nicht mythisches, sondern geschichtliches und nicht nur allgemein bedeutsames, sondern die Situation des Menschen real und objektiv veränderndes Ereignis gesichert werden.

Besonders der letzten Feststellung kommt entscheidendes Gewicht zu. Die Singularität des äußerlich nur als rein menschliche Passion identifizierbaren Kreuzesereignisses liegt begründet in der Person des hier handelnden Subjekts. Gott „gibt sich dazu her, in diesem Geschehen selbst die menschlich handelnde und leidende Person zu sein, er selbst das Subjekt, das in diesem Geschehen in eigener Freiheit zum Objekt wird, das hier darin handelt, daß es sich mißhandeln läßt".[57] Daraus ergibt sich die Frage: Warum mußte Gott selbst hier eingreifen? Und warum mußte Gott gerade hier und so, in der schrecklichen Realität des Kreuzes, in der Auslieferung Jesu Christi an den Tod handeln? Barth fragt, „warum und in welchem Sinn es nun gerade das *Leiden* und *Sterben* Jesu Christi ist, in welchem wir es mit Gottes für uns geschehener Tat zu tun haben"?[58] Die Antwort kann nur im Blick auf die verheerende Wirklichkeit der Sünde gegeben werden. Dazu ist noch einmal ihr Wesen in Erinnerung zu bringen. Barth macht hier in diesem Zusammenhang auf zwei wesentliche Merkmale aufmerksam: Die Sünde bezeichnet zum einen das störende Element, das als trennende Macht in das ¹⁾ von Gott inaugurierte Bundesverhältnis zum Menschen, als diesen Bund in Frage stellende Verneinung eindringt. Die Sünde ist also das, was Gottes Ziel und Plan mit dem Menschen zu durchkreuzen droht. Und sie bezeichnet andererseits das tödliche Verderben, das auf den Menschen lauert, dem ²⁾ dieser sich in seinem Ungehorsam selbst ausgeliefert hat. Was von der Sünde her als ihre Folge zu erwarten ist, ist der Tod. Barth ergänzt hier (und macht damit auf einen wichtigen Aspekt aufmerksam): „Wobei der Begriff des Todes im Neuen Testament nicht nur des Menschen Sterben, sondern das des Menschen Sterben qualifizierende, vielmehr disqualifizierende Verderben, den ewigen Tod – den Tod als die übermächtig drohende Gewalt der Zerstörung bedeutet."[59] Nun geht es im Kreuz um den entscheidend und vernichtend zu führenden Angriff auf die Sünde. Dieser Angriff kann nur

56 A.a.O., 269.
57 A.a.O., 271.
58 A.a.O., 278.
59 Ebd.; vgl. KD III/3, 353.

von Gott geführt werden. Aber er muß dorthin zielen, wo die Sünde sich festgesetzt hat: auf den Menschen – den Sünder. Der Sünder schlechthin aber – dahin führte Barths zweite Überlegung in diesem Zusammenhang – ist kein anderer als Jesus Christus, der zum Sünder gemacht worden ist. An ihm vergreift sich die Sünde. Auf ihm lastet sie, weil er selbst sie sich aufgeladen und sich so mit dem Sünder identifiziert hat. Aber die vom zweiten Stellvertretungsaspekt ausgehende Betrachtung hatte nur bis zu dieser Schwelle geführt: Jesus steht an der Stelle des Sünders, er hat diesen finsteren Ort bezogen. Aber noch ist die Sünde nicht hinausgeworfen, noch kann sie ihr dunkles Unwesen treiben, noch kann sie zum letzten Schlag ausholen und noch einmal ihren letzten und höchsten Triumph feiern, um dann endgültig selbst geschlagen zu werden. Treffend bemerkt R. W. Jenson: „Indeed, evil has its high point of reality at the crucifixion – and that is to say, precisely where God *uses* it as his instrument against itself."[60] Damit ist der Problemhorizont aufgewiesen, vor dem das folgende zu bedenken ist. Der Ausblick eröffnet sich auf das Kreuz in seiner furchtbaren Realität und zugleich in seiner Heilsbedeutung. „Es geht . . . in der Versöhnung zentral um die *Beseitigung der Sünde:* in ihrem Charakter als die menschliche Rebellion gegen Gott und in ihrem Charakter als Grund des hoffnungslosen menschlichen Todesschicksals."[61]

Und nun stößt Barth zum innersten Kern seiner Gerichtsaussage durch. Seine Schau des Kreuzes kommt zu ihrer eindrucksvollsten Gestalt und erreicht ihre eigentliche Tiefenschärfe, wenn es nun heißt: „Zum Vollzug dieses *Gerichtes* über die Sünde tritt Gottes Sohn als Mensch an unsere, der Sünder, Stelle. Er vollzieht aber dieses Gericht, indem er – als Mensch an unsere Stelle getreten – in der Vollmacht des Gottessohnes unser aller Werk, den Weg der Sünder, zu Ende geht bis zu ihrem bitteren Ziel im Tod, im Verderben, in der grenzenlosen Qual der Gottesferne: indem er also den sündigen Menschen seinem und mit ihm die Sünde selbst in seiner eigenen Person ihrem, dem ihr zukommenden *Nichtsein* überliefert – dem Nichtsein, ja der Nichtigkeit, der der Mensch als Sünder verfallen ist und unaufhaltsam entgegenläuft."[62] In diesem Zusammenhang will Barth auch den Gebrauch des Begriffs der Strafe zulassen, den er im übrigen restriktiv interpretiert und vorsichtig handhabt. Der hier behandelte Sachverhalt lasse sich unter bestimmten Kautelen (die wir in anderem Zusammenhang – vgl. Teil II, IV,5 – prüfen) auch so formulieren: „Er vollzieht dieses Gericht, indem er selbst die *Strafe* erleidet, die wir Alle auf uns gezogen haben."[63]

60 R. W. Jenson, Cur Deus homo, 32.
61 KD IV/1, 278.

62 Ebd.
63 Ebd.

Barth tritt diesem, in der traditionellen Darstellung des munus sacerdotale gebräuchlichen Terminus der Strafe mit Zurückhaltung entgegen, weil er das Entscheidende nicht aussagt. Denn im Entscheidenden geht es ja im Gericht nicht um ein stellvertretendes Tragen der Strafe (selbstverständlich will Barth auch das gelten lassen), es geht vielmehr um die Vernichtung der Sünde als des Übels schlechthin. Dieses Übel wird in seiner Wurzel beseitigt, nicht nur in seinen Folgen. Eine nur am Begriff der Strafe orientierte Sicht bleibt zu sehr an der Außenseite des Phänomens haften und trifft nicht den Kern. Das Ziel des von Gott verhängten Gerichts liegt in der Vernichtung der Sünde. Barths Gedankengang liegt nun klar zutage: Jesus Christus repräsentiert die Sünde der Welt. Er verkörpert in seiner Stellvertretung und Identifikation mit dem sündigen Menschen den Sünder schlechthin. Er trägt auch die Sünde in ihrer ganzen Konsequenz. Die Sünde nimmt ihren notwendigen Lauf, sie stürzt ihren Träger in den Tod des Verderbens. Dadurch ist die Sünde im Sünder selbst getötet. Die Sünde darf sich gleichsam austoben, ihr Rasen bis zum Ende treiben und so sich selbst in die Vernichtung stoßen. Oder von der anderen (der personalen) Seite des Phänomens her betrachtet: Indem er, der zum Sünder gemacht ist, sich dem Tod überliefert, gibt er den Sünder und damit die Sünde dem Tod preis.

Damit ist die Sünde dem Menschen nun endgültig abgenommen. Der Mensch ist nicht mehr der Sünder, weil er als solcher im Tod Jesu vernichtet ist. „Der Mensch der Sünde, der erste Adam, der mit Gott im Streit liegende Kosmos, dieser ganze ‚gegenwärtige böse Aeon‘ (Gal. 1,4) ist in und mit ihm ans Kreuz geschlagen, getötet, begraben worden."[64] Damit ist das mit der Sünde gestellte Problem, die von ihr ausgehende zweifache Bedrohung beseitigt. Der Zugang zu Gott ist wieder eröffnet, das auf den Menschen als seine Beute wartende Verderben ist abgewehrt. Vom Menschen her war das Unheil, das Chaos eingebrochen, von seiner Seite aus mußte es beseitigt werden, damit der Bund zwischen Gott und Mensch wiederhergestellt wurde. „Eben das ist es, was geschehen ist, indem Jesus Christus die Sünde, zu deren Träger und Vertreter er sich selbst machen wollte, in seiner eigenen Person (als der des einen großen Sünders!) ans Kreuz schlagen und *töten* ließ. Und eben damit — nicht im Erleiden unserer Strafe als solcher, sondern in der Auslieferung des sündigen Menschen und der Sünde selbst an die *Vernichtung*, die er mit dem Erleiden unserer Strafe vollzogen hat — hat er andererseits allerdings auch die Quelle unseres Verderbens verstopft."[65]

Barth schließt seinen Ausblick auf das Kreuz mit einem Hinweis auf das Licht, das diese furchtbare Finsternis der Stunde von Golgatha umgibt: Der

---

64 A.a.O., 279.   65 A.a.O., 279f.

Zorn Gottes, der hier zum Zuge kam und sein Werk verrichtet hat, steht doch im Dienst der göttlichen Liebe. Was sich hier ereignete, geschah „*nicht aus irgendeiner göttlichen Vergeltungs- und Rachsucht, sondern kraft der Radikalität der göttlichen Liebe,* die sich selbst nur eben in der völligen Auswirkung ihres Zornes gegen den Menschen der Sünde, nur eben in seiner *Tötung,* Auslöschung und Beseitigung ‚genug tun' konnte".[66] Die letzte Wendung gibt Anlaß, darauf hinzuweisen, daß Barth den Satisfaktionsgedanken gegenüber dem (auch in der Orthodoxie) traditionellen Gebrauch in der Weise modifiziert, daß Gott selbst zum Subjekt der Genugtuung wird. Nicht Jesus Christus leistet in einem Werk der Kompensation Genugtuung, sondern: „Gott hat in der Passion Jesu Christi, in der Dahingabe seines Sohnes in den Tod, das zum siegreichen Kampf gegen die Sünde, sollte dieser Sieg radikal und total sein, *Genügende* getan."[67]

d) Der Richter als der an unserer Stelle recht handelnde Mensch
Was bisher im vorwiegenden Gebrauch negativer Kategorien, wie Gericht, Verurteilung, Anklage, Zorn und Fluch, beschrieben wurde, läßt sich auch ins Positive wenden. Denn hinter dem Nein steht Gottes Ja. Seine Negation geschieht um der Bejahung willen. Und von der Seite Jesu Christi betrachtet: Im Erdulden des Gerichts ist das Werk der Gerechtigkeit vollbracht. Barth faßt den Sachverhalt zusammen in dem Leitsatz: „Jesus Christus war und ist für uns, indem er an unserer Stelle das vor Gott und also in Wahrheit *Rechte getan* hat."[68] Diese Linie soll im Abschnitt V. weiter ausgezogen werden. Das Thema sei zunächst noch zurückgestellt, damit die Betrachtung der negativen Gestalt des Gerichts zu Ende geführt werden kann.

4. Das Gericht als Auslieferung an das Nichtige

Barths bisherige Deutung des Leidens und Sterbens Jesu (seine Kreuzestheologie) läßt sich folgendermaßen rekapitulieren: Jesus Christus, der wahre Richter, der an die Stelle der Sünder getreten und alle Sünde auf sich genommen hatte, ist am Kreuz dem göttlichen Gericht verfallen. In seinem Tod ist der Sünder und damit die Sünde vernichtet worden. Die hier gewonnene Perspektive ist nun ein wenig auszuweiten.

Es ist hier daran zu erinnern, daß die Sünde (nur) eine Gestalt, ein Repräsentant jener höheren und verderblichen Macht ist, die Barth als das Nichtige bezeichnet.[69] Indem Jesus Christus die Sünde trägt, setzt er sich

---

66 A.a.O., 280.   67 Ebd.   68 A.a.O., 282.
69 W. Krötke, Sünde und Nichtiges bei Karl Barth, 25.49.

dem Nichtigen aus. Diese Macht, die nur als Gegenstand des göttlichen Unwillens ihre eigentümliche Wirklichkeit besitzt, kommt damit selbst ins Spiel. Die Sünde ist gleichsam die Pfeilspitze des Nichtigen. Wer es mit ihr aufnimmt, der tritt dem Nichtigen selbst entgegen, wer der Sünde ausgeliefert ist, ist dem Nichtigen preisgegeben. Um hier recht zu sehen, ist noch einmal auf die Schöpfungslehre zurückzublenden, näherhin auf den Punkt, an dem nach der Darstellung Barths das Nichtige zum erstenmal, wenn auch nur schemenhaft und andeutungsweise, in Erscheinung tritt. In seinen Ausführungen zu Gen 1,2 hatte Barth die von Gott im Schöpfungsakt verworfene Möglichkeit einer Gegenwelt des Nichtigen vorgestellt.[70] Indem Gott in seinem Schöpfungswerk sein Ja gesprochen hat, ist zugleich das Nichtige als Inbegriff der die Schöpfung bedrohenden Chaosmacht, als das zerstörerische Element schlechthin verneint und zurückgeworfen worden. Die Sünde des Menschen hatte aber das Nichtige, vor dem Gott seine Schöpfung bewahren wollte und bewahrt hat, zurückgerufen und ihm Einlaß in eben die Schöpfung gewährt, aus der es von Gott im Schöpfungsakt ausgeschlossen war. Der Einzug des Nichtigen in die Geschöpfwelt müßte nun deren Vernichtung zur Folge haben.[71] Gott könnte nun die Welt sich selbst und das heißt der Zerstörung durch das Nichtige überlassen. Aber das geschieht nicht. Gott will nicht so recht behalten, daß ihm das Recht *auf* die Welt verlorengeht.[72] Hier greift seine Gnade ein. Zwar wird das Nichtige sein Werk vollziehen und verheerend durchgreifen. Bereits in seinem Kommentar zum Schöpfungsbericht hatte Barth angekündigt, daß „Alles, was Gen. 1,2 angezeigt ist, wirklich werden wird".[73] Aber das ist beschränkt auf einen Punkt der geschaffenen Welt. Die Drohung gilt nur dem einen Repräsentanten der Schöpfung: Jesus Christus. Ihm gegenüber, der als der eine Sündenlose der Sünde so entgegengetreten war, daß er sie sich selbst aufgeladen hat, wird das Nichtige mit ganzer Macht durchgreifen. Ihn wird das Nichtige treffen und zerstören. Der Ort, an dem das geschieht, ist das Kreuz. Hier vollzieht sich „*die* Auseinandersetzung mit dem Nichtigen".[74] Und so kann Barth sagen: „Was Jesus Christus ans Kreuz gebracht und was er am Kreuz besiegt hat, *das* ist das wirklich Nichtige".[75] Barths Gedanken zielen in folgende Richtung: Das Nichtige, dem der Mensch in seiner Empörung gegen Gott zur Wirklichkeit in der Schöpfung verholfen hatte,

70 KD III/1, 111-121.

71 KD IV/1, 456.

72 A.a.O., 338.

73 KD III/1, 121.

74 KD III/3, 416.

75 A.a.O., 346; vgl. R. W. Jenson, Cur Deus homo, 30: „Nihility fulfills its original destiny on Calvary; this is – to come to an end". Vgl. ferner W. Krötke, Sünde und Nichtiges bei Karl Barth, 29.

von der es durch Gottes Gnade ferngehalten war, darf nun in dieser Schöpfung zu seinem vernichtenden Angriff ausholen und tatsächlich diesen Angriff führen. Aber Gott selbst tritt in Jesus Christus für seine Schöpfung ein.[76] Das heißt: Er tritt dem Nichtigen entgegen. Der Ort dieser entscheidenden Konfrontation ist das Kreuz Jesu Christi. Hier wird das Nichtige zum Mittel des Gerichts herangezogen. Gott läßt ihm Raum zu seinem vernichtenden Werk, es darf sich an der Schöpfung vergreifen, es darf, indem es über Jesus Christus herfällt, so an dieser einen Stelle das Geschöpf in den Abgrund hineinziehen. Gerade damit aber vernichtet es sich selbst. Indem es sich an dem einen Geschöpf vergreift, das mit dem Schöpfer identisch ist, indem es Jesus Christus in den Tod reißt, ist es selbst gerichtet, hat es sich ausgetobt und damit selbst in den Abgrund gestürzt. Es durfte diesen einen Menschen, Jesus Christus, in dem Gott selbst ihm entgegengetreten war, angreifen und zugrunde richten, um so selbst gerichtet zu werden. „Es stieß hier auf eine Beute, an der es sich übernehmen, an der es, indem es auch sie verschlingen wollte, zugrunde gehen mußte. Es mußte an der vollen Gnade, die Gott seinem Geschöpf damit erwies, daß er selbst bedrohtes, ja verfallenes und verlorenes Geschöpf wurde, zunichte werden."[77]

Aber der Blick auf den am Kreuz erfochtenen Sieg darf nicht über die Furchtbarkeit des hier geführten Angriffs und die Macht des hier auftretenden Angreifers hinwegtäuschen. Es ist wirklich das Nichtige – das Chaoselement, vor dessen Ansturm, würde Gott ihm freien Lauf lassen, die Schöpfung nur vergehen und ins Nichts zurücksinken könnte – das mit tödlicher Gewalt hier Jesus Christus entgegentritt. Diesem Ansturm ist kein Mensch gewachsen. Ja, er bedeutet für Gott selbst „Gefahr und Bedrohung".[78]

Wenn Gott sich in Jesus Christus dieser Bedrohung aussetzt, dann heißt das: „Er setzt seine eigene Existenz als Gott aufs Spiel".[79] In der Kreuzigung tritt diese Gewalt auf den Plan. Jenson sagt mit Recht: „Once and once only nihility becomes real in history – in the crucifixion of Jesus Christ."[80] Indem aber das Nichtige über ihn herfällt, indem Jesus Christus sich diesen Angriff

---

76 Vgl. KD III/3, 89f: „Er hat sich selbst in jenen Gegensatz gestellt, die ganze Feindschaft, die ganze Frage, die ganze Macht des Nichts gegen sein Geschöpf auf seine eigene Schulter genommen, getragen und hinweggetragen. Er hat den ganzen Ansturm der Sünde, des Teufels, des Todes und der Hölle, die ganze verderbliche Gewalt des Chaos selber geschmeckt und erlitten und eben damit gebrochen, seine Waffen stumpf gemacht, ihm eben damit seinen Anspruch auf sein Geschöpf, seine Überlegenheit ihm gegenüber entrissen". Vgl. auch a.a.O., 411.413.

77 A.a.O., 419.

78 KD II/2, 179; vgl. a.a.O., 178.180.

79 KD IV/1, 76.

80 R. W. Jenson, Cur Deus homo, 123.

154

gefallen läßt, überliefert er sich selbst „in die Tiefe der Hölle",[81] stirbt er „den Tod eines Verdammten".[82] Im Kreuz Jesu Christi geht es „um die schmerzliche Konfrontierung Gottes und dieses Menschen nicht nur mit irgendeinem Ungemach und auch nicht nur mit dem Sterben, sondern mit dem ewigen Tode, mit der Gewalt des Nichtigen schlechthin".[83] Im Kreuz darf das Nichtige dem Sohn Gottes diese schreckliche Niederlage bereiten. Jesus Christus erleidet in seinem Tod die Vernichtung, die der Mensch, der sich für das Nichtige entschieden hat, provoziert und verdient hat. Er beugt sich dieser verheerenden Übermacht. Barth deutet die in Joh 19,30 berichtete inclinatio capitis auch als Geste der Unterwerfung: „Es ist also auch und zugleich der Tod, vor dem er sein Haupt neigt, an dessen Macht er sich ausliefert, es ist also in und mit der da vollzogenen Vollendung des Willens Gottes auch das *Nichtige*, das da über ihn – und in und mit ihm über die ganze von ihm repräsentierte und vertretene Menschheit – triumphieren darf: der Tod, das Nichtige, nach der Fügung und im Dienst Gottes, herangeholt und gebraucht zur Versöhnung der Welt mit Gott, als Instrument seines Streites gegen deren Verkehrtheit, gegen des Menschen Sünde: aber der Tod, das Nichtige in seiner ganzen perversen und zerstörenden Macht."[84]

5. Das Gericht als Strafe

Barth spricht durchgängig im Blick auf den Tod Jesu auch von der in ihm gezahlten Strafe.[85] Er interpretiert den Kreuzestod Jesu auch als Wirksamwerden bzw. Erdulden der von Gott über die Sünde verhängten Strafe. So kann er das, was im Ereignis der Kreuzigung Jesu geschehen ist, geradezu im Begriff der Strafe bzw. der strafenden Gerechtigkeit zusammenfassen: „Dies ist die Bedeutung des *Todes Jesu Christi*, daß dort Gottes verurteilende und strafende Gerechtigkeit losgebrochen ist und die menschliche Sünde, den Menschen als Sünder, das sündige Israel wirklich geschlagen und getroffen

81 KD II/2, 551.
82 KD III/3, 355.
83 KD IV/1, 272.
84 A.a.O., 337.
85 Barth benutzt an folgenden Stellen das Strafmotiv als Interpretament des Kreuzestodes Jesu: KD I/2, 120.431.
KD II/1, 170f.421.439.443.446-453.456.580.
KD II/2, 133.179.384.388.546-550.848.850.
KD III/2, 253.256.734.
KD III/3, 311.418.
KD IV/1, 19.245.248.278-280.383.
KD IV/2, 169.687.
KD IV/3, 1. Hälfte, 118.456.
Die Stellen sind ohne Anspruch auf Vollständigkeit zusammengetragen.

hat."[86] Oder noch kompakter formuliert: „Was Jesus Christus unschuldig gelitten hat, das war zweifellos die Strafe jener von Gottes Zorn sich selbst Überlassenen."[87] Der Gedanke der Strafe beschreibt also nach Barth — wie sich bereits in der Darstellung der dritten Stellvertretungsaussage zeigte — einen gültigen Aspekt der theologia crucis. Dennoch möchte Barth diesem Gedanken, auch wenn er ihn relativ häufig verwendet und in ihm die Bedeutsamkeit des Todes Jesu zur Sprache bringen kann, keine zentrale Stellung einräumen: „Es geht aber nicht an, diesen Begriff, wie es in den älteren Fassungen der Versöhnungslehre (insbesondere in der Nachfolge *Anselms von Canterbury*) geschehen ist, geradezu zum Hauptbegriff zu erheben . . ."[88]. Die unmittelbare Fortsetzung dieser das Gewicht des Strafmotivs abschwächenden Stellungnahme zeigt, warum Barth hier Zurückhaltung wahren will. Der Strafgedanke sei in einem doppelten Sinne als Hauptbegriff nicht brauchbar: „weder in dem Sinn, daß Jesus Christus es uns durch das Erleiden unserer Strafe erspart habe, sie selber erleiden zu müssen, noch gar in dem Sinn, daß er dadurch dem Zorne Gottes ‚genug getan', Satisfaktion geleistet habe. Der letztere Gedanke zumal ist dem Neuen Testament ganz fremd".[89]

86 KD II/1, 446.
87 KD II/2, 550.
88 KD IV/1, 279.
89 Ebd.; vgl. hierzu: P. Th. Jersild, The Holiness, Righteousness and Wrath of God in the Theologies of Albrecht Ritschl and Karl Barth, Diss. Münster 1962. Die Arbeit ist nur in zwei Auszügen zugänglich, in: The Lutheran Quarterly 14 (1962) 239-257.328-346. Der zweite Teil des Auszugs trägt den Titel: The Judgment of God in Albrecht Ritschl and Karl Barth. Wir beziehen uns im folgenden auf den hier angegebenen Ort.
P. Th. Jersild, a.a.O., 343, führt die von Barth geäußerte Zurückhaltung gegenüber dem Strafmotiv auf den Einfluß der Theologie Ritschls zurück: „Here Barth echoes Ritschl's complaint against Orthodoxism." Dadurch gerate jedoch Barths Versöhnungslehre in eine gewisse Spannung: weil Barth sich einerseits von der Form der orthodoxen Versöhnungslehre distanziere, andererseits jedoch deren wesentlichen Gehalt übernehme. Vgl. ebd.: „Barth is attempting, where Ritschl did not, to keep the essential content of the traditional doctrine of atonement while rejecting the form or structure which shapes it." Daraus ergibt sich für Jersild das Problem: „How can the God of his theology exercise the wrath he speaks of in reference to the judgment of Christ when man has never stood in a positon where he *deserves* this kind of wrath on the basis of his relation to God established in election"? – ebd.
Hier muß aber doch zurückgefragt werden: Ist Jersilds Frage richtig gestellt? Kann man aus der Tatsache, daß der Mensch von Ewigkeit her erwählt ist in Jesus Christus – wie Barth sagt – schließen, solche Erwählung dürfe Gott nichts gekostet haben? Daß Gottes Zorn den Sünder, der der Mensch in sich betrachtet immer und immer noch ist, nicht mehr vernichtend trifft, ist doch das Ergebnis der von Ewigkeit her beschlossenen Versöhnungsaktion Gottes am Kreuz, in der sein Zorn seinen eigenen Sohn als *den* Sünder geschlagen hat. Das Ergebnis darf aber doch nicht in der Weise gegen die Voraussetzung ausgespielt werden, daß von ihm her als unverständlich und inkonsequent erklärt wird, was als Ursache die Folge gewirkt hat. Der Friede ist kein Argument gegen den Friedensschluß, wenn in ihm erst der Friede ermöglicht worden ist. Jersild denkt vom Allgemeinfall des Verhältnisses Gott - Mensch, in dem der Mensch als der Erwählte und nicht als der Verworfene erscheint, und will von hier aus zurückschließen auf den Einzelfall des Verhältnisses Gott - Mensch in Jesus Christus. Barth geht den umgekehrten Weg: Der Allgemeinfall des Verhältnisses Gott - Mensch bestimmt sich

Barth befürchtet – deshalb tritt er hier einer Überforderung des Strafmotivs entgegen –, im Begriff der Strafe könnte ein einseitig abstraktes Verständnis der Gerechtigkeit Gottes dominierend zur Geltung kommen. Seine Reserve gegenüber dem Strafmotiv rührt aus der Sorge, der Begriff der strafenden Gerechtigkeit könne die rechte Zuordnung von Gottes Barmherzigkeit und Gerechtigkeit verdunkeln. Damit ist die Wurzel des Problems berührt: Erst wenn Barmherzigkeit und Gerechtigkeit Gottes in angemessener Weise einander zugeordnet sind, ist der Begriff der Strafe Gottes, näherhin das Verständnis des Todes Jesu als Ausdruck der strafenden Gerechtigkeit Gottes vor Mißverständnissen geschützt. Es erweist sich somit als notwendig, noch einmal kurz zurückzublenden auf Barths Interpretation des Begriffspaars Barmherzigkeit und Gerechtigkeit.[90]

Barth hatte in seiner Gotteslehre ausgeführt: Gott ist seinem Wesen nach immer und ganz und gar gerecht, d. h., er wahrt in allem, was er tut, seine Würde.[91] Er bleibt sich selbst treu. Deshalb behauptet er bzw. seine Ehre in dem durch die Sünde heraufbeschworenen Konflikt.[92] Ein Gott, der sich selbst nicht treu bliebe, könnte auch dem Menschen nicht treu sein.[93]

vom konkreten Fall des Verhältnisses Gott - Mensch in Jesus Christus. Wie es um dieses Verhältnis und seine beiden ungleichen Partner, insbesondere um den Menschen, seine Sünde und das, was er für sein Sündigen verdient, steht, ist allein hier, im Kreuz, konkret ablesbar. Folgt man Barths Erkenntnisweg vom Konkreten zum Allgemeinen, dann liegt in seinem theologischen Gedankengang keine Inkonsequenz vor. Die Frage lautet nicht: Wie kann Gottes Zorn im Gericht am Kreuz losbrechen, wenn er doch den Menschen von Ewigkeit erwählt hat und ihm gnädig ist? Sondern: Wie kann Gott den Menschen erwählen, obwohl er dessen Sünde als das Nein zum Bund der Erwählung und ihn selbst als Sünder, d. h. den Verräter am Bund von Ewigkeit her voraussieht, und obwohl er diesen Sünder, will er sich selbst und dem Menschen treu bleiben, als solchen vernichten und strafen muß? Barths Antwort lautet: Gott kann den *Sünder* insofern erwählen, als er die ihm zukommende Verwerfung auf sich selbst nimmt. Um auf Jersilds Frage zu antworten: Gott hat deshalb seinen Sohn am Kreuz das Gericht und seinen Zorn treffen lassen, damit der Mensch auch in Anbetracht seiner Sünde, d. h. seines Widerspruchs gegen den Gnadenbund, der als solcher des Sünders Vernichtung und Verwerfung nach sich ziehen müßte, der Erwählte sei und bleibe. Daß der Mensch trotz seiner Sünde der Erwählte ist und bleibt, folgt aus der Übernahme seiner ihn als Sünder notwendig treffenden Verwerfung und des ihm zukommenden Zorns durch Jesus Christus. Das Ineinander von Barmherzigkeit und Gerechtigkeit läßt sich nicht so auslegen, daß die Gnade Gottes bzw. seine Barmherzigkeit die Gerechtigkeit aufsauge und unwirksam mache. Gerade der gnädige Gott ist nach Barth auch der gerechte. Nicht wird von der Erwählung des Menschen her das Kreuz als Gericht in Frage gestellt, vielmehr gilt umgekehrt, daß vom Gericht her, vom Losbrechen des göttlichen Zorns am Kreuz die Versöhnung und damit die Bestätigung der Erwählung des Menschen, der immer schon der Sünder ist, sichtbar wird. Barths Erkenntnisweg setzt beim Kreuz ein und schaut von hier aus auf den Menschen, der von hier aus als der Verworfene *und* Erwählte sichtbar wird. Dieser Erkenntnisgang kann nicht, wie Jersild es tut, umgekehrt werden.

90 KD II/1, 413-457.
91 KD II/1, 423.
92 Vgl. a.a.O., 440: „Gott ist und tut auch in diesem Zusammenstoß als solchem, was seiner würdig ist, und das muß notwendig bedeuten: Verurteilung und Strafe, wo er Ungehorsam findet – wie es da, wo er Gehorsam des Glaubens findet, Freispruch und Lohn bedeutet."
93 A.a.O., 450f.

Dem Menschen wäre nicht geholfen, würde Gott sich ihm zwar zuwenden, sich selbst damit aber untreu werden. Wahrt Gott aber in dem durch die Sünde vom Zaun gebrochenen Konflikt seine Würde, behauptet er sich angesichts des ihm entgegengesetzten Widerspruchs, so bedeutet dies, daß er auch straft. Als der Gerechte straft Gott. Nun darf aber nicht unterschlagen werden, daß Gottes Gerechtigkeit „eine Bestimmung der Liebe und also der Gnade und also der Barmherzigkeit"[94] ist. D. h., Gottes Gerechtigkeit steht nicht im Widerspruch zu seiner Liebe, zu seiner Gnade und Barmherzigkeit. Sie beschreibt keine Eigenschaft, die gleichsam außerhalb seiner Liebe bestünde, abgesehen von dieser sich Geltung verschaffte und also abstrakt, für sich betrachtet, abgesehen von seiner Liebe, Gnade und Barmherzigkeit angeschaut werden könnte. Vielmehr gilt, daß der *liebende,* der *gnädige,* der *barmherzige* Gott auch der strafende ist. Der Ernst der Aussage, daß Gott straft, darf keinesfalls gemildert werden. Hier dürfen keine Abstriche gemacht werden. Barth wendet sich ausdrücklich gegen A. Ritschl, der den Gedanken des Zorns und der Strafe als unangemessen aus dem Gottesbild tilgen wollte.[95] Aber mit dem gleichen Ernst ist hier der engste Zusammenhang zu wahren: Der Gott der Strafe ist der Gott der Barmherzigkeit. Indem und weil Gott barmherzig ist, straft er auch.[96]

Erst wenn der Gedanke der Strafe so eingebunden ist in das Beziehungsgefüge von Barmherzigkeit und Gerechtigkeit, läßt sich nach Barth jene „Karikatur" vermeiden, die den am Kreuz vollzogenen Akt der strafenden Gerechtigkeit fälschlicherweise dargestellt hat als „ein in seiner Sinnlosigkeit empörendes oder lächerliches Rasen Gottes gegen einen unschuldigen Menschen, dessen geduldiges Leiden Gott dann nachträglich ‚umgestimmt‘, d. h. zur Schonung und Nachsicht allen anderen Menschen gegenüber veranlaßt hätte, hinter dessen Leiden sich nun alle Anderen ein wenig beschämt, wenn auch glücklich gerettet, aber in sich selbst unverändert verbergen dürften wie hinter einem Ofenschirm".[97]

Ein in dieser Weise gereinigter Strafbegriff ist nun doch auf das Kreuz Christi als Beschreibung seiner soteriologischen Bedeutung anwendbar. Man versteht von der skizzierten Problematik her Barths Vorbehalt gegen das Strafmotiv. Losgelöst vom Hintergrund des Gnadenwerks Gottes

94 A.a.O., 423.

95 A.a.O., 429.

96 Vgl. a.a.O., 442: „Inwiefern ist Gottes im Glauben zu ergreifende Barmherzigkeit zugleich seine richtende *Gerechtigkeit* und daran erkennbar als seine, als die göttliche und damit die ewige und wirkliche, die hilfreiche und siegende Barmherzigkeit? Gottes Offenbarung in Jesus Christus gibt uns auf diese Frage die Antwort, daß eben Gottes verurteilende und strafende Gerechtigkeit selber und als solche die Tiefe, Kraft und Macht seiner Barmherzigkeit ist."

97 A.a.O., 453.

verliert es seinen Sinn und verfälscht es Gottes gnädiges, heilsames und versöhnendes Gericht zum Racheakt einer beleidigten Gottheit. Sind aber die Voraussetzungen in rechter Weise geklärt, dann darf durchaus die Aussage gewagt werden, daß Gott am Kreuz die Sünde des Menschen gestraft, daß Jesus Christus diese Strafe auf sich genommen hat.

6. Der Peirasmos
(Zum Problem der subjektiven Gerichtserfahrung Jesu)

Das objektive Faktum der Auslieferung Jesu an das Gericht, vollzogen in der Hinrichtung am Kreuz, spiegelt sich auch in der Sphäre des subjektiven Erlebens. Das objektive Geschehen bildet sich auch ab in der Subjektivität seiner Erfahrung. Jesus Christus erleidet das Gericht auch in der schmerzlich peinvollen Härte und Qual des hier geführten und von ihm erduldeten Angriffs. Damit erhebt sich die Frage: Wie stellt sich der Gang zum Kreuz, das Eintreten in das Gericht im Bewußtsein Jesu dar? Angesprochen ist damit das subjektive Moment, die innere Schau des Gerichts, dem Jesus Christus sich unterwirft.

Barth geht diesem Problem nach in seiner Betrachtung zur Gethsemanegeschichte.[98] Sie bietet ihm ein realistisches und zuverlässiges Bild der inneren Verfassung Jesu angesichts seiner bevorstehenden Passion. Ihre freimütige Darstellung läßt durchaus aufmerken. „Man kann sich wohl wundern, daß die synoptischen Evangelisten es nicht nur nicht für anstößig, sondern für richtig und wichtig gehalten haben, diesen Moment festzuhalten, den Bericht von ihm ihrem Zeugnis von Jesus und seinem Weg so ausführlich und betont einzuverleiben."[99] Barth knüpft an diesen Bericht an und unterstreicht die Angaben der Synoptiker über die hier auch nach außen hin sichtbare Erschütterung Jesu. „Von einem ἐκθαμβεῖσθαι Jesu ist da (Mr. 14,33) die Rede: von einem ihn erfassenden Entsetzen angesichts eines furchtbaren Gegenübers, von einem ἀδημονεῖν: von einer Angst, aus der er kein Entrinnen, in der er keine Hilfe und keinen Trost sah, die nur eben Angst war, und (Luk. 22,44) von einer ἀγωνία, in der sein Schweiß wie Blutstropfen zur Erde fiel, und eben: von einem λυπεῖσθαι: einer Betrübnis, Bekümmerung und Bedrückung ‚bis zum Tode' (Matth. 26,38)."[100] Die hier getroffenen Aussagen der Evangelien wären jedoch mißverstanden, wollte man als Motiv der geschilderten Betrübnis und Verzagtheit Jesu bloße Todesangst in der Voraussicht des unausweichlich herannahenden gewaltsamen Endes geltend machen. Stellt man in Rechnung, daß Jesus ganzes Leben,

98 KD IV/1, 286-300.   99 A.a.O., 291.   100 Ebd.

sein Weg bis zu dieser Schwelle der Passion „ein einziges entschlossenes Greifen nach diesem Kelch des göttlichen Grimmes (Jes. 51,17)"[101] gewesen ist, so muß für sein plötzliches Innehalten ein tieferer Grund vorliegen. Die Todeserwartung genügt nicht als Erklärung für diese tiefgreifende Erschütterung. Was aber entsetzt dann Jesus so, wie es hier beschrieben ist? Warum weicht er so erschrocken zurück, nachdem er in seinem bisherigen Leben so unerschrocken seinen Weg gegangen war?

Barth gibt hier folgende Auskunft: Das, was Jesus auf sich zukommen sieht und was ihn in einen solchen Schrecken versetzt, ist die von ihm (allein!) im Spiegel der anrückenden Ereignisse wahrgenommene Rückkehr des ehedem so siegreich und souverän zurückgeworfenen Versuchers, und zwar unter den besonderen, im Vergleich zum ersten Auftritt so veränderten Bedingungen seines neuerlichen Erscheinens. Damit stellt Barth die Gethsemaneüberlieferung in einen direkten Zusammenhang mit der bei Mk erwähnten, bei Mt und Lk ausführlich und ausdrücklich beschriebenen Versuchungsszene, die von einer Begegnung Jesu mit dem Satan während seines vierzigtägigen Fastens in der Wüste — unmittelbar im Anschluß an die im Jordan empfangene Bußtaufe und die in diesem Zeichen erfolgte gehorsame Übernahme seines ihm vom Vater gegebenen Auftrags — berichtet. Der Versucher war nach der mt-lk Darstellung an Jesus herangetreten mit der Absicht, ihn von seinem Weg, den er — in Entsprechung zum Willen Gottes — „als der eine große Sünder"[102] zu gehen entschlossen war, abzubringen. Der Satan war dazwischengetreten, und seine Einflüsterungen liefen darauf hinaus, das Versöhnungswerk zu verhindern. Der in Lk 4,13 verzeichnete Nachsatz mit seiner Feststellung des erfolglosen Rückzugs des Versuchers „bis zum entscheidenden Augenblick" kann nach Barth — beide Stationen des Lebenswegs Jesu miteinander verknüpfend — nur auf die Passion vorausweisen, näherhin auf die Stunde von Gethsemane, in der sich das Karfreitagsgeschehen schon im voraus konzentriert.[103] Um so mehr springt aber dann der zwischen beiden Szenen waltende Unterschied ins Auge: Der souverän erteilten Abfuhr, mit der Jesus der ersten Annäherung Satans entgegengetreten war, steht seine Verzagtheit angesichts des nun zu erwartenden Angriffs gegenüber.

Diese veränderte Reaktion Jesu ist begründet in der völlig veränderten Konstellation der Umstände, in denen der Versucher nun in Erscheinung tritt. Jesus hat in der Wüste den Versucher, der mit List und Tücke sich seiner zu bemächtigen versucht hatte, abgewiesen. Er war für seinen Teil mit ihm fertig geworden. „Aber", so Barth, „der Satan ist noch nicht fertig mit

101 Ebd.   102 A.a.O., 289.   103 A.a.O., 291.

ihm."[104] Ihm stehen nicht nur plumpe, zuweilen auch vernünftig oder fromm erscheinende Verschlagenheit, sondern noch ganz andere Mittel zu Gebote. „Er kann, wo er als Verführer zurückgeschlagen ist, als Rächer solcher Niederlage um so gewaltiger wiederkommen. Er kann statt alles Anderen einfach in der Sprache der Tatsachen für sich reden."[105] Und genau das geschieht nun. Der Versucher rückt nun mit Macht an, als der Machthaber dieser Welt mobilisiert er seinen Machtapparat. Er steuert die Geschehnisse in dieser Welt, die ihm gleichsam als Operationsbasis dient. Denn diese Welt, die dem Gesetz der Sünde unterworfen ist, die in Feindschaft zu Gott steht, „ist *per definitionem* sein Machtbereich".[106] Und die Menschen, die dem Gesetz der Sünde folgen, weil sie eben nichts anderes sind als Sünder, handeln nun als seine Handlanger und Instrumente. Jesus, der den Händen der Sünder ausgeliefert wird, fällt damit eo ipso dem Machtbereich Satans, des Herrschers „dieses Äons"[107] anheim. Das sieht Jesus in der Stunde von Gethsemane auf sich zukommen. Er sieht sich der Konfrontation mit der Welt und dem, der sie als unversöhnte Welt regiert, ausgesetzt. „Er sah diese Welt, wie sie war. Er sah, was in ihr galt und sich durchsetzte."[108] Die Welt als Exponenten ihres teuflischen Regenten gegen sich zu haben, das bedeutet aber, daß das Weltgewicht „übermächtig ist, daß es ihn und letztlich alle anderen Menschen eben nur überwältigen und erdrücken konnte".[109]

Diesem neuerlichen Angriff Satans entgegentreten heißt nun für Jesus – das ist der Unterschied zur ersten Begegnung – in der Wüste –, ihn „faktisch triumphieren zu sehen, von ihm in der harten Sprache der Tatsachen widerlegt zu werden".[110] So schließt Barth diesen ersten Gang seiner Erwägungen zu diesem Thema mit der Bemerkung: „Man sieht von da aus doch wohl wenigstens etwas von der ‚Erschütterung' jener Stunde."[111] Dieser Hinweis räumt aber auch ein, daß die Frage nach der Gerichts- und Passionserfahrung Jesu, näherhin die Frage nach dem Grund seiner Erschütterung angesichts der auf seinen Tod sich hinbewegenden Ereignisse, erst teilweise beantwortet ist.

Jesu Schau der vom Satan in Dienst genommenen und zu seinem Verderben nun angetretenen Macht dieser Welt erklärt nur zum Teil die Not und die Qual seines Kampfes von Gethsemane. Der Gang der Ereignisse wird erst in seiner letzten Furchtbarkeit sichtbar, wenn man in Rechnung stellt, daß hier dem Bösen Raum und Macht *gegeben* war. Das Problem tritt in seiner

104 A.a.O., 292.
105 Ebd.
106 Ebd.
107 A.a.O., 293.

108 Ebd.
109 Ebd.
110 Ebd.
111 Ebd.

ganzen Schärfe erst hervor, wenn das Paradox bedacht wird, daß Gott einerseits sich keineswegs zurückgezogen hat, daß er vielmehr auch jetzt machtvoll handelnd gegenwärtig ist, und daß andererseits dennoch das Böse seinen Lauf nimmt. Damit ist erst das Problem in seinem Kern beschrieben. Zur Diskussion steht das Problem des im Toben der Macht des Bösen verborgenen und verborgen wirkenden Gottes. Diesem ‚sub contrariis‘ handelnden Gott sieht Jesus sich in seiner Ölbergstunde gegenübergestellt. Das stürzt ihn in jene Not, die sich in seinem Gebet artikuliert. Barth kommentiert ausführlich dieses Gebet und präzisiert bei dieser Gelegenheit seine Antwort auf unsere Frage. Seine Auslegung konzentriert sich dabei auf drei wesentliche Gesichtspunkte:

(1) den Inhalt der Anrede Jesu an den Vater;
(2) die Einsamkeit, in der er sie vorbringt;
(3) die ihm vom Vater zuteil gewordene Antwort.

Wir folgen dem Duktus der Ausführungen Barths und nehmen wie er die beiden letzten Punkte vorweg.

(2) Jesus sieht sich im Angesicht des Todes, der im Blick auf den sich abzeichnenden satanischen Triumph seine Bitterkeit erhält, einer radikalen Einsamkeit ausgeliefert. Das versteht sich nicht von selbst. Es wäre zu erwarten – so Barth –, daß die berufene Jüngerschaft in dieser Stunde ihrem Herrn Gefolgschaft leistet. Entsprechend der Zusage Jesu, dort gegenwärtig zu sein, wo zwei oder drei in seinem Namen zusammenkommen (Mt 18,20), wäre auch mit der Anwesenheit von wenigstens zwei oder drei Jüngern in diesem Augenblick seiner tiefsten Einsamkeit zu rechnen gewesen. Die Evangelien verzeichnen ausdrücklich Jesu Bitte an seine Jünger, mit ihm zu wachen und zu beten. Aber genau diese Gemeinschaft des Wachens und Betens mußte Jesus in der Stunde, da er den Versucher zum letzten Angriff ausholen sieht, entbehren. Der Ansturm bedrückt ihn, aber er muß ihm in der gleichen Einsamkeit wie vormals in der Wüste standhalten. Jesus sah, „daß, was bevorstand, noch einmal Versuchung, πειρασμός, bedeuten, daß es mit dem jetzt in seiner Bosheit hereinbrechenden Weltgeschehen noch einmal zu der Einflüsterung kommen könnte: ob nicht ein anderer Weg als der angetretene für ihn und dann auch für seine Jünger doch gangbarer sein möchte".[112] In dieser letzten Probe ist Jesus allein gelassen. Er hat sie einsam zu bestehen.[113]

---

112 A.a.O., 294; vgl. K. Lüthi, Gott und das Böse, 231: „Daß Gethsemane Versuchungsstunde ist, ist klar. Schon der Hebräerbrief (5,7) verstand die Erzählung wohl in diesem Sinn. Versuchung ist hier Verführungssituation, indem Jesus es hätte ablehnen können, sich dem Wort Gottes zu beugen. Es ist Versuchung zum Ungehorsam."
113 Der Gedanke der Stellvertretung wird hier in völliger Klarheit anschaulich. Er allein tritt für alle ein. Jesu stellvertretendes Gebet gilt, wie die von Barth in diesem Zusammenhang als

(3) Die Dramatik des Ringens Jesu spitzt sich zu, wenn nun die besondere Gestalt der göttlichen Antwort in Betracht gezogen wird. Hier ist nämlich zunächst zu konstatieren: Eine Antwort des Vaters im Sinne eines sichtbar die Not wendenden Eingriffs zugunsten des in die schreckliche Todeseinsamkeit hineinschreitenden Sohnes bleibt aus. Die von Lk erwähnte Erscheinung des stärkenden Engels (Lk 22,43) muß als Antwort ebenso ausscheiden wie die Auferstehung. Diese lag – so Barth – jenseits der Antwort, die hier erteilt wurde, jene kann nur als „Wegzehrung" bzw. „Bestärkung"[114] gewertet werden, nach der der innere Kampf an Heftigkeit zunahm. Was aber bleibt dann als Antwort übrig? Nach Barth antwortet Gott hier nicht anders als in der Sprache der unerbittlich auf Jesus zustürzenden Ereignisse. Als Antwort kann hier nur das von Jesus selbst proklamierte Zeichen des Jona gelten. „In dieser unbegreiflich schrecklichen Tatsache wird Gott auf seine Anrede Antwort geben, nicht anders."[115] Gott antwortet, indem er die unaufhaltsam auf die Hinrichtung Jesu zulaufenden und vom Bösen in Bewegung gesetzten Ereignisse ihre Sprache sprechen läßt. „Der Wille Gottes geschah, indem der Wille des Satans geschah. Die Antwort Gottes war identisch mit diesem Tatwort des Satans. Das war das Entsetzliche."[116]

(1) Von hier aus fällt nun auch Licht auf den Inhalt des Gebetsrufs Jesu. Barth interpretiert hier vorsichtig – nach W. Günther nicht korrekt.[117] Nach Barth darf Jesu Anruf nicht verstanden werden als Entgegensetzung des eigenen Willens gegenüber der göttlichen Absicht, gleichsam als Unterbreitung eines Gegenvorschlags. Jesus appelliert zwar an die dem Vater offenstehende Möglichkeit, den Ereignissen doch noch eine andere Wendung zu geben, er bittet um eine Abwendung des Zorneskelches, präziser: um eine von Gott doch noch zu bewirkende Verhinderung des drohenden Zusammenfalls seines heiligen Werks mit der finsteren Aktion Satans, um eine

Kommentar herangezogene Stelle Joh 17 bestätigt, jetzt in besonderer Weise seiner Jüngerschaft. Ohne dieses Gebet und ohne sein hier sich ankündigendes Handeln im Leiden wäre auch die Apostelschaft der Gemeinde der „satanischen Determination des Weltgeschehens" (KD IV/1, 295) anheimgefallen. Daß es dazu nicht kam, daß die Jünger vor dem Schlimmsten bewahrt blieben, dafür hat Jesus in dieser schrecklichen Einsamkeit seines Gebets in Gethsemane gesorgt. Damit ist gleichzeitig offenbar geworden, daß das nun in unmittelbare Nähe gerückte Geschehen der versöhnenden Passion allein „die Tat Gottes in Jesus Christus" (KD IV/1,295) ist, ohne alle Mitwirkung oder Beteiligung der an ihn Glaubenden. „Er allein hat an ihrer Stelle gewacht und gebetet" (ebd.).
114 KD IV/1, 295.
115 Ebd.
116 Ebd.
117 Vgl. W. Günther, Die Christologie Karl Barths, 44: „Diese Auslegung weiß mehr als das Neue Testament, ja sie widerspricht dem klaren Wortlaut, der von zwei verschiedenen, einander gegenüberstehenden Willen spricht. Barth hätte hier doch mehr und besser auf die Väter des dyotheletischen Konzils 680/1 hören sollen, wenn er schon von Chalcedon aus das Neue Testament verstehen will."

Abwendung der Übereinkunft und Vereinigung des heiligen Willens Gottes mit dem des Herrschers dieses Äons. Dieser Appell dürfe jedoch nicht als Widerspruch gegen den göttlichen Willen gedeutet werden. Barth führt hier eine subtile Distinktion ein: „Der Inhalt dieser Bitte, dieses Vorübergehen des Kelches wäre dann, *wenn* er dem wirklichen Willen Gottes entsprochen hätte, auch sein, Jesu Wille *geworden*. Er *ist* es noch nicht."[118] Jesus stelle hier nicht dem Willen Gottes einen eigenen Willen gegenüber, auf dessen Durchsetzung er nachher verzichtet hätte. Jesu Anruf des Vaters muß also — wie die Fortsetzung des Gebets erweist — in der Klammer seines vorbehaltlosen Gehorsams verstanden werden, auf dem Hintergrund seiner Bereitschaft, sich dem Vater bedingungslos unterzuordnen und seinem Willen zu folgen. „Er redet Gott nur bittend an im Blick auf eine andere Möglichkeit, die dessen *eigener* Wille sein könnte und gerade nicht aus irgendeiner Voreingenommenheit heraus."[119]

Dennoch muß Jesu Anrede an den Vater als dringliche Bitte aus letzter Not heraus verstanden werden. Was Jesus solche Not bereitet und ihn entsetzt, ist die augenscheinliche Bestätigung des satanischen Herrschaftsanspruchs über die Welt und, daraus resultierend, das drohende Scheitern, der Mißerfolg seiner ihm aufgetragenen Sendung, seines Versöhnungswerks. Er weicht zurück und schaudert vor der offenkundigen Übereinstimmung des göttlichen Handelns mit dem Angriff des Bösen. Oder präziser: Die „kommende Verdeckung der Herrschaft Gottes durch die Herrschaft des Bösen und der Bösen erschütterte ihn".[120]

Nun geht aber Jesus nach kurzem Innehalten, nach einem Augenblick entsetzten Zurückweichens — wie der Abschluß des Gebets zeigt — in vollem Gehorsam in dieses Dunkel hinein, in der Bereitschaft, auch in den Ereignissen, in denen Gott offenbar in der Weise seine Herrschaft ausübt, daß er Satan das Geschehen regieren läßt, „das Bessere, . . . das allein Gute"[121] anzuerkennen und aus der Hand des Vaters entgegenzunehmen. Damit ist kein Verzicht angedeutet, vielmehr schreitet Jesus auf dem Weg, von dem er niemals umgekehrt war, auf dem es nur für einen Moment zu einem kurzen Aufhalten kam, weiter voran, der Vollendung entgegen. Jesus hat den letzten und schärfsten Peirasmos schon überstanden, indem er Gott im Abschluß seines Gebets die Ehre gibt, Gottes Willen über alles stellt und allem eigenmächtigen Greifen nach dem Gericht entsagt. Er entsetzte sich vor dem, was ihm bevorstand. Aber das Grauen, das er schaut, hindert ihn nicht, Gottes Willen gutzuheißen, auch wenn dieser hinter einem Geschehen verschwindet, das nur noch als die Tat des Bösen zu identifizieren ist.

118 KD IV/1, 296.   119 Ebd.   120 Ebd.   121 A.a.O., 297.

Was aber hat er damit auf sich genommen? Was muß er im Gehorsam nun tragen? Und wie stellt sich die Last, die ihm aufgebürdet ist, die Vollendung seines Auftrags in seiner Perspektive dar? Jesus schaut den Abgrund, daran läßt Barth keinen Zweifel. Damit kommt seine Darstellung der Gerichtserfahrung Jesu zu einem Höhepunkt. Es sei daher gestattet, an dieser Stelle ein längeres Zitat einzuflechten: „Es ging ja eben nicht um sein Leiden und Sterben an sich und als solches, sondern um das Entsetzliche, das er in und mit diesem auf sich zukommen sah. Er sah es richtig und genau. Es ging um das Anbrechen der Nacht, ‚in der niemand wirken kann' (Joh. 9,4), in der der gute Wille Gottes mit dem bösen Willen der Menschen, der Welt, des Satans ununterscheidbar eins werden sollte. Es ging darum, daß Gottes Sieg sich jetzt ganz verbarg in dem Triumph seines Widersachers, des Nichtigen, des Allernichtigsten. Es ging darum, daß Gott selbst unverkennbar einen Bund mit dem Tode geschlossen hatte und ihn zu bestätigen im Begriff war. Es ging darum, daß die Ausführung des göttlichen Gerichtes den Händen Jesu entnommen, in die Hände seiner höchst ungerechten Richter gelegt und an ihm selbst vollzogen werden sollte. Es ging darum, daß der als Versucher zurückgeschlagene Feind mit Gottes Erlaubnis und nach seiner Anordnung doch Recht, das unwiderlegbare Recht der Macht, haben und behalten sollte. Es ging darum, daß die Frucht des Gehorsams und der Buße, in der Jesus verharrt hatte – nicht von ungefähr, sondern nach Gottes eigenem Plan, nicht nur auf der Oberfläche, sondern in letztem Ernst – seine eigene Verwerfung und Verdammnis sein sollte. Es ging um das Trinken des Kelches des göttlichen Zornes. . . . Jesus sah diesen Kelch und schmeckte seine Bitterkeit".[122] Indem Jesus zu dieser Antwort Gottes ja sagt, unterwirft er sich in freiwilligem Gehorsam dem Gericht.

V. DAS GERICHT ALS WIEDERHERSTELLUNG DER BUNDESORDNUNG

1. Einleitung

Wir haben bisher Gottes am Kreuz vollzogenes Gericht als durchgreifende und vernichtende Tat seines Zorns beschrieben. Aber eine Darstellung des Gerichtsmotivs in der Versöhnungslehre Barths darf nicht stehenbleiben bei der Beschreibung des verzehrenden Werks der Tötung, wenn sie sich nicht einer Abstraktion schuldig machen will. Das Gericht darf nicht aus seinem Zusammenhang isoliert werden. Der übergreifende Zusammenhang aber, in

122 A.a.O., 298.

dem das Gericht seine notwendige Funktion wahrnimmt, ist der Ur- und Grundwille Gottes zum Bund mit dem Menschen. Das Gericht steht im Dienst des Bundeswillens Gottes. Indem Gott an seinem Ziel festhält, sich vom Zwischenfall der Sünde nicht irritieren und von seinem Plan mit dem Menschen nicht abbringen läßt, übt er am Kreuz sein Gericht aus.

Wir haben dieses Gericht in sich und als solches betrachtet als das gewaltige Nein, das Gott der Störung seiner Bundesabsicht durch die Sünde entgegengestellt hat. Nun ist dieses Nein in seinen Kontext zu stellen: Es ist ein Nein um des Ja willen, ein Nein, auf dessen Grund, wenn auch tief verborgen, das Ja schon gegenwärtig ist. „Gott sagt auch sein Nein nur, um Ja zu sagen.“[1] Der Überlegung, daß Gottes Versöhnung sich im *Gericht* ereignet, ist nun die Ergänzung hinzuzufügen, daß das Gericht nur die Gestalt seiner *Versöhnung* ist. Gottes Absicht ist die Versöhnung als Bestätigung und endgültige Befestigung des Bundes mit dem Menschen. Deshalb gilt es nun zu bedenken, „daß eben das in Jesus Christus schon ergangene Gericht über die ganze Welt, über alles Fleisch, in seiner ganzen Strenge die Form war, in der Gott die Welt nicht in ihrer Vernichtung, sondern zu ihrer Errettung mit sich selbst versöhnen, zu sich selbst hin umkehren wollte und daß er in diesem Gericht tatsächlich *das* getan hat“.[2] Gericht und Gnade stehen nicht im Gleichgewicht zueinander, sondern „Gottes Gericht ist in Gottes Gnade eingeschlossen“.[3] Barth kann den Stellenwert des Gerichts, dessen Ausrichtung auf ein Ziel hin, auch klarmachen im Gebrauch des Begriffspaars Reaktion-Aktion. Gott ist in seiner Aktion begriffen, wenn er auf sein Ziel hinlenkt, er reagiert, wenn er das seinem Ziel im Weg stehende Hindernis ausräumt. „Man kann und muß also wohl die menschliche Übertretung als einen Zwischenfall und ihre Überwindung in Jesus Christus als Gottes kontingente Reaktion gegen diesen *Zwischenfall* verstehen. Es geschieht aber auch diese *Reaktion* als solche im Zug und in der Linie der im Willen Gottes von Anfang an festgelegten und im Gang befindlichen *Aktion*. Sie ist doch nur deren besondere Gestalt angesichts jenes Zwischenfalles. Und gerade in dieser ihrer besonderen Gestalt: indem Gott Mensch wird um unseretwillen, zur Beseitigung unserer Sünde und ihrer Folgen, erweist es sich, daß und wie sie von Anfang festgelegt und schon im Gange ist. Sie ist nicht *nur* eine Reaktion, sie ist das Werk der *Treue* Gottes.“[4]

Die Aufgabe, die uns noch bevorsteht, läßt sich folgendermaßen formulieren: Die im Gericht am Kreuz machtvoll ergangene Reaktion Gottes gegen

1 KD IV/1, 383.
2 A.a.O., 387.

3 A.a.O., 380.
4 A.a.O., 37.

166

die Sünde des Menschen ist im Licht seiner gerade hier nicht aufgehaltenen, sondern fortschreitenden Aktion auszulegen. Im Gericht geschieht von zwei Seiten aus das Rechte. Gott handelt als Erfüller des Bundes. Aber auch auf der menschlichen Seite kommt es – in Jesus Christus stellvertretend für alle Menschen – zur Entsprechung gegenüber dem Bundeswillen Gottes. Gott erweist sich als Herr des Bundes, Jesus Christus als der würdige Partner, als der Mensch, der an Stelle und für alle anderen seiner Berufung entspricht. „Es handelt sich von beiden Seiten um ein Beharren: Von Gott her um das Beharren der Gnade in dem Gericht, dem er eben seinen Erwählten unterwirft, der Liebe im Feuer des ihn verzehrenden Zornes, der Erwählung inmitten der ihn treffenden Verwerfung. Und vom Menschen her um das Beharren im Gehorsam gegen Gott, im Schreien nach ihm allein, in der Zuversicht auf die Gerechtigkeit seines Willens."[5]

2. Gottes Durchsetzung seines Rechts[6]

Im Kreuz als dem Gericht Gottes über den Sünder wird offenbar, daß der Mensch als Täter der Sünde im Unrecht ist. Indem er sündigt, setzt sich der Mensch vor Gott ins Unrecht.[7] Dies setzt zunächst einmal voraus, daß es ein der Sünde überlegenes Recht gibt. Nach Barth ist dieses der Sünde von vornherein überlegene Recht das Recht Gottes. Was ist damit gemeint? Recht bezeichnet einerseits den Gegensatz von Laune und Willkür. Ist von Gottes Recht die Rede, muß jedoch andererseits auch die Vorstellung einer Gott übergreifenden, sein Handeln bestimmenden Ordnung abgewiesen werden. Gott untersteht keinem Gesetz, dem er verpflichtet wäre. Insofern darf kein menschlicher Rechtsbegriff an Gott herangetragen werden. Gott ist vielmehr sich selbst Gesetz. Und das bedeutet: Gott ist „sich selber schlechterdings treu"[8] oder – um es in den Worten des Jakobusbriefs zu formulieren – „ohne Veränderung noch Schatten in Folge von Wechsel' (Jak. 1,17)".[9] Er stimmt mit sich selbst überein. „Diese Übereinstimmung mit sich selbst ist Gottes Recht."[10] Damit er ein Gott des Rechts sei, bedarf es keines Gesetzes, dem er folgen müßte, denn er ist „in sich selber richtig".[11] Die Offenbarung lehrt, daß dieser Aussage ontologisches Gewicht zukommt. Das Recht ist keine Eigenschaft, die zu Gottes Wesen gleichsam

---

5 KD II/2, 134.
6 Vgl. zum folgenden den Abschnitt „Gottes Gericht": KD IV/1, 589-634.
7 KD IV/1, 589.
8 A.a.O., 591.
9 Ebd.
10 Ebd.
11 A.a.O., 592.

hinzukäme. Deshalb präzisiert Barth: „Gott ist *in sich* richtig."[12] In dieser Übereinstimmung mit sich selbst ist Gott auch Schöpfer und Bundesherr des Menschen. D. h. auch im Akt der Erschaffung und Erwählung des Menschen stimmt Gott mit sich selbst überein, ist er sich selbst treu. Er handelt hier in eigener Sache. Schöpfung und Bund bezeichnen ihm keine Nebensache, in der Gott nur teilweise sich selbst ins Spiel bringen würde. Gott ist, weil er sich in Freiheit selbst dazu bestimmt hat, der Gott des Bundes und als solcher auch der Schöpfer. Treue zu sich selbst heißt insofern auch Treue zu seinem Werk als Bundesgott, Treue zum Menschen als dem Partner seines Bundes. Und umgekehrt: Als Schöpfer und Bundesgott stimmt Gott mit sich selbst überein, wahrt er sich selbst gegenüber die Treue. Das heißt: Gott hat sich selbst von Ewigkeit her zum Gott des Bundes bestimmt. Darin hat er kein Zufälliges getan. Er wird sich selbst in dieser Bestimmung nicht mehr zurücknehmen. Es bleibt dabei, daß er in keiner Vergangenheit und in keiner Zukunft ein anderer war noch sein wird als der Gott des Bundes. Gottes Recht bedeutet nun auch: Als der Gott des Bundes wahrt er nicht nur Übereinstimmung mit sich selbst, insofern er sich selbst bestimmt zum Herrn des Bundes, er beansprucht auch die Übereinstimmung des Menschen mit dessen Bestimmung zum Bundespartner. Weil Gott der Gott des Bundes ist, ist auch der Mensch immer schon im Bund mit Gott. Er gehört Gott als Geschöpf und erst recht als begnadetes Geschöpf. Er ist Gottes Eigentum und kann aus diesem Eigentumsverhältnis nicht mehr herausfallen.

Jetzt wird klar, warum die Sünde Unrecht ist. Sie greift Gott selbst an, der kein anderer sein will als der Gott des Menschen, der von vornherein die Sache des Menschen zu seiner eigensten Sache gemacht hat. Von hier aus wird ebenso klar, daß die Sünde als das gegen Gott gerichtete Unrecht dem Recht Gottes unterlegen ist. „Wie groß des Menschen Unrecht sein mag: das kann *nicht* in Frage kommen, daß es mit dem Recht Gottes *derselben* Größenordnung angehörte, ihm also die Waage halten könnte."[13] Die Sünde kann Gott und seine Gnade zwar verhöhnen und bestreiten. Aber sie kann Gott nicht zu einem anderen machen als er ist. Gott ist und bleibt der Gott des Bundes, der sich selbst dem Menschen zugesagt hat, der den Menschen in diesen Bund berufen hat. Die Sünde als das Unrecht des Menschen ändert nichts an dieser Bestimmung bzw. Selbstbestimmung Gottes. „Indem Gott seinem Unrecht gegenüber *Gott* bleibt, bleibt er ihm selbst gegenüber unverändert in seinem *Recht:* dem Recht dessen, der sich selbst zu seinem Schöpfer und Bundesherrn erwählt und gemacht hat."[14] Das Recht Gottes auf den Menschen ist begründet in der Treue Gottes zu sich selbst. Indem

12 Ebd.   13 A.a.O., 595.   14 A.a.O., 596.

Gott sich selbst treu ist, mit sich selbst übereinstimmt, bleibt er bei seiner Selbstbestimmung als Bundesgott. Indem er sein Bundesverhältnis zum Menschen nicht aufhebt, behaftet er auch den Menschen bei seiner Bestimmung, erlaubt er ihm nicht, aus dieser Ordnung auszubrechen, sich selbst neu zu konstituieren, eine neue Schöpfung, „eine Reichsgründung"[15] in seiner Sünde zu vollziehen. Indem Gott so am Menschen festhält als seinem Bundespartner, dessen Unrecht zum Trotz im Recht bleibt, ist die Überlegenheit des göttlichen Rechts gegenüber dem menschlichen Unrecht und dessen Begrenzung durch jenes begründet.

Auf dem hier gewonnenen Grund schreitet Barth nun weiter voran: Gott behält nicht nur theoretisch recht, er übt sein Recht auch aus. „Es ist das Recht, das Gott um seiner selbst willen (weil er kein toter, sondern ein lebendiger Gott ist!) *und* um des seinem Recht auch als Unrechttäter unterworfenen Geschöpfs und Bundespartners, des Menschen willen – und weil der Mensch in diesem doppelten Sinn *sein* ist, *ihm* gehört – noch einmal, auch in diesem Sinn: um seiner selbst willen, ins *Werk* setzt."[16]

Die Sünde des Menschen ist der Versuch, aus dem Bund auszubrechen. Der Sünder will Gott als Bundesgott und sich selbst als Gottes Bundesgenossen nicht wahrhaben. So flieht er vor Gott und seiner eigenen Bestimmung. Insofern ist seine Sünde ein Anschlag auf Gottes Recht, als Bestreitung des göttlichen Rechts (der göttlichen Treue zu sich selbst und zum Menschen als Bundesgenossen) schlechterdings Unrecht. Dabei will und kann Gott als der, der er kraft seiner Selbstbestimmung ist, es nicht belassen. Er duldet diesen Ausbruch des Menschen nicht. Er läßt sich die Bestreitung seines Eigentumsrechts nicht gefallen. Und indem er sein Recht geltend macht, es dem Unrecht des Menschen gegenüberstellt, kommt es zum Konflikt, in dem der Unrechttäter nur unterlegen sein kann. Das ist das Gericht. Und das ist geschehen am Kreuz von Golgatha. „Gerechtigkeit Gottes heißt: Gottes Verneinung, Beseitigung, Hinwegfügung, Vernichtung des Unrechts und des Menschen als dessen Täter."[17] Von hier aus kann das Gericht nun positiv definiert werden: Gott richtet (und das heißt: er tötet und vernichtet), weil er nicht auf sein Recht und dessen Durchsetzung verzichtet, weil er eine Störung der von ihm gesetzten Bundesordnung nicht hinnimmt, letztlich weil er sich selbst als Bundesgott nicht verleugnet und als solcher am Menschen festhält, ihn als Bundesgenossen nicht aus dem Treueverhältnis entläßt.

Barth weist schon auf den tiefsten Grund dieser Inkraftsetzung und Behauptung des göttlichen Rechts – und das heißt, des Gerichts – hin,

15 A.a.O., 595.   16 A.a.O., 597.   17 Ebd.

wenn er feststellt: „Es ist Gott nicht zu gering, sein Recht, seine Herrschaft, seinen Anspruch als Schöpfer und Bundesherr gegen des Menschen Unrecht und gegen den Menschen als dessen Täter zu verteidigen und durchzusetzen, es auf jene Krise ankommen zu lassen."[18] Damit erhebt sich sogleich die Frage: „Haben wir nicht schon damit indirekt und implizit etwas ganz Anderes, ein den Begriffen Unwillen, Widerspruch, Widerstand, Zorn Gottes scheinbar gerade Entgegengesetztes gesagt?"[19] In der Tat, für Barth besteht kein Zweifel: Wo Gott sein Recht dem Unrecht des Menschen entgegenstellt und es im Gericht zum Konflikt kommen läßt, dort handelt er als der gnädige Herr. „Was kann also sein *Recht* über und auf den Menschen, indem es, in dem inneren Recht seiner Gottheit begründet, höchstes und strengstes Recht ist, Anderes sein als das Recht seiner *Gnade* – und was dessen Ausübung und Anwendung in seiner *Gerechtigkeit* Anderes als in seinem Kern und Wesen der Vollzug seiner *Gnade*?"[20] Von hier aus ist die Gleichung zu wagen: Im Gericht setzt Gott seine Gnade ins Werk. Indem er am Kreuz von Golgatha in seinem eigenen Sohn den Sünder vernichtet, handelt er als der Bundesgott, der den Bund nicht annulliert, sondern erfüllt. Gott kehrt sich vom Menschen nicht ab, sondern bewahrt ihm „auch in Form dieses von ihm her über ihn und sein Unrecht hereinbrechenden Gerichtes"[21] seine Gnade und seine Gemeinschaft. Der Bund ist nicht aufgehoben, sondern bestätigt. Von seiten Gottes ist das Notwendige und Rechte getan zu seiner Erfüllung und Befestigung.

Aber damit ist der Kreis noch nicht geschlossen. Gott bleibt zwar im Bund mit dem Menschen. Aber der Mensch war ja infolge seiner Sünde als Bundespartner ausgefallen. Inwiefern ist auch von menschlicher Seite aus das Notwendige und Rechte getan zur Erfüllung dieses Bundes? Es wird also zu zeigen sein, wie im Gericht auch von seiten des Menschen der Bund gehalten ist.

3. Die „Rechttat"[22] des Menschen Jesus Christus

Wir haben gesehen: Gott setzt im Gericht am Kreuz sein Recht durch, und zwar gerade als der treue Gott des Bundes. Gott erhält also den Bund auch angesichts des menschlichen Bundesbruchs aufrecht. Er bleibt auch im Gericht der gnädige Gott. Soll auf menschlicher Seite der Bund gehalten werden, so müßten folgende Bedingungen erfüllt werden: Dem gnädigen

18 A.a.O., 598.
19 Ebd.
22 KD I/2, 172; KD IV/1, 619; KD IV/3, 1. Hälfte, 122.

20 A.a.O., 598f.
21 A.a.O., 599.

Gott müßte der Gottes Gnade gelten lassende, sie anerkennende und ganz aus ihr lebende Mensch entsprechen.[23] Nun begegnet aber Gottes Gnade dem Menschen, der ja immer schon der Sünder ist, nur in der Gestalt des verzehrenden Gerichts. Gottes Gnade entsprechen und ihr recht geben kann also auf dem Hintergrund der menschlichen Sünde nur heißen: Der Mensch müßte sich Gottes Gericht unterwerfen. Damit ergibt sich aber ein zweifaches Problem:

1.) Der Gottes Gnade entsprechende Mensch existiert nicht. Der Mensch ist ja faktisch der Sünder, der sich im Ungehorsam weigert, aus Gottes Gnade zu leben. Seine Sünde ist ja Gnadenfeindschaft.[24]

2.) Selbst wenn der Sünder in einem Akt des Gehorsams und der Zuwendung zu Gottes Gnade sich unter dessen Gericht stellen würde, könnte das ja nur seinen Tod bedeuten. Denn Gottes Gericht erleiden heißt vergehen, von Gottes Zorn hinweggefegt werden. Der Mensch wäre damit aber Gottes Hand entfallen.[25]

Auf den Menschen gesehen besteht damit keine Aussicht auf Festigung und Erfüllung des Bundes auf seiner Seite. Und doch gehört zum Bund der Bundeswille auf zwei Seiten. Soll Gottes Bund wirklich werden, muß er auch auf menschlicher Seite erfüllt werden. Aus diesem Dilemma gibt es nur einen Ausweg: Gott selbst muß auf der Seite des Menschen die Initiative ergreifen. Er selbst muß dafür sorgen, daß auf seiten des Menschen der Bund gehalten wird. D. h. er muß in einem neuen schöpferischen Akt den menschlichen Bundespartner auf den Plan führen: den Menschen, der ganz aus seiner Gnade lebt, der ihr entspricht und sie in Dankbarkeit anerkennt. Der Mensch, der dem gnädigen Gott recht gibt und so den Bund hält, kann auf dem Hintergrund der Unrechtsgeschichte aber nur der sein, der sich zur menschlichen Sünde bekennt und sich Gottes Gericht unterwirft. Man kann den Sachverhalt nur paradox formulieren: Von Gottes Gnade leben kann, da die Sünde geschehen, da der Mensch zum Sünder geworden ist, nur bedeuten: in Gottes Gericht vergehen. Denn der Sünder begegnet dem gnädigen Gott nur im Gericht. Gericht aber heißt Tod und Vernichtung des Sünders.

Und nun sagt Barth: Dieser Mensch, der ganz aus Gottes Gnade lebt, der Gottes Gnade vorbehaltlos recht gibt und sich gerade damit, weil er sich an die Stelle des Sünders begibt und sich mit dem Sünder identifiziert, Gottes Gericht unterwirft, ist Jesus Christus. In ihm hat Gott im Akt der

23 Vgl. Teil II, II, 1 unserer Arbeit.
24 S. Anm. 23.
25 KD IV/1, 617.

Menschwerdung die Grenze überschritten[26] und den zwischen ihm und dem Sünder klaffenden Abgrund ausgefüllt. Gott selbst ist auf menschlicher Seite, d. h. als Mensch sein eigener Bundespartner geworden.[27]

Im Blick auf den Menschen Jesus Christus ist zu sagen: Er ist kraft der in ihm vollzogenen Erniedrigung[28] des Sohnes Gottes der neue[29], der wahre Mensch.[30] Barth sagt: „Jesus Christus ist *anders* Mensch als wir anderen, und darin, daß er es anders ist, ist er unser Versöhner mit Gott."[31] Was bedeutet das, daß Jesus Christus der neue, der wahre Mensch ist, daß er anders Mensch ist als wir? Jesu Christi wahres Menschsein besagt: Hier lebt ein Mensch ganz aus Gottes Gnade und ganz ihr zugekehrt. Er ist der einzige, der sein Menschsein so, wie es Gottes Wille entspricht, wahr macht, weil er ganz mit Gott übereinstimmt. Barth formuliert: „Die Gnade des Ursprungs Jesu Christi bedeutet die prinzipielle Erhebung seiner menschlichen *Freiheit* zu deren *Wahrheit*, d. h. in den *Gehorsam*, in dessen Ausübung sie − keine übermenschliche, sondern gerade die *rechte menschliche* Freiheit wird."[32] Noch deutlicher und präziser lassen sich Barths Aussagen zu Jesu wahrer Erfüllung des Menschseins in folgenden zwei Sätzen zusammenfassen: „Jesus ist schlicht der Mensch, in dessen menschlichem Sein, Denken, Wollen, Reden und Tun es genau zu jener dankbaren *Bejahung* der dem menschlichen Geschlecht, dem ganzen geschaffenen Kosmos zugewendeten *Gnade Gottes* kommt, die wir Anderen alle ihm verweigern und schuldig bleiben. Er ist der Mensch, der (in seiner Geschöpflichkeit und Fleischlichkeit uns gleich, unser Bruder in allem) in der *Tat* seines Lebens den Bund Gottes mit seinem Volk nicht bricht, sondern seinerseits hält."[33]

26 A.a.O., 94.

27 Vgl. a.a.O., 12: „Und wieder weil er Gott ist, hat und übt er auch die Kraft, als dieser Mensch an unser Aller Stelle sein eigener *Partner* zu sein, der der Bestimmung des Menschen zum Heil, der wir Alle widersprechen, in freiem Gehorsam *gerecht* wird und so auch *uns* genug d. h. auch das für uns positiv Genügende zu tun." Vgl. auch a.a.O., 615; KD IV/2, 45: „Er, der Schöpfer, wollte zur Versöhnung der ihm entfremdeten Welt selbst auch als Geschöpf existieren, er, der Herr des Bundes wollte selbst auch dessen menschlicher Partner und so auch von dieser Seite dessen Erfüller sein."

28 Zu Barths Neuinterpretation der Zwei-Stände-Lehre und der von ihm vollzogenen Verknüpfung von Erniedrigungs- und Erhöhungsaussage vgl. KD IV/1, 145-148 und KD IV/2, 1-172.

29 Zur Prädizierung Jesu als des neuen Menschen vgl. KD IV/1, 53.284; KD IV/2, 31.40.75. Barth spricht auch im Blick auf Jesus von der „neue(n) Schöpfung": KD I/2, 147; KD IV/1, 52; KD IV/2, 48. Vgl. auch KD IV/2, 127, wo Barth von einer neuen Verwirklichung des Menschseins spricht.

30 Zum Begriff des wahren Menschen bzw. des wahren menschlichen Wesens vgl. KD IV/2, 31f.75.78.130; KD IV/3, 1. Hälfte, 439; vgl. auch KD IV/1, 144: „Eben was in Ihm als diesem *einen*, wahren Menschen geschehen ist, ist uns *Aller* Umkehrung zu Gott hin, das Wahrwerden alles Menschseins."

31 KD IV/1, 143.

32 KD IV/2, 101.

33 A.a.O., 31.

Die letzte Wendung liefert das wesentliche Stichwort, das hier weiterführt: die Tat des Lebens. Jesu neues Menschsein kann nur im Blick auf die Geschichte seines Lebens, seiner „Lebenstat" recht verstanden und gewürdigt werden.[34] Jesu Vollzug seines Lebens kann zusammengefaßt werden in dem Begriff Gehorsam. Sein Weg vom Jordan zum Kreuz ist der Weg des Gehorsams. Er ist darin der neue, Gottes Gnade zugekehrte und entsprechende Mensch, daß er als einziger Gott den schuldigen Gehorsam erweist. Und nun muß wieder die Realität der Sünde bedacht werden. Zwischen Gott und Mensch steht ja als störendes Element die Sünde. Und Jesus steht ganz auf der Seite des Menschen. Sein Werk des Gehorsams besteht darin, Gott gegen sich selbst als dem einen großen Sünder recht zu geben.[35] Genau das ist sein Lebens- und Heilandswerk. Die Zusammenfassung und Vollendung seiner Lebenstat geschieht im Ereignis des Karfreitags.[36] So stellen es die neutestamentlichen Autoren dar: „In dem, was am Karfreitag geschehen ist, haben sie das eigentliche Christusgeschehen als den Sinn des ganzen Lebenstages Jesu gesehen."[37] Barth kann das Ereignis dieses Tages prägnant zusammenfassen in folgenden Worten: Jesus Christus hat stellvertretend „den dem Menschen als Gottes Bundesgenossen zukommenden *Gehorsam* geleistet und also Gottes *Wohlgefallen* gefunden: gerade damit, daß er aller Menschen Sünde auf sich genommen und den Tod, dem sie alle verfallen waren, als seinen Tod erlitten, gerade damit, daß er sich als das Opfer aus freiem Willen hergegeben hat, das, indem Gott sich dem Menschen gegenüber ins Recht setzte, fallen mußte, gerade indem er es sich gefallen ließ, den Zorn Gottes, jenes Brennen seiner Liebe in seiner eigenen Seele, an seinem eigenen Leibe zu erleiden. Eben darin war er gehorsam. Eben darin war er der Gerechte".[38] Der göttlichen Geltendmachung und Durchsetzung seines Rechts entspricht so das menschliche Werk der Gerechtigkeit. Barth spricht von der „Rechtstat"[39] des Todes Jesu. Der treue Gott hat hier im schrecklichen Geschehen des Karfreitags den treuen Menschen gefunden. Indem er sich am Kreuz dem Gericht Gottes in bedingungslosem Gehorsam unterwarf, hat Jesus Christus sich als *„der gerechte Mensch"*[40] erwiesen. Er hat das

---

34 KD IV/1, 138f.

35 A.a.O., 284.

36 KD IV/2, 157: „Sein Tod am Kreuz war und ist der *vollendete* Vollzug der Fleischwerdung des Wortes und also der Erniedrigung des Gottessohnes und der Erhöhung des Menschensohnes. Dieser *Vollendung* ging er in jener ersten Ereignisfolge entgegen − aber doch erst *entgegen.* "

37 KD I/2, 118.

38 KD IV/1, 101.

39 A.a.O., 619.

40 A.a.O., 283; vgl. KD II/2, 837: „Nun hat gerade der eine Gerechte gar keine Gerechtigkeit anzumelden in unserem Namen, zu unseren Gunsten. Nun kann gerade dieser eine Gerechte

Rechte getan.[41] „Denn das auf Erden, das menschlich Rechte, das Rechte in der Weltgeschichte, gegen sie und für sie, ist eben der *Gehorsam* des Geschöpfs – ebenso wie die Sünde das Unrecht ist (1. Joh. 3,4), weil und indem sie sein Ungehorsam ist (Röm. 5,19).“[42] Damit hat Jesus Christus als der neue Adam gutgemacht, was der erste Adam und in ihm alle übrigen Menschen „böse" gemacht haben.[43] Darin ist das Rechte geschehen, „daß er sich das zu sein nicht weigerte, was sie alle durchaus nicht sein wollen: der eine große Sünder, der mit allen Konsequenzen, die das nach sich zieht, Buße tut, er selber das eine verlorene Schaf, der eine verlorene Groschen unter hundert, der verlorene Sohn (Luk. 15,3f.) und also: als der Richter selbst der Gerichtete zu sein".[44]

So ist Jesus Christus der Versöhner geworden.[45] So hat er auf seiten des Menschen den Bund erfüllt.[46] „Die Beleidigung Gottes durch die Untreue seines Bundesgenossen und eben damit dessen Elend ist in Ihm aufgehoben; der Mensch hält und bewährt in Ihm Gott gegenüber dieselbe Treue, die Gott ihm gegenüber zu halten und zu bewähren nie aufgehört hat."[47]

Wir fassen zusammen: Im Leiden und Sterben Jesu Christi kommt es zum *menschlichen* Werk der Entsprechung gegenüber Gottes auch angesichts der Sünde aufrecht erhaltenem Gnadenangebot. Jesus Christus hat als einziger Mensch und stellvertretend für alle übrigen am Kreuz Gott den schuldigen Gehorsam geleistet. Damit hat er das Rechte und so Gottes Rechtsanspruch Genüge getan. Indem in Jesus Christus der Mensch Gottes Gnadenangebot annimmt, indem in ihm der Mensch Gott so zugekehrt ist, wie Gott sich von Ewigkeit her dem Menschen zugewendet hat, ist der Bund geschlossen und befestigt. Gottes Bundeswille trifft nun nicht mehr ins Leere, sondern findet auf seiten des Menschen Bestätigung und dankbare Anerkennung.[48]

nur darin gerecht sein an unserer Stelle, nur darin gehorsam zu unseren Gunsten, daß er sich zu unserer Ungerechtigkeit bekennt und den Kelch des zeitlichen und ewigen Verderbens, das unserer Übertretung folgen muß, trinkt bis auf die bittere Neige."

41 KD IV/1, 282ff.618.

42 A.a.O., 283.

43 KD I/2, 172; KD II/1, 513f.; KD IV/1, 13.283.

44 KD IV/1, 285.

45 Zur Bezeichnung Jesu als Versöhner vgl. KD IV/1, 143.217; vgl. auch a.a.O., 144f.: „Eben indem er so wahrer Mensch war, ist und sein wird, ist die Umkehrung des Menschen zu Gott hin in Ihm geschehen, ist sie in Ihm vollbracht als die Umkehr und so als die Versöhnung aller Menschen, als die Erfüllung des Bundes."

46 Zum Gedanken der Erfüllung des Bundes auf menschlicher Seite im Werk Jesu Christi vgl. KD I/2, 114; KD III/2, 55.255; KD IV/1, 94.137.144f.; KD IV/2, 148.168.

47 KD IV/1, 94.

48 Gewiß finden sich in Barths Versöhnungslehre auch Formulierungen, die den Vorwurf einer Vernachlässigung der Rolle der menschlichen Natur im Versöhnungswerk verständlich machen. Vgl. hierzu H. U. von Balthasar, Karl Barth, 380; H. Bouillard, Karl Barth, Bd. II/1, 118ff. In diesem Zusammenhang ist auch an G. C. Berkouwer, Der Triumph der Gnade in der

EXKURS: ZUR KRITIK DER VERSÖHNUNGSLEHRE K. BARTHS BEI R. PRENTER[1] UND E. W. WENDEBOURG[2]

Es ist nicht möglich, an dieser Stelle die kritischen Anmerkungen ausführlich und eingehend zu diskutieren, die R. Prenter und E. W. Wendebourg im Rahmen ihrer der Barthschen Christologie bzw. Ekklesiologie gewidmeten Studien der Versöhnungslehre K. Barths zugedacht haben. Hier soll nur der Blick auf zwei Einwände gerichtet werden, die beide Autoren gegen den versöhnungstheologischen Entwurf Barths vorbringen.

Zunächst aber ist auf den Ausgangspunkt der hier vorgetragenen Kritik hinzuweisen, der bei beiden Autoren übereinstimmt. Beide Theologen sehen den eigentlichen Fehler des Gesamtkonzepts der Theologie Barths in dem Übergewicht seiner Erwählungs- bzw. Prädestinationstheologie, in der geradezu der Schlüssel zum theologischen Werk Barths zu finden sei.[3] Der Prädestinationsgedanke – darin sind Prenter und Wendebourg sich einig – bestimme auch in entscheidendem Maß die Gestalt der Versöhnungslehre.[4] Im Grunde gehe es bei Barth nicht mehr um Versöhnung als eine geschichtliche Tat, um ein geschichtliches Werk, in dem das Heil allererst gewirkt werde, sondern um eine Demonstration bzw. Bezeugung dessen, was von Ewigkeit her im Heilsratschluß Gottes beschlossen war.[5] Der Tenor der Kritik lautet: Das Heil könne bei Barth nicht im geschichtlichen Ereignis des Leidens und Sterbens Jesu begründet sein, da in Gott schon von Ewigkeit her der Entschluß gefaßt sei, das Heil dem Menschen zuzuwenden. Der

---

Theologie Karl Barths, 277ff., zu erinnern, der im Blick auf bestimmte Formulierungen bei Barth von „einem Theopaschitismus in neuem Gewande" (a.a.O., 279) spricht.
Hier kam es darauf an, Barths Anliegen herauszuarbeiten. Und Barth möchte deutlich machen: Im Vollzug der Versöhnung steht dem göttlichen Werk des Gnadenangebots das menschliche Werk des Gehorsams und der Anerkennung gegenüber, das die Gnade Gottes (das Heil für die Menschen) zwar nicht als eine Gegenleistung beanspruchen kann (vgl. hierzu KD IV/3, 1. Hälfte, 439ff.), wohl aber Gottes Gnade in vollkommener und Gott wohlgefälliger Weise entspricht. Insofern kann Barth von diesem Werk des Gehorsams sprechen als der Bundeserfüllung auf menschlicher Seite (vgl. Anm. 46) und vom wahren Menschen Jesus Christus als „Grund der Versöhnung der Welt mit Gott" (KD IV/2, 32).
1 R. Prenter, Karl Barths Umbildung der traditionellen Zweinaturlehre in lutherischer Beleuchtung. Eine vorläufige Beobachtung zu Karl Barths neuester Darstellung der Christologie: StTh 11 (1957) 1-88.
2 E. W. Wendebourg, Die Christusgemeinde und ihr Herr.
3 Prenter, a.a.O., 72, sieht „die ganze Theologie Barths in dieser Prädestinationslehre enthalten". Wendebourg, a.a.O., 196, weist der Prädestinationslehre „einen besonderen Platz und eine besondere Funktion" für die gesamte Dogmatik Barths zu.
4 Prenter, a.a.O., 66, spricht vom „Prädestinationsgedanken Barths als Zugang zu seiner Christologie und Versöhnungslehre". Wendebourg, a.a.O., 196, erklärt: „Es soll schon in der Gotteslehre selbst geklärt und ausgesagt werden, inwiefern und in welcher Weise Gott als das Subjekt seines Heilshandelns zu verstehen ist: nämlich daß Gott schon als Gott nie anders als in Beziehung auf den Menschen gedacht werden kann".
5 Prenter, a.a.O., 40f.84f.; vgl. a.a.O., 64ff.; Wendebourg, a.a.O., 214.

eigentliche Mangel der von Barth vorgelegten Versöhnungslehre liege im Zurücktreten der heilsgeschichtlichen Perspektive hinter den Aspekt der vor aller Geschichte in Gott schon vollzogenen Erwählung des Menschen in Christus.[6] Das geschichtliche Ereignis der Inkarnation bzw. des Kreuzes mache nur wahr, was in Gott schon Wirklichkeit sei.[7] Damit ist – in knapper Skizze – der Ansatzpunkt der Kritik fixiert, die nun gegen die konkrete Durchführung der Barthschen Versöhnungslehre ins Feld geführt wird.

Zwei Haupteinwände, die auf dieser Basis beide Theologen gegen Barths Lehre von der Versöhnung vorbringen, sollen nun kurz beleuchtet werden.

R. Prenter eröffnet seine kritischen Ausführungen mit der Frage: „Wer versöhnt und wer wird versöhnt in Barths Versöhnungslehre?"[8] Diese Frage läßt sich von Barths Definition der Versöhnung her klären, die nach Prenter in folgende Richtung weist: „Sie betrachtet Gott immer einseitig als das handelnde Subjekt der Versöhnungstat und den Menschen als deren Objekt."[9] Prenter wirft Barths Versöhnungslehre also Einseitigkeit vor. Er umschreibt diese Einseitigkeit noch schärfer, wenn er feststellt: „Für die echten Vertreter des ‚klassischen' und des objektiven Versöhnungsgedankens bedeutet die Tatsache, daß die Versöhnung sich nicht nur auf den Menschen, sondern auch auf Gott erstreckt, daß *nicht nur der Mensch mit Gott versöhnt wird, sondern auch Gott mit dem Menschen*. Als Mensch muß auch Jesus Christus ein Hindernis bei Gott überwinden, damit die unterbrochene Gottesbeziehung wieder hergestellt werden kann, eine von Gott eingesetzte Rechtsordnung, die nicht gestört werden darf, das gerechte Urteil Gottes, der rechtfertige Zorn Gottes, oder wie dies nun ausgedrückt wird."[10] Auf die Frage, ob diese Regel bei Barth respektiert werde, antwortet er zunächst überraschend: „Ja, untersucht man dies näher, dann erscheint die Versöhnungslehre Barths vom ‚klassischen' Typ zu sein, indem Christus als Versöhner nicht *nur* ein Hindernis bei dem Menschen zu überwinden hat, nicht *nur* den Menschen als Objekt der Versöhnung hat, insofern die Versöhnung des Menschen ‚Umkehrung zu Gott hin' ist, sondern indem Christus als Versöhner *auch* ein Hindernis bei Gott zu überwinden hat, so daß Gott nicht nur der wird, der *versöhnt*, sondern auch der, der *versöhnt wird*, daß der Mensch Jesus Christus nicht nur den ‚versöhnten' Menschen repräsentiert, sondern auch als Mensch *Versöhner* ist . . . Insofern das

---

6 Prenter, a.a.O., 74f; Wendebourg, a.a.O., 208.

7 Nach Prenter, a.a.O., 77, kommt dem in der Geschichte vollzogenen Heils- bzw. Versöhnungswerk bei Barth nur die Funktion der Offenbarung der ewigen Wirklichkeit des göttlichen Gnadenratschlusses zu: „Die Inkarnation soll uns ermöglichen, hier in der Zeit zu *erkennen*, was wir ewig sind."

8 Prenter, a.a.O., 43.   9 A.a.O., 44.   10 A.a.O., 49.

Gericht, unter welchem sich Christus als Mensch stellvertretend für uns richten läßt, *Gottes* Gericht ist, das seiner ewigen Wahrheit entspringt, besteht ein wirkliches Hindernis bei Gott, das zu überwinden ist, wenn die Versöhnung zustande kommen soll, nicht nur ein Hindernis beim Menschen."[11] Prenter korrigiert allerdings rasch seinen Eindruck, Barths Versöhnungslehre scheine doch mit der klassischen Theorie übereinzustimmen – man erfährt leider nicht präzise, was er unter dem klassischen Typ der Versöhnungslehre näherhin versteht – wenn er feststellt: „Barths Versöhnungslehre liegt aber nur scheinbar mit dem ‚klassischen' Versöhnungsgedanken auf gleicher Linie."[12] Er versucht dies nachzuweisen in einem Vergleich mit der Lehre des Athanasius, in den auch Passagen über die Auferstehungslehre mit einbezogen werden.[13] Der Vergleich führt ihn zu folgendem Ergebnis: „Als erstes haben wir also in Barths Auffassung von der Passion Jesu als stellvertretendes Erleiden der Strafe konstatiert, daß hierin sich nicht *unmittelbar* die Liebe Gottes und Jesu Christi, sondern unmittelbar nur das gerechte Urteil über uns offenbart. Der zweite Punkt ist folgender: Gerade dadurch wird unser Widerstand gegen Gott im Grunde nur schärfer, indem wir einen Kontrast bilden zu diesem Tod als der stellvertretenden Strafe. Von hier aus verstehen wir leicht, warum der Schwerpunkt in Barths Versöhnungslehre an der gleichen Stelle liegen *muß* wie in den subjektiven Versöhnungslehren, nämlich in der Umkehr des *Menschen* zu Gott, und nicht dort, wo wir den Schwerpunkt in den objektiven und ‚klassischen' Theorien fanden, im Entfernen des Hindernisses, das *bei Gott* lag: in der Unerschütterlichkeit seines gerechten und berechtigten Urteils."[14]

Wir sehen hier ab von der Frage, ob Prenter Barth korrekt verstanden und interpretiert hat, und stellen sogleich neben seine Kritik den Einspruch E. W. Wendebourgs, der – offenkundig und zugestandenermaßen von Prenter inspiriert[15] – auf der gleichen Ebene gegen Barth argumentiert. Wendebourg vermißt in Barths Versöhnungslehre zwar nicht die Vorstellung von der Entfernung eines Hindernisses bei Gott, wohl aber den Gedanken von Gottes Umkehr vom Zorn zur Gnade. „Versöhnung besteht in der analogischen Konkretion der Gott-Sohn-Relation durch das Verhältnis Gott – Mensch in Jesus und der darin aufgerichteten neuen Inverhältnissetzung der ganzen Menschheit zu Gott in dem Menschen Jesus. Von einer Hinkehrung Gottes zum Menschen im Sinne einer Wendung Gottes vom

---

11 A.a.O., 49f.
12 A.a.O., 50.
13 A.a.O., 50ff.
14 A.a.O., 59f.
15 Vgl. Wendebourg, a.a.O., 35, Anm. 2; 42, Anm. 5 (Hinweise auf Prenter!).

Zorn zur Gnade und damit von einer Versöhnung Gottes (gen. obj.) – Gott versöhnte die Welt sich = mit sich (2. Kor. 5,19) – kann keine Rede sein. Das einzige, von dem die Rede ist, ist dieses, daß Gott sein innertrinitarisches Verhältnis als die Präfiguration seines Weltverhältnisses hin zur Welt öffnet und in die Andersheit hineingeht, darum und weil er selbst einer und ein anderer ist. In diesem Eingehen in die Andersheit, in die ‚Fremde‘, nicht aber in der Überwindung des Zornes durch die Liebe und damit in der Überwindung der Gesetzesproblematik, liegt im tiefsten das Problem dieser von Barth geschilderten Versöhnung.“[16]

Was nun an der kritischen Stellungnahme sowohl Prenters wie auch Wendebourgs problematisch erscheint, ist folgendes: Beide Theologen fordern, Versöhnung, d. h. die Tat Jesu Christi, sein Leiden und Kreuz müsse verstanden werden als Überwindung eines Hindernisses in Gott bzw. eine Überwindung des Zorns Gottes. In Gott müßten gleichsam die Liebe und Gnade erst die Oberhand gewinnen, nachdem die Gerechtigkeit zufriedengestellt ist. Hier werden aber Gerechtigkeit und Liebe bzw. Gnade Gottes in ein Verhältnis gesetzt, das uns nicht tragbar erscheint, dem Barth mit Recht widersprochen hat. Hier wird also Barths Versöhnungslehre von einem Maßstab und von Voraussetzungen her beurteilt, die zumindest fragwürdig sind.

Vom Standpunkt der katholischen Theologie, zum Beispiel vom Standpunkt des Thomas von Aquin aus ist dieser Barth-Kritik gegenüber folgendes festzustellen: 1.) Urgrund und Erstursache unserer Erlösung bzw. Versöhnung ist Gott, der Vater bzw. die hl. Dreifaltigkeit. Thomas spricht dies klar aus in S. th. III, 47,3; 48,5. A. Hoffmann kommentiert die Lehre des hl. Thomas folgendermaßen: „‚Ewigkeiten bevor‘ der Gottmensch in die Raumzeitlichkeit eintrat, bestand der Heilswille Gottes und der Erlösungsratschluß im Herzen des Vaters, der das freie, in Liebe und Gehorsam vollzogene Kreuzesleiden des Sohnes als Heilmittel für die Menschen *verordnete*. Diesem Plane gemäß hat der Vater in der *Zeit* einen zweifachen verursachenden Einfluß auf das Leiden des Sohnes ausgeübt. Er hat den freien Akt, mit dem der menschgewordene Sohn aus Liebe den Auftrag in Gehorsam erfüllte, *angeregt*, indem Er in das menschliche Herz des Sohnes die übernatürliche Tugend der *Liebe* ergoß und indem Er in jeder Liebesbewegung eben dieses Herzens wirksam blieb. So hat auch der in der Zeit vollzogene Liebesgehorsam des Sohnes im Herzen des Vaters seine eigentliche Heimat; auch die Ausführung des Heilsplanes ist im Tiefsten Werk des

16 A.a.O., 49.

Vatergottes, so sehr auch der menschliche Wille des Herrn daran beteiligt ist".[17]

2.) Aus dem ersten Satz, daß Gott, der Vater bzw. die heiligste Dreifaltigkeit die primäre Ursache des Versöhnungsleidens Jesu Christi ist, folgt nun unmittelbar: Gott muß nicht erst umgestimmt werden. In ihm ist nicht erst ein Hindernis zu überwinden, in ihm muß auch keine Veränderung vorgehen, keine Bewegung oder Hinkehr erfolgen vom Zorn zur Gnade. Auch diese Einsicht ist bei Thomas klar ausgesprochen. Aus seiner Antwort auf den Artikel „Utrum per passionem Christi simus Deo reconciliati" (S. th. III, 49,4) geht klar hervor, daß der Schluß unzulässig ist, die „Versöhnung sei mit einer Veränderung des göttlichen Willens verbunden gewesen. Der sich der Versöhnung erschließende Vater ‚begann nicht von neuem' uns zu lieben, sondern die Veränderung vollzog sich einzig auf Seiten des Geschöpfes. Das Leiden Christi hat uns in dem Sinne mit Gott versöhnt, daß die Ursache des göttlichen Zornes, die Sünde, beseitigt und ein höheres Gut dem Vater in eben diesem Leiden dargeboten wurde".[18] Auch die Genugtuung kann im strengen Sinn „nicht als Hervorbringung einer Gesinnungsänderung in Gott, sondern . . . nur als Veränderung im Menschen, als Ablassen vom Unrecht und Übernahme einer ausgleichenden Strafe verstanden werden".[19] Im gleichen Sinne äußern sich auch M. Schmaus,[20] J. Pohle[21] und J. Rivière.[22] Barth befindet sich durchaus in Übereinstimmung mit der Tradition, ihm ist daher gegen seine Kritiker recht zu geben, wenn er es ablehnt, die Versöhnung als ein Bewegen und Umstimmen Gottes, als eine Veränderung in Gottes heiligem Willen auszulegen.

Prenter und Wendebourg verknüpfen sodann mit dem Vorwurf einer einseitig subjektiven Versöhnungslehre den Einwand, Barth reduziere in

17 A. Hoffmann, Des Menschensohnes Leiden und Erhöhung. Kommentar zu III, 46-59: DThA, Bd. 28, Heidelberg/Graz 1956, 378.

18 A.a.O., 415.

19 O. H. Pesch, Die Theologie der Rechtfertigung bei Martin Luther und Thomas von Aquin, 590.

20 M. Schmaus, Katholische Dogmatik, Bd. II/2, 370: „Durch das Sühnopfer sollte nicht etwa Gott beschwichtigt oder umgestimmt werden. Gottes Gesinnung ist nicht wandelbar."

21 J. Pohle – J. Gummersbach, Lehrbuch der Dogmatik, Bd. 2, Paderborn [10]1956, 249: „Auch das Leiden Christi konnte nicht in dem Sinne den göttlichen Zorn besänftigen, als ob es als wirkliche *Ursache* oder Motiv auf den göttlichen Willen gewirkt und in ihm einen ‚Umschwung' der Gesinnung herbeigeführt hätte; denn das Wollen und Wesen Gottes, aus und durch sich selbst von Ewigkeit bestimmt, läßt sich von außen her in keiner Weise beeinflussen."

22 J. Rivière, Le dogme de la Rédemption. Étude théologique, 320: „La foi catholique n'admet pas et n'a jamais admis en Dieu un combat entre sa justice et sa miséricorde, comme si l'être divin était partagé entre le besoin de punir et le désir de pardonner." Vgl. a.a.O., 321: „Qu'on ne s'imagine pas non plus que cet amour a besoin d'être déterminé, et comme provoqué du déhors, par une intervention bienfaisante; que la mort rédemptrice de Jésus-Christ a été nécessaire pour surmonter je ne sais quelle divine résistance."

unzulässiger Weise die Rolle der Menschheit Jesu im Geschehen der Versöhnung. Für Prenter läuft die von Barth vorgenommene scharfe Trennung zwischen Jesu Todesleiden, das auch eine menschliche Aktion ist, und der Auferstehung, die als reine Tat Gottes verstanden werden muß, darauf hinaus, *„daß die Menschlichkeit Jesu im Grunde nur ein passives Material ist, in welchem der Gehorsam des Sohnes Gottes gegen den Vater sich hier in der Zeit manifestiert".*[23] Barths Verständnis der Menschheit Jesu im Rahmen seiner Versöhnungslehre tendiere zum Nestorianismus.[24] Seine umgebildete Zweinaturenlehre könne die Menschheit Jesu nur noch als „Urbild des erwählten oder versöhnten Menschen",[25] als „ein analogisches Abbild des ewigen Sohnes Gottes"[26] verständlich machen, dessen Personidentität mit dem Logos kaum noch gewahrt sei.[27] Wendebourg greift diesen Gedanken (der Deutung Jesu als Urbild) auf, formuliert insgesamt aber vorsichtiger: „Das Kreuz Christi ist der Inbegriff des gehorsamen Büßers, reformatorisch ausgedrückt: Inbegriff der iustificatio passiva; eine Versöhnungslehre im Sinne der satisfactio vicaria entfällt".[28] Von Luthers theologia crucis unterscheide sich Barths Deutung darin, daß hier der Gedanke „von dem Kreuze Christi als satisfaktorischem, dem Zorn Gottes genugtuenden Sühnopfer"[29] preisgegeben werde. „Das Barthsche Verständnis des gekreuzigten Christus und der in ihm erfolgten Versöhnung am Kreuz kann demgegenüber nur eine Verobjektivierung des homo spiritualis sein, der ein für allemal das leistet, was jeder Mensch zu tun hätte, aber nicht tut, nämlich Buße."[30] Wir versuchen, auch zu diesen Einwänden Stellung zu nehmen.

Zunächst dürfte aus unserer Darlegung des Werkes Jesu Christi als Rechttat[31] hervorgehen, daß der Vorwurf, Jesu Menschheit diene dem Sohn Gottes nur als passives Material, nicht haltbar ist. Barth legt ja gerade darauf Wert, daß es im menschlichen Gehorsam Jesu, in der Freiheitstat des (zur wahren menschlichen Freiheit kraft der Erniedrigung des Sohnes Gottes erhobenen) Menschen Jesus zur Entsprechung des göttlichen Gnadenangebots auf der Seite des Menschen kommt. Damit Gottes Bund endgültig geschlossen und gefestigt werde, war ja gerade das notwendig, daß der *Mensch* im rechten Gebrauch seiner Freiheit Gottes Gnade dankbar annehme. Gerade dies ist in Jesus Christus geschehen. Er hat sein Menschsein wahr gemacht im Vollzug des Gehorsams. Hier ging es doch ganz um die *menschliche* Antwort. Die Qualifizierung der Menschheit Jesu als

23 Prenter, a.a.O., 57.
24 a.a.O., 20.28.79.
25 A.a.O., 79.
26 Ebd.
27 Ebd.

28 Wendebourg, a.a.O., 36.
29 A.a.O., 43.
30 A.a.O., 44.
31 S.o. Teil II, V, 3 unserer Arbeit.

passives Material dürfte gerade diesem Anliegen Barths nicht gerecht werden.

Wenn Prenter und Wendebourg weiterhin in der Barthschen Versöhnungslehre Jesus nur noch als Urbild des versöhnten, d. h. gerechtfertigten und geheiligten Menschen dargestellt finden, wenn Wendebourg Jesu Werk bei Barth nur noch als das des großen Büßers[32] wiedererkennen kann, so ist zu fragen, ob diese Sicht (Jesu als Urbild) tatsächlich schon auf eine christologisch-soteriologische Verkürzung und eine unzulängliche Deutung des Versöhnungsgeschehens schließen läßt. Mit Recht dürfen doch „Christi Menschheit und sein Werk als Urbild der begnadeten Menschheit"[33] interpretiert werden.

Dennoch regt die von Prenter und Wendebourg erhobene Kritik zu einer Frage an Barth an. Wendebourg sieht richtig, daß bei Barth der Gedanke der Satisfaktion, des satisfaktorischen Leidens, zurückgedrängt ist. Barth distanziert sich ausdrücklich von der Vorstellung der Passion Jesu als einer zur Besänftigung des Zornes Gottes geleisteten Genugtuung[34] und weist eine Deutung des Werkes Jesu als Wiedergutmachung, verstanden als Alternative zur Erlösung sola misericordia, zurück.[35] Barth tritt der anselmianischen Lösung insofern entgegen, als hier seiner Meinung nach die satisfactio verstanden wird als Gegensatz zur Erlösung sola misericordia.[36] Zu einem von den Einseitigkeiten und der Zuspitzung bei Anselm gereinigten Satisfaktionsbegriff, wie er etwa von Thomas gebraucht wird, hat Barth sich – soweit ich sehe – nicht geäußert. Es bleibt daher die Frage, ob Barth mit seiner Abweisung eines bestimmten Begriffs der satisfactio die Sache selbst, wie sie in der katholischen Tradition verstanden wird, schon preisgegeben hat. Die Frage stellt sich insbesondere deshalb, weil sich in der Barthschen Deutung des Kreuzes Christi die wesentlichen Elemente wiederfinden, die auch für den Gedanken der Satisfaktion kennzeichnend sind, nämlich die Strafübernahme (als Materie) und der Liebesgehorsam (als Prinzip), auch wenn hier die Akzente anders gesetzt werden, als es in der katholischen Tradition üblich ist.[37] Ähnlich müßte gefragt werden, warum Barth für den

---

32 Wendebourg, a.a.O., 34.
33 Pesch, a.a.O., 581; vgl. auch B. Catao, Salut et Rédemption chez S. Thomas d'Aquin. L'acte sauveur du Christ, Paris 1965, X: „Jésus-Christ n'a pour ainsi dire rien fait d'extraordinaire pour nous sauver. Il a tout simplement adopté l'attitude qui convient à l'homme après le péché. Dans ce sens il a observé toute la justice, en étant fidèle jusqu'au bout aux exigences du bien."
34 KD IV/1, 279.
35 A.a.O., 541.
36 Zu Barths Kritik an Anselm vgl. Teil III, II, 2c unserer Arbeit.
37 Zu den Elementen des Genugtuungsleidens Christi vgl. Pesch, a.a.O., 556ff.; Hoffmann, a.a.O., 392; Rivière, a.a.O., 306.

Gedanken des Opfers nur beiläufige Verwendung findet[38] und den Verdienstgedanken völlig ausklammert.[39] Diesen Fragen wird im einzelnen noch nachzugehen sein.

VI. DER SACHLICHE ANSATZPUNKT
DES GERICHTSGEDANKENS

1. Einleitung

Die für unseren Zusammenhang entscheidende Aussage der Barthschen Versöhnungslehre läßt sich zusammenfassend folgendermaßen formulieren: Jesus Christus hat das die sündige Menschheit unvermeidlich treffende Gericht auf sich genommen und ist, indem er selbst von Gott gerichtet wurde und die ganze Last des göttlichen Zornes getragen hat, zum Versöhner der Menschheit geworden. In seiner Unterwerfung unter Gottes Gericht hat er stellvertretend für alle Menschen die Sünde hinweggetragen und den göttlichen Freispruch erwirkt.

Im ersten Teil unserer Arbeit wurde versucht, diesen zentralen Gedankengang der Versöhnungslehre Barths theologiegeschichtlich einzuordnen.[1] Unser Bemühen ging dahin, die Traditionslinie aufzuzeigen, auf die Barth in der Verwendung des Gerichtsmotivs als Deutungsmuster der Passion Jesu zurückgegriffen hat. Damit ist aber die Frage des sachlichen Anknüpfungspunktes noch nicht tangiert. Es bleibt noch klarzustellen, mit welchem sachlichen Recht Barth das Leiden und Sterben Jesu als Hereinbrechen des göttlichen Gerichts und Jesus selbst als den Träger dieses Gerichts, als den von Gott Gerichteten darstellt. Dem Versuch, dieses Problem einer Klärung zuzuführen, wollen wir uns nun zuwenden.

2. Versuch einer Klärung

Barth hat den Vorstellungshintergrund, von dem her er das Kreuzesereignis deutet, unverkennbar dem juristischen Bereich entnommen. Das zur theologischen Interpretation des Kreuzes Jesu Christi herangezogene Begriffsmaterial entstammt dieser Sphäre (vgl. die Begriffe Richter, Recht, Gericht, Urteil, Verurteilung). Barth selbst gibt sich Rechenschaft über diesen

---

38 Zu Barths Stellung zum Opfergedanken vgl. Teil III, II, 1 unserer Arbeit.
39 Zu Barths Ablehnung des Verdienstgedankens vgl. Teil III, II, 3 unserer Arbeit.
1 S. o. Teil I unserer Arbeit.

Sachverhalt.[2] Er sieht sich zur Wahl gerade dieser Denkform angeleitet durch „ihre besonders gute Begründung im *biblischen* Denken".[3] Damit ist unsere grundsätzliche Frage aber noch nicht beantwortet. Sie lautet: Was konkret veranlaßt Barth, das Leiden und Sterben Jesu Christi gerade unter dem Aspekt des Gerichts zu sehen, ja ausdrücklich mit dem Vollzug eines Gerichts zu identifizieren?

In seiner Einleitung zur Betrachtung des Kreuzesmysteriums hatte Barth Jesus Christus unter dem Titel und der Bezeichnung eines Richters eingeführt.[4] Er konnte unter Heranziehung zahlreicher Belegstellen aus dem Neuen Testament plausibel machen und einleuchtend begründen, daß dem Auftreten Jesu unbestreitbar richterliche Züge anhaften. Jesus begegnet der sündigen Menschheit in der Autorität des göttlichen Richters. Aus der Bezeichnung Jesu als Richter läßt sich aber noch nicht die Gleichsetzung seines Leidens und Sterbens mit dem Vorgang bzw. der Vollstreckung eines von Gott verfügten Gerichts herleiten. Wenn Barth die Funktion des göttlichen Richters Jesus Christus gerade in der Unterwerfung unter das Gericht Gottes zu ihrer eigentlichen Erfüllung kommen sieht, dann weiß er sehr wohl, daß hier ein Paradox vorliegt („iudex iudicatur"[5]). Daher bleibt festzuhalten: Die Jesus zukommende richterliche Autorität, für die Barth sich auf eindeutige Aussagen aus dem Neuen Testament berufen kann, erklärt, für sich genommen, noch nicht, daß es sich in seinem Leiden und Sterben um ein von Gott selbst verhängtes Gericht handelt. Immerhin wird ja aus dem Richter nun ein Gerichteter, aus dem Subjekt ein Objekt.

Die Frage bleibt also bestehen: Wodurch sieht Barth sich legitimiert, Jesu Passion als ein über ihn (als *den* Sünder) hereinbrechendes Gericht zu interpretieren und die paradoxale Formel aufzugreifen, der zufolge der Richter selbst gerichtet wird?

Wir versuchen, auf diese Frage präzise zu antworten und unsere Antwort zu begründen. Zunächst ist zu sagen: Der Gang der Passionsereignisse selbst liefert Barth die Anregung, von einem über Jesus Christus — als den von Gott bevollmächtigten und gesandten Richter — hereinbrechenden Gericht zu sprechen. Im Verlauf dieser Ereignisse glaubt Barth den historischen Augenblick des Umschlags entdecken und fixieren zu können, in dem das Gericht (Gottes Gericht) den Händen des von Gott beauftragten Richters entnommen wird und diesen selbst trifft und schlägt.

Wir versuchen, Barths Gedankengang nachzuzeichnen und dabei den Wendepunkt herauszuarbeiten, an dem es zu der entscheidenden Vertau-

2 KD IV/1, 301.
3 Ebd.

4 Vgl. Teil II, IV, 2 unserer Arbeit.
5 KD IV/1, 193; vgl. a.a.O., 231.

schung der Rollen kommt, an dem der gerechte Richter seines Amtes nur mehr so walten kann, daß er sich dem Gericht unterwirft.

Im Rahmen des Abschnitts „Der Richter als der an unserer Stelle Gerichtete" gibt Barth, um den Boden zu bereiten für eine legitime theologische Interpretation, eine streng geraffte und konzentrierte Darstellung dessen, was der Geschehenshintergrund der evangelischen Überlieferung ist.[6] Wenn von einer Bedeutsamkeit des Christusereignisses gesprochen werde, müsse dem ein Bedeutsames zugrunde liegen.[7] Barth fragt also streng nach der „Historie",[8] soweit sie der evangelischen Tradition zu entnehmen ist. „Was bietet diese Historie?"[9] Barth gibt den wesentlichen, von den Evangelien vermittelten Eindruck wieder, wenn er sagt, der neutestamentlichen Darstellung sei zu entnehmen, Jesus habe sich von Anfang an in seinen Worten und Taten in einem sich zusehends verschärfenden Kontrast zu seiner auch den Jüngerkreis einbeziehenden Umwelt bewegt. „Was ist nun eigentlich geschehen? Ein schlechthin Überlegener, ja Erhabener, aber auch geradezu erschreckend Einsamer ist nach dieser Darstellung durch die Mitte aller jener Menschen hindurchgegangen und schließlich von ihnen weggegangen, nachdem sie durch ihn in ihrer Verkehrtheit bestätigt, ja eigentlich erst entdeckt, in seinem Licht, konfrontiert mit ihm, erst recht als lauter Blinde, Taube, Lahme, als von Dämonen aller Art Getriebene und Beherrschte, ja als Tote aufgewiesen und offenbart wurden."[10] Die harte Linie, in den schneidenden Bildern und Metaphern der Täuferbotschaft angekündigt, habe sich bestätigt. Die Formulierung von Röm 3,19f., der zufolge jeder Mund verschlossen und alle Welt strafwürdig werde, sei nicht zu scharf ausgefallen, sondern beurteile die Lage recht.[11]

Aber es bleibt nicht nur bei einem einschneidenden Gegensatz. Der Kontrast spitzt sich zu zum Konflikt. Darüber berichtet die evangelische Geschichte in ihrem zweiten Teil. Und genau hier kommt es für Barth zur großen Überraschung. Worin besteht diese Überraschung? Sie besteht, so Barth, darin, daß sich nun ereignet, was allen Erwartungen zuwiderläuft. Vergegenwärtigen wir uns noch einmal die Situation! Jesus Christus tritt der sündigen Welt als Richter gegenüber. An seiner Person kommt es für jeden Menschen zur Krisis. Israel, und in ihm repräsentiert die Welt, hat sich von Anfang an in einen Gegensatz zu diesem Richter gestellt, einen Gegensatz, der schließlich tödlichen Ernst annimmt und sich zu einer radikalen Ablehnung verschärft. Damit drängt sich die Frage auf: Was wäre die nun zu

6 KD IV/1, 246-249.
7 Vgl. Teil II, IV, 3 unserer Arbeit.
8 KD IV/1, 246.

9 Ebd.
10 A.a.O., 247.
11 Ebd.

erwartende Konsequenz, wenn der Gedanke des Jesus Christus übertragenen Gerichts streng zu Ende gedacht und die Funktion des göttlichen Richters in Betracht gezogen würde? Barth antwortet so: „Daß jener Jesus von Nazareth gegenüber so schmählich versagenden Menschenwelt, daß Israel und auch der Jüngergemeinde jetzt in irgendeiner Form der Prozeß gemacht werde, das müßte man jetzt eigentlich erwarten. Man möchte fast postulieren: die Zerstörung Jerusalems und des Tempels müßte *jetzt* geschehen und *ihre* Darstellung müßte die Fortsetzung und das passende Gegenstück zu jenem ersten Teil bilden."[12] Aber genau das geschieht nicht. Barth hegt keinen Zweifel daran, daß, was jetzt geschieht, in der Tat als Gottes Antwort im strengen Sinne zu werten ist. Die Folgerung, die sich nach alttestamentlich-prophetischem Deutemuster ergibt, ist legitim: Auf den Abfall des Menschen folgt Gottes vernichtender Gegenschlag: sein Gericht. Aber das Entscheidende liegt darin, in welcher Form dieses Gericht ergeht, in welche Richtung es zielt, wen es trifft. Die maßgebenden Sätze bei Barth lauten: „Und was in dem eigentlich zweiten Teil der Evangelien erzählt wird, ist freilich die Schilderung eines nun über Israel hereinbrechenden Gottesgerichtes, aber nun – und das ist das Aufregende – gerade nicht eines solchen, durch welches die Schuldigen – wie einst das alte Samaria und Jerusalem! – direkt betroffen werden. Sondern es ist der eine *Unschuldige*, mehr noch: der in göttlicher Autorität sprechende *Ankläger* in der Mitte des schuldigen Israel, es ist der ‚*König der Juden'*, dem nach dieser Erzählung der Prozeß gemacht, dessen Leidensgeschichte da durch alle ihre Stationen hindurch Ereignis wird."[13] Es ist also durchaus ein Gericht, das hier stattfindet, aber nun ein solches, das sich, wie Barth betont, nicht nur nach Gottes Zulassung, sondern gemäß seiner weisen Fügung und guten Ordnung, gegen den Richter selbst kehrt. Barth fährt fort: „Eine vollkommene Umkehrung und Vertauschung der Rollen also: die zu Richtenden bekommen Raum, Freiheit und Macht zu *richten*, der Richter *läßt* sich richten: eben dazu ist er nach Jerusalem gekommen – als König in Jerusalem eingezogen! – und *wird* gerichtet".[14]

Damit haben wir einen wichtigen Hinweis gefunden zur Klärung der Frage, warum Barth vom Gericht über Jesus Christus und von ihm selbst als dem Gerichteten spricht. Barth sieht in den entscheidenden Geschehnissen der Passion Jesu Christi, insbesondere in dem Gerichtsverfahren vor dem Synedrium und vor Pilatus, in dem dort gesprochenen Urteil und in dessen Vollstreckung *Gottes* Gericht vollzogen. Er gibt dafür eindeutige Hinweise, wenn er im Zusammenhang seiner Ausführungen zur Formel „Jesus Chri-

---

12 A.a.O., 248.   13 Ebd.   14 Ebd.

stus war und ist für uns, indem er an unsere, der *Sünder* Stelle getreten ist"[15]
sagt: „Es sind in dem, was Jesus widerfährt, die beteiligten Menschen, Juden
und Heiden, nach dem sicher sachgemäßen Kommentar der Apostelge-
schichte (3,23; 4,28) bei aller offenkundigen höchsten Schuldhaftigkeit und
Verwerflichkeit ihres Tuns doch nur Instrumente in der Hand Gottes,
Agenten und Exekutoren seines ‚festgesetzten Ratschlusses und Vorsatzes‘.
Es entschuldigt sie nicht, aber − ‚Christus *mußte* solches leiden‘ (Luk.
24,26)".[16] Es ist Gottes Urteil, das hier durch den Mund der Menschen
gesprochen wird. Und es ist Gottes Gericht, das hier von menschlichen
Richtern abgehalten, es ist sein Schuldspruch, der von ihnen verhängt und
von menschlichen Henkern vollstreckt wird. Jesus muß und will es dulden,
hier vor einem menschlichen Gerichtshof als Sünder angeklagt und verurteilt
zu werden. Dabei wird er „durch jener Menschen Mund dazu erklärt und
durch ihre Hand als solcher behandelt, aber nicht ohne den Willen Gottes
und auch nicht nur unter dessen Zulassung, sondern nach dessen ewiger,
weiser und gerechter Anordnung: zur Vollstreckung seines Gerichts an allen
jenen Menschen".[17] Es war also Gottes Werk, Gott selbst handelte, vertreten
durch die Organe der ungerechten, ja sündigen menschlichen Justiz, „als
Jesus als ein Verbrecher gesucht und gefangen wurde, als Lästerer Gottes vor
dem Synedrium und als Aufrührer gegen den Kaiser vor Pilatus angeklagt,
verhört und schuldiggesprochen wurde".[18] Daraus folgt: Das menschliche
Gericht über Jesus ist für Barth der Spiegel des göttlichen Gerichts. Die
menschlichen Richter handeln bei aller Bosheit ihrer subjektiven Absicht in
Stellvertretung Gottes. Sie führen seinen Ratschluß und Willen aus. Pilatus
gehört deshalb für Barth zu den „Zentralfiguren der evangelischen
Geschichte. Er ist, ohne es zu wollen und zu wissen, der *executor Novi
Testamenti* (Bengel)".[19] Das von Pilatus gefällte Gerichtsurteil ist für Barth
identisch mit Gottes eigenem Urteil. Gott bedient sich seiner gleichsam als
Offenbarungsmedium. „Er wählt das Urteil des Pilatus zur Offenbarung
seines Gerichtes über die Welt."[20]

Die Frage nach dem sachlichen Ansatzpunkt des Gerichtsgedankens in der

---

15 A.a.O., 259.
16 A.a.O., 262.
17 A.a.O., 263.
18 Ebd.
19 KD IV/2, 288; vgl. KD III/2, 51: „Pilatus ist nicht nur nach der johanneischen, sondern auch
nach der synoptischen Tradition der ungerechte menschliche Richter, der nun doch gerade als
solcher das höchst gerechte Urteil Gottes über Jesus vollstrecken muß. Joh. 19,11: ‚Du hättest
keine Macht über mich, wenn es dir nicht von oben gegeben wäre (sie zu haben).‘ So ist er nach
dem schönen Wort von *Hamann* der *executor Novi Testamenti*." Vgl. auch KD II/2, 558.
20 KD II/2, 179f.

Versöhnungslehre Barths ist damit folgendermaßen zu beantworten: Barth knüpft mit seinem Gerichtsmotiv, mit seiner Rede vom Gericht als dem entscheidenden Ereignis des Versöhnungswerks, in dem Jesus Christus zum Gerichteten und gerade so zum Versöhner geworden ist, an das von den Evangelien überlieferte geschichtliche Ereignis der Verhandlung vor dem Synedrium und vor Pilatus an, in deren Verlauf Jesus angeklagt, verhört und zum Tode verurteilt wurde. Ansatzpunkt ist für Barth der geschichtliche Vorgang des gegen Jesus vor einem irdischen Gericht geführten Prozesses. Jesus ist – das bezeugen die Evangelien einhellig – gerichtet und auf Grund eines Gerichtsurteils dem Tod überliefert worden. Dieser Zusammenhang darf jedoch nach Barth nicht vordergründig beurteilt werden. Die Erklärung für dieses Ereignis des über Jesus hereinbrechenden Gerichts liegt nicht „im Walten eines Zufalls und auch nicht im Zug eines menschlichen Schuld- und Schicksalszusammenhanges"![21] Gott hat sich vielmehr des irdischen Gerichts bedient, um sein göttliches Gericht zu vollziehen und sein göttliches Urteil auszusprechen. Gott selbst richtet hier, die verwerflichen und ungerechten Exekutoren des menschlichen Gerichts repräsentieren Gottes Gericht, sie fällen Gottes eigenes Urteil.

21 KD IV/1, 262.

TEIL III

VERGLEICH DES BARTHSCHEN GERICHTSGEDANKENS MIT DER KATHOLISCHEN POSITION, INSBESONDERE MIT DER LEHRE DES THOMAS VON AQUIN

Für Barth ist der entscheidende Aspekt der Versöhnungslehre das Gericht: Gott richtet im Kreuz Jesu Christi den Sünder. Der Gottmensch Jesus Christus leistet Gehorsam, indem er sich Gottes Gericht beugt. Im Gehorsam gibt er Gott die Ehre, die der Sünder ihm streitig macht.

Die katholische Theologie sieht im Kreuz Jesu Christi in erster Linie das Werk des Liebesgehorsams des Sohnes Gottes. Jesus Christus stellt in seinem gehorsam übernommenen Kreuzesleiden dem in der Sünde vollzogenen Abfall des Menschen von Gott einen Akt liebender Unterwerfung gegenüber.[1] Der Abkehr des Sünders von seinem Schöpfer entspricht im Kreuz Jesu Christi ein Akt höchster, in vollkommenster Liebe gewirkter Zuwendung zu Gott. Damit ist die Sünde gleichsam „eingeholt". Die katholische Erlösungslehre versucht die Heilswirksamkeit des Kreuzes näher zu umschreiben mit Hilfe der von der Tradition bereitgestellten Begriffe des Verdienstes, der satisfactio und des Opfers.[2] Sie weiß aber auch um den pönalen Charakter des Todes Jesu. Im Kreuz wird in gewisser Weise auch etwas von der über die Sünde verhängten Strafe sichtbar.[3]

---

1 Vgl. J. Rivière, Rédemption: DThC XIII/2, 1912-2004 (1965-1975!); ders., Le dogme de la Rédemption. Étude théologique, 262-316 (313!): „Ce qui offense Dieu dans le péché, c'est la rébellion consciente et libre de la créature; seul un hommage équivalent de soumission et d'amour peut réparer efficacement ce désordre. Voilà ce que Jésus-Christ a fait en notre nom; et cela dans toutes les actions de sa vie, mais surtout en acceptant le sacrifice douloureux qui lui fut imposé par le cours providentiel de sa mission."
L. Richard, Le dogme de la Rédemption: Bibliothèque catholique des sciences religieuses, Bd. 48, Paris 1932, 108-128.145-153; L. Hardy, La doctrine de la Rédemption chez saint Thomas, Paris 1936, 67-82 (74!): „En effet, nos premiers parents en cédant à la tentation, désobéirent aux ordres de Dieu: la soumission manifestée par Jésus-Christ dans sa passion, apparaîtra comme l'antithèse du premier mouvement, et viendra le réparer."
B. Catao, Salut et Rédemption chez S. Thomas d'Aquin, 45-94.

2 Vgl. J. Rivière, Rédemption, 1966; ders., Le dogme de la Rédemption. Étude théologique, 190-226; Hardy, a.a.O., 204-221; Catao, a.a.O., 45-94; O. H. Pesch, Die Theologie der Rechtfertigung bei Martin Luther und Thomas von Aquin, 553-566; vgl. ferner die dogmatischen Lehrbücher: M. Premm, Katholische Glaubenskunde. Ein Lehrbuch der Dogmatik, Bd. 2, Wien 1952, 205-238.258-270; J. Pohle - J. Gummerbach, Lehrbuch der Dogmatik, Bd. 2, 244-275.299-307; F. Diekamp, Katholische Dogmatik nach den Grundsätzen des heiligen Thomas, hrsg. K. Jüssen, Bd. 2, Münster 11/121959, 314-339; M. Schmaus, Katholische Dogmatik, Bd. II/2, 358-366.408-422.

3 J. Rivière, Rédemption, 1967f.; ders., Le dogme de la Rédemption. Étude théologique, 229: „En effet, le concept juridique d'expiation pénale logiquement développé rend raison de toutes

Andererseits führt auch Barths gerichtstheologischer Denkansatz, seine *Opfer* Herausstellung des Todes Jesu als Gericht, nicht zu einem völligen Übersehen der traditionellen Deutungen, an die die katholische Soteriologie ihre Bemühungen um eine theologische Aufhellung des Heilsmysteriums knüpft. Barth setzt sich — allerdings in unterschiedlicher Weise — auch mit den in der Tradition ausgebildeten Vorstellungen des Verdienstes, der Genugtuung und des Opfers auseinander. Ein relativ starkes Interesse zeigt er dabei für den Opferbegriff. Dies ist zu ersehen aus seinem Bestreben, Gerichts- und Opferbegriff miteinander zu vermitteln. In einem eigenen Exkurs zum Opfer Christi versucht er, seine gerichtstheologischen Überlegungen auf die Ebene der Opfervorstellung zu transponieren.[4]   *Satisfaktion*

Den Satisfaktionsgedanken behandelt er nicht systematisch. Er setzt sich mit ihm mehr indirekt und implizit auseinander, greift ihn aber auf und versucht ihn seiner eigenen vom Gedanken des Gerichts her gewonnenen Perspektive einzuordnen. Direkt konfrontiert er seine Position mit der Erlösungslehre Anselms in „Cur deus homo".[5]   *Verdienst*

Auch zum Verdienstgedanken nimmt Barth nur gelegentlich Stellung. Eine präzise Bestandsaufnahme der in der Tradition entwickelten Verdienstlehre und eine eingehende Auseinandersetzung mit ihr fehlen in seiner Kirchlichen Dogmatik. Aus seinen kurzen, an mehreren Stellen gegebenen direkten und indirekten Verweisen auf den Begriff des Verdienstes im allgemeinen und des Verdienstes Christi im besonderen wird jedoch ersichtlich, wie Barth den Verdienstgedanken einordnet und bewertet.[6]

Aus dieser knappen und flüchtigen Konfrontierung der Positionen ergeben sich zwei Ansatzpunkte für den Versuch einer Stellungnahme:

1. Es ist zu prüfen: Wie verhält sich das, was die katholische Theologie unter dem pönalen Aspekt des Leidens Jesu versteht, zum Gerichtsgedanken bei Barth?
2. Zum Vergleich mit der katholischen Erlösungslehre bieten sich ferner an Barths Stellungnahmen zu den Deutungen des Todes Jesu als Opfer, satisfactio und Verdienst.

---

choses: il donne un sens aux expressions traditionelles de rachat et de sacrifice; il est compatible avec la notion moderne de satisfaction et semble tout d'abord en épuiser le contenu." Vgl. ferner a.a.O., 251f.254.284f.288.304.314.374; Hardy, a.a.O., 83-116; Catao, a.a.O., 81-90; Pesch, a.a.O., 555-558; zu den Stellen bei Thomas von Aquin s. Anm. 21.

4 S. u. Teil III, II, 1b.
5 S. u. Teil III, II, 2b.c.
6 S. u. Teil III, II, 3.

I. DAS KREUZ JESU CHRISTI
ALS GERICHT ÜBER DIE SÜNDE

1. Die Identifizierung Jesu mit dem Sünder

Barth empfindet keine Scheu, Jesus mit dem Sünder schlechthin gleichzusetzen. Für ihn gilt: Jesus ist *der* Sünder. Formulierungen dieser Art finden sich bei ihm nicht selten.[7] Auch Thomas[8] kann sagen, daß Jesus Christus sich gleichsam alle Sünden zugeschrieben hat.[9] Hier ist aber genau der Zusammenhang und die Behutsamkeit der Formulierung zu beachten. In S. th. III, 46, 6 geht Thomas der Frage nach: „Utrum dolor passionis Christi fuerit maior omnibus doloribus?" Auf dieses Problem antwortend arbeitet er die verschiedenen Ebenen des im Leiden Jesu bewirkten Schmerzes heraus. Näherhin unterscheidet er äußere und innere Schmerzeinwirkung. Als ersten Grund für den „dolor interior" gibt Thomas an: „Alle Sünden des Menschengeschlechtes, für die Er durch Sein Leiden Genugtuung leistete" („omnia peccata humani generis pro quibus satisfaciebat patiendo"[10]). Von diesen Sünden stellt Thomas fest: Sie betreffen Christus, insofern er „ea quasi sibi adscribit dicens: verba delictorum meorum".[11] Die letzten Worte („verba delictorum meorum") entstammen Ps 21,2 (22,2). Thomas legt sie entsprechend seiner christologischen Psalmenexegese Christus in den Mund. Dennoch kann er nicht schlechthin von den „Sünden Christi" sprechen! Deshalb formuliert er vorsichtig und fügt ein „quasi" ein.[12] Von den „Sünden Christi" kann nur im übertragenen, analogen Sinne die Rede sein.

An anderer Stelle sichert daher Thomas die christologische Auslegung von Ps 21,2 (22,2) ausdrücklich gegen Mißverständnisse ab:

„Nach der Lehre des Johannes von Damaskus kann ein Doppeltes von Christus ausgesagt werden: Erstens, was Sein Wesen ausmacht und mit diesem gegeben ist. So sagt man, Er sei Mensch geworden, und Er habe für uns gelitten. Zweitens, all das, was Ihm nur zukommt, sofern Er die Stelle anderer einnimmt. So sagt man manches von Christus in unserer Person aus, was Ihm an sich durchaus nicht zukommt. Deshalb handelt die erste der sieben Regeln des Tichonius, die Augustinus in dem ‚Buch über die Lehre der Christen' aufstellt, ‚vom Herrn und Seinem Leibe', sofern ‚Christus und

---

7 KD IV/1, 263.268.279.285.287.289; vgl. KD IV/4, 64f.

8 Hier und im folgenden wird die Position des Thomas von Aquin als besonders beispielhaft für den Standpunkt der katholischen Erlösungslehre betrachtet.

9 S. th. III, 46, 6c.

10 Ebd.

11 Ebd.

12 Pesch, a.a.O., 557, unterschlägt dies.

die Kirche als eine Person angesehen werden'. Und so kann Christus gewissermaßen in der Person Seiner Glieder von dem ‚Aufschrei Seiner Sünden' sprechen, obgleich Er als Haupt frei von Sünden war".[13]

Auch nach Thomas sind also Jesus Christus die Sünden der Menschheit aufgeladen. Er vermeidet es aber, daraus die Konsequenz zu ziehen, Jesus selbst als Subjekt der Sünde, als Sünder anzusprechen.[14] Im Gegenteil, Thomas bekräftigt ausdrücklich, daß Jesus von allem Makel der persönlichen Sünde und der Erbsünde frei war.[15] Dies gilt nach ihm − im Unterschied zu Barth − unter jeder Rücksicht. (Jesus kann nach Thomas nicht unter einer Rücksicht vollkommen sündlos sein, unter einer anderen aber dann doch wieder der Sünder).

Barth geht es − darin liegt sein Anliegen − um die Unterstreichung der vorbehaltlosen Solidarität Jesu mit den Sündern. Nur wenn Jesus der Träger der Sünde schlechthin ist, ist sie dem Sünder, dem Menschen, abgenommen. Barth geht dabei so weit, Jesus in der Inkarnation die Annahme des sündigen Fleisches zuzuschreiben.[16] Es ist zu fragen, ob damit nicht implizit ausgesagt ist, Jesus habe sich die erbsündliche menschliche Natur zu eigen gemacht. Ein Satz aus dem Einleitungskapitel der theologischen Anthropologie (KD III/2) legt ein solches Verständnis nahe: In einer Zusammenfassung wichtiger Gesichtspunkte der „Solida Declaratio" trägt Barth unter Zustimmung als Lehre der Konkordie unter anderem vor, Jesus habe „nicht die Erbsünde, sondern unsere erbsündige menschliche *Natur* angenommen".[17]

Barth bekennt sich hier also ebenso wie Luther zu einem unlösbaren Paradox: Jesus Christus ist einerseits (nach Barth nicht auf Grund einer Zuständlichkeit seiner Natur, sondern in der Tat seines Lebens[18]) der einzig sündlose Mensch, andererseits der Sünder schlechthin. Er treibt gewisserma-

---

13 S. th. III, 15, 1 ad 1: „. . . sicut Damascenus dicit, in III libro, dicitur aliquid de Christo, uno modo, secundum proprietatem naturalem et hypostaticam, sicut dicitur quod factus est homo et quod pro nobis passus est; alio modo, secundum proprietatem personalem et habitudinalem, prout scilicet aliqua dicuntur de ipso in persona nostra quae sibi secundum se nullo modo conveniunt. Unde et inter septem regulas Tichonii, quas ponit Augustinus, in III *de Doct. Christ.*, prima ponitur *de Domino et eius corpore*, cum scilicet *Christi et Ecclesiae una persona aestimatur*. Et secundum hoc, Christus ex persona membrorum suorum loquens dicit, *verba delictorum meorum*: non quod in ipso capite delicta fuerint". (Übers. zit. n. DThA). Pesch, a.a.O., 557, macht auch auf diese Absicherung nicht aufmerksam, wenn er ausführt: „. . . Gipfel seines Leidens war, daß er (scil. Christus), um Genugtuung zu leisten, sich selbst alle Sünden des gesamten Menschengeschlechtes ‚zuschrieb' − was Thomas mit Ps 21 (22), 2 (*Verba delictorum meorum*) belegt."
14 Darauf weist auch Pesch, a.a.O., 595, hin: „Thomas läßt keine Sprechweise zu, die Christus in irgendeiner Weise zum Subjekt von Sünde und Schuld macht."
15 S. th. I-II, 81, 3c.; III, 15, 1c; vgl. III, 4, 6 ad 2.
16 Vgl. Teil II, III, 2 unserer Arbeit.
17 KD III/2, 31.
18 KD IV/2, 102.

ßen das Paradox auf die Spitze, wenn er die Sündlosigkeit Jesu gerade in nichts anderem sieht àls in seinem Bekenntnis zum Sündersein.[19] Die Frage ist jedoch, ob Barth sich mit dieser Lehre noch im Bereich des Möglichen bewegt oder bereits die Grenzen des theologisch Tragbaren überschritten hat.[20]

2. Der Tod Jesu als Gericht und Strafe

Barth zieht aus der Identifizierung Jesu mit dem Sünder schlechthin die Konsequenz: Jesus Christus hat das Gericht über die Sünde, d. h. die Höllenstrafe bzw. die Strafe der Verwerfung getragen. Thomas liegt diese Konsequenz ebenso fern wie ihre Voraussetzung.

Gleichwohl ist auch bei Thomas Raum für den Gedanken der Strafe. Jesus hat, indem er in seinem Leiden und Sterben für die Sünde Genugtuung leistete, in gewissem Sinn auch die Strafe für die Sünde getragen. Wie aber ist der Strafcharakter des Todesleidens Jesu bei Thomas näherhin zu verstehen?[21]

Der Summa theologiae des Aquinaten können wir folgende Antwort entnehmen: Jesus Christus hat Genugtuung geleistet, indem er – ex caritate et oboedientia[22] – das Todesleiden auf sich genommen hat. D. h. der Genugtuung Christi, seiner Wiedergutmachung für die Sünde kommt einerseits überfließender Wert zu auf Grund des in ihr wirksamen Liebesgehorsams. Dieser ist das formelle Element der Genugtuung. Materialiter fällt sie zusammen mit dem Erleiden des Todes. Nun ist aber der Tod als Strafe für die Sünde in die Welt bzw. über den Menschen gekommen. Thomas nennt S. th. III, 14, 1c. den Tod an erster Stelle der dem Menschen als Strafe für die Sünde anhaftenden defectus corporales, die der Gottmensch in der Inkarnation angenommen hat. Der Schluß, den Thomas zieht, lautet also: Indem Jesus Christus den leiblichen Tod auf sich genommen hat, hat er die Strafe für die Sünde getragen.

Diese Argumentationsweise begegnet ganz offenkundig an einer Stelle, wo Thomas Bezug nimmt auf Gal 3,13 und 2 Kor 5,21:

„Nach Augustinus ist die Sünde ein Fluch und deshalb auch der Tod und die Sterblichkeit, die aus der Sünde hervorgehen. ‚Das Fleisch Christi aber

---

19 KD IV/1, 308; vgl. KD I/2, 172; KD IV/4, 65.

20 Wir richten hier die gleiche Frage an Barth, die R. Weier im Bezug auf die Erlösungslehre Luthers stellt. Vgl. R. Weier, Die Erlösungslehre der Reformatoren, 12: „Und das ist die Frage, ob solche Zuspitzung nur ein Gehen bis an die äußersten Grenzen des Möglichen ist oder bereits die Grenze des theologisch Möglichen überschreitet."

21 Zur Deutung des Todes Jesu als Strafe s. S. th. I-II, 87, 7 ad 3; III, 14, 1c. ad 3; III, 15, 1 ad 3. ad 5; III, 46, 4 ad 3; III, 47, 3 ad 1; III, 50, 1c.

22 S. th. III, 48, 2c.

war sterblich, ähnlich dem Fleische der Sünde' (Röm 8,3). Deshalb bezeichnet Moses es als ,verflucht', wie der Apostel es ,Sünde' nennt, wenn er 2 Kor 5, 21 sagt: ,Den, der Sünde nicht kannte, hat Er für uns zur Sünde gemacht', nämlich durch die Sündenstrafe. ,. . . Bekenne also, daß Der den Fluch für uns auf Sich genommen hat, von Dem du auch bekennst, daß Er für uns gestorben ist!' Deshalb heißt es Gal 3, 13: ,Christus hat uns vom Fluche des Gesetzes erlöst, indem Er für uns zum Fluche wurde'. "[23]

Ausdrücklich schließt Thomas jedoch für Christus ein Erleiden der Verdammnis aus, wenn er den Vergleich seiner Passion mit dem Leiden der vom Leib getrennten Seele ablehnt:

„Der Schmerz der leidenden Seele, die (vom Leibe) getrennt ist, gehört dem Zustand der künftigen Verdammnis an, der jedes Übel dieses Lebens übersteigt, wie die Herrlichkeit der Heiligen jedes Gut dieses Lebens übertrifft. Wenn wir sagen, Christi Schmerz sei der größte, dann vergleichen wir diesen also nicht mit dem Schmerz der abgeschiedenen Seele. "[24]

Wir können also feststellen: Thomas kann wohl sagen, daß Jesus Christus in seinem Tod die Strafe für die Sünde übernommen hat. Aber diese von ihm getragene Strafe besteht im Erleiden des leiblichen Todes, nicht in der Übernahme der Verdammnis bzw. der Höllenstrafe. Thomas gebraucht also den Begriff der Strafe im Bezug auf das Todesleiden Jesu in einem abgeschwächten, analogen Sinn. Die Strafe für die Sünde im eigentlichen Sinne kennt er nur als Ahndung für die persönliche Sünde.

„Wenn wir aber von der Strafe einfachhin sprechen, insofern sie die Bedeutung von Strafe hat, so hat sie immer einen Bezug auf die eigene Schuld. "[25]

Daher mahnt auch J. Rivière in der Frage der Anwendung des Strafbegriffs auf die Passion Jesu zur Vorsicht: „Puisque cette souffrance expiatoire a été voulue par un decret divin, on peut aussi considérer la Passion dans une certaine mesure comme un châtiment: non pas, certes, le châtiment personnel de Jésus, ce qui serait un horrible blasphème, mais comme le châtiment

---

23 S. th. III, 46, 4 ad 3: „. . . sicut Augustinus dicit, XIV *contra Faustum*, peccatum maledictum est: et per consequens mors, et mortalitas ex peccato proveniens. *Caro autem Christi mortalis fuit, 'similitudinem habens carnis peccati'*. Et propter hoc Moyses eam nominat maledictum; sicut et Apostolus nominat eam *peccatum*, dicens II Cor. V: *Eum qui non noverat peccatum, pro nobis peccatum fecit*, scilicet per poenam peccati. . . . *Confitere ergo maledictum suscepisse pro nobis, quem confiteris mortuum esse pro nobis.* Unde et Galat. III dicitur: *Christus nos redemit de maledicto legis, factus pro nobis maledictum.*" (Übers. zit. n. DThA).

24 S. th. III, 46, 6 ad 3: „. . . dolor animae separatae patientis pertinet ad statum futurae damnationis, qui excedit omne malum huius vitae, sicut sanctorum gloria excedit omne bonum praesentis vitae. Unde, cum diximus Christi dolorem esse maximum, non comparamus ipsum dolori animae separatae." (Übers. zit. n. DThA).

25 S. th. I-II, 87, 7c: „Si vero loquamur de poena simpliciter, secundum quod habet rationem poenae, sic semper habet ordinem ad culpam propriam". Vgl. S. th. I-II, 87, 8c.

objectif et impersonnel, si l'on peut dire, du péché. "[26] Einer Schlußfolgerung, die zu dem Ergebnis führen würde, Jesus müsse, da die eigentliche Strafe für die Sünde die Verdammnis sei, auch die Höllenstrafe getragen haben, wenn seinem Tod Strafcharakter zukomme,[27] hält Rivière entgegen: „Contre cette dialectique artificielle et néfaste, le sens chrétien fait entendre une instinctive protestation."[28]

Wir können den Blick auf Thomas abschließen mit der Feststellung: Die Erlösungslehre des Aquinaten schließt den Gerichtsgedanken nicht von vornherein aus. In seiner Rede vom Tod Jesu als Strafe ist in gewisser Weise für die Gerichtstheologie eine Tür geöffnet. Fremd sind allerdings Thomas die Überspitzungen, wie sie bei Barth und der reformatorischen Tradition anzutreffen sind. Thomas liegt der Gedanke fern, Jesus habe im Todesleiden Gottes Verwerfung getragen. Er schließt Spekulationen dieser Art ausdrücklich aus. Der Vergleich mit Thomas von Aquin führt nicht zu einer Abwertung der Gerichtstheologie Barths. Vielmehr wird sichtbar, wo deren Stärke und legitimes Recht liegen. Barth kommt das Verdienst zu, den Straf-bzw. Gerichtscharakter des Todesleidens Jesu, der bei Thomas und der traditionellen katholischen Soteriologie abgeschwächt wurde,[29] konsequent durchdacht und erhellt zu haben. Er hat gespürt und eindrucksvoll dargelegt, daß Jesus Christus in seiner Preisgabe und Auslieferung an die Sünder tatsächlich Gott begegnet. Gottes Handeln, das auch die Geschehnisse der Passion regiert, wird in der Situation des Karfreitags in der Tat als Abkehr, Gericht und Zorn erfahrbar.[30]

Hier allerdings kommt die katholische Abschwächung und das analoge Verständnis des Straf- und Gerichtscharakters des Kreuzes zu ihrem Recht. Zunächst ist festzuhalten: Hinter den Ereignissen des Karfreitags steht tatsächlich Gottes ureigenes Handeln. Jesu Überlieferung an ein Gericht,

---

26 J. Rivière, Le dogme de la Rédemption. Étude théologique, 314.

27 In diese Richtung zielt auch eine Überlegung von Pesch, a.a.O., 593f. Anm. 38.

28 J. Rivière, Le dogme de la Rédemption. Étude théologique, 246. Zu einem vergleichbaren Ergebnis kommen: G. Jouassard, L'abandon du Christ d'après saint Augustin: RSPhTh 13 (1924) 310-326; ders., L'abandon du Christ en croix dans la tradition grecque des IVe et Ve siècles: RevSR 5 (1925) 609-633; B. Botte, „Deus meus, Deus meus, ut quid dereliquisti me?": Les questions liturgiques et paroissiales 11 (1926) 105-114; L. Mahieu, L'abandon du Christ sur la croix: Mélanges de science religieuse 2 (1945) 209-242; M. B. Carra de Vaux Saint Cyr, L'abandon du Christ en croix. In: Problèmes actuels de Christologie. Travaux du Symposion de l'Arbresle 1961, recueillis et présentés par H. Bouessé et J.-J. Latour, Brügge 1965, 295-316.

29 H. U. von Balthasar, Mysterium Paschale, 213, Anm. 1, spricht in diesem Zusammenhang von einer „Unterbietung in Patristik und Scholastik".

30 Nach H. U. von Balthasar, Crucifixus etiam pro nobis: Internationale katholische Zeitschrift 9 (1980) 34: „Kann die ewige Zuwendung zwischen Vater und Sohn den Modus der Abwendung, der Fremdheit in sich selbst aufnehmen und erlebbar machen." Vgl. ders., Mysterium Paschale, 185-226 (199f.211.225!); vgl. ferner H. Schützeichel, Der Todesschrei Jesu. Bemerkungen zu einer Theologie des Kreuzes: TThZ 83 (1974) 1-16 (8-16!).

seine Verurteilung und Hinrichtung am Kreuz stehen nicht außerhalb des göttlichen Wirkens. Die Ereignisse entziehen sich nicht der göttlichen Leitung, in ihnen wirkt vielmehr Gott selbst. Insofern daher Jesus Christus gerade auch in seiner Passion (im Gericht, in der Verurteilung und Kreuzigung) Gott begegnet, darf die Aussage gewagt werden: Er steht unter Gottes Zorn. Im irdischen Gericht vollzieht sich für ihn Gottes Gericht.

Aber nun ist zu beachten: Gott handelt hier (in den Passionsereignissen) im Medium, in der Vermittlung eines irdisch-geschichtlichen Geschehensablaufs. Sein Wirken ist hier nur als ein in die Endlichkeit irdischer Ereignisfolge hinein vermitteltes und daher verendlichtes greifbar. Konkreter: Im Ereignis der Passion, im Gericht, in der Verurteilung und Kreuzigung Jesu erscheint Gottes Handeln in seiner Verendlichung. Oder umgekehrt: Die Tat der Erlöserliebe Gottes bedeutet, ins Endliche hineinübersetzt, auf der Ebene des Geschichtlich-Ereignishaften des Karfreitags: Passion, Gericht, Verurteilung, Kreuzigung und Tod Jesu Christi.[31]

Die Begriffe Gericht, Strafe, Zorn sind daher nur in analogem Sinn auf Gott zu beziehen, d. h., sie bezeichnen die verendlichte Gestalt seines Handelns auf der irdisch-geschichtlichen Ebene. Menschliche Kategorien sind nicht mehr geeignet, den hier obwaltenden Zusammenhang zwischen irdischem Schicksal und Gottes Handeln adäquat aufzuzeigen. Die katholische Theologie trägt diesem Umstand Rechnung, indem sie die Begriffe Strafe bzw. Gericht in einem analogen Sinn auf den Tod Jesu bezieht und so abschwächt.

Barths Leistung liegt in folgendem: Er hat in seiner Deutung des Kreuzes den Gedanken des Gerichts bzw. der Strafe gleichsam voll ausgeschöpft und einmal ohne abmildernde Interpretation gezeigt, was es heißt, daß Jesus in seinem Leiden und Sterben die Strafe für die Sünde getragen hat. Er hat dazu die Klammer der traditionellen Abschwächung beiseite geschoben. Barth hat den Tod Jesu in seiner Abgründigkeit und unvergleichlichen Härte[32] sichtbar gemacht. Die katholische Theologie wird demgegenüber aus den dargelegten Gründen dennoch bestrebt sein, die Gerichtsaussagen in den Rahmen der

31 Vgl. H. U. von Balthasar, Crucifixus etiam pro nobis, 34: „Dann (scil. im Kreuz) kann – aus Liebe, nicht aus ‚Zorn‘ und deshalb nicht als ‚Strafe‘ - die Beziehung Vater - Sohn durch die Färbung Gott - Welt tingiert werden, kann die ewige Zuwendung zwischen Vater und Sohn den Modus der Abwendung, der Fremdheit in sich selbst aufnehmen…“. Vgl. auch Schützeichel, a.a.O., 11: „So ist es, wenn Gott liebt. Aber daß sich diese Liebe in solch dunkeln Hüllen kundtut, wie sie die genannten Texte (scil.: Mk 15,34; Röm 8,32; 2 Kor 5,21; Gal 3,13) beschreiben, macht die tiefe Verborgenheit des göttlichen Offenbarungshandelns in der Passion Jesu aus und zerbricht alle Gottesbilder, die sich ausschließlich an menschlichen Maßstäben orientieren.“
32 Auch H. U. von Balthasar, Mysterium Paschale, 182, und Schützeichel, a.a.O., 10 (mit Berufung auf von Balthasar), betonen die Singularität der Verlassenheit Jesu.

Analogie hineinzustellen und damit die extremen Formulierungen Barths (Verwerfung, Verdammnis, Höllenstrafe) zu vermeiden. Die weiteren Abgrenzungen gegenüber Barth ergeben sich aus den folgenden Darlegungen.

II. BARTHS STELLUNG ZUM GEDANKEN DES OPFERS, DER SATISFAKTION UND DES VERDIENSTES

1. Barths Stellung zum Opfergedanken

a) Der Opfergedanke in der katholischen Theologie

Der Begriff des Opfers ist in der katholischen Theologie bis heute nicht eindeutig und verbindlich geklärt.[33] Bei aller Diskussion über einzelne Merkmale der Opfervorstellung dürfen jedoch folgende Elemente als konstitutiv für den Opferbegriff angesehen werden.[34] (Im folgenden soll keine Definition gegeben werden, wir wollen lediglich hinweisen auf solche Momente, die wesentlich den Opferbegriff prägen.)

(1) Das Opfer vollzieht sich in einem Akt der Darbringung (Oblation). In der Darbringung besteht die eigentliche Opferhandlung. Thomas von Aquin verwendet zur Bezeichnung des Darbringungsaktes die Begriffe offerre bzw. exhibere.[35] Diese haben den „ursprünglichen Sinn von Überreichen, Anbie-

33 Vgl. zur katholischen Opfertheologie folgende Untersuchungen: G. Pell, Der Opfercharakter des Erlösungswerkes, Regensburg 1915; J. Kramp, Die Opferanschauungen der römischen Meßliturgie. Liturgie- und dogmengeschichtliche Untersuchung, Regensburg 1920; M. ten Hompel, Das Opfer als Selbsthingabe und seine ideale Verwirklichung im Opfer Christi mit besonderer Berücksichtigung neuerer Kontroversen: FreibThSt, 24. H., Freiburg 1920; A. Barrois, Le sacrifice du Christ au Calvaire: RSPhTh 14 (1925) 145-166; B. Augier, L'offrande: RThom 34 (1929) 3-34; ders., Le sacrifice: RThom 34 (1929) 193-218; ders., Le sacrifice du pécheur: RThom 34 (1929) 476-488; ders., Le sacrifice rédempteur: RThom 37 (1932) 394-430; E. Masure, Le sacrifice du Chef, Paris 1932; P. Rupprecht, Der Mittler und sein Heilswerk. Sacrificium Mediatoris. Eine Opferstudie auf Grund einer eingehenden Untersuchung der Äusserungen des hl. Thomas von Aquin, Freiburg 1934; J. Brinktrine, Das Opfer der Eucharistie. Dogmatische Untersuchungen über das Wesen des Meßopfers, Paderborn/Wien/Zürich 1938; D. Klein, Was ist Opfer?: ThPQ 91 (1938) 429-455; G. L. Bauer, Das heilige Meßopfer im Lichte der Grundsätze des hl. Thomas über das Opfer: DTh 28 (1950) 5-31; K. Rahner, Opfer (V. Dogmatisch): LThK² 7, 1174f.; V. Warnach, Vom Wesen des kultischen Opfers. In: B. Neunheuser (Hrsg.), Opfer Christi und Opfer der Kirche, Düsseldorf 1960, 29-74; vgl. ferner die dogmatischen Lehrbücher: M. J. Scheeben, Handbuch der katholischen Dogmatik, Bd. V/2, hrsg. C. Feckes, Freiburg ²1954, 237-304; M. Premm, Katholische Glaubenskunde. Ein Lehrbuch der Dogmatik, Bd. III/1, Wien 1954, 311-320; F. Diekamp, Katholische Dogmatik nach den Grundsätzen des heiligen Thomas, hrsg. K. Jüssen, Bd. 2, 314f.; J. Pohle - J. Gummersbach, Lehrbuch der Dogmatik, Bd. 3, Paderborn ¹⁰1960, 315-330; M. Schmaus, Katholische Dogmatik, Bd. IV/1, München ⁶1964, 380-387.

34 Vgl. zum folgenden bes. S. th. I-II, 102; II-II, 85.86 und die in Anm. 33 angegebene Literatur.

35 Vgl. bes. S. th. I-II, 102, 3; II-II, 85.86.

196

ten".[36] Auch das Tridentinum bezeichnet im Dekret über das Meßopfer[37] den Opferakt als ein Darbringen und benutzt zu dessen Bezeichnung durchgängig den Begriff offerre.[38]

(2) Zum Opfer gehört als Gegenstand der Darbringung die Opfergabe. Thomas von Aquin unterscheidet ein dreifaches Gut, das als Opfergabe in Frage kommen kann: „Das erste ist ein Gut der Seele, das Gott in einem gewissen inneren Opfer durch Hingabe, Gebet und andere innere Akte dieser Art dargebracht wird. Und dies ist das hauptsächliche Opfer. Das zweite ist ein Gut des Leibes, das Gott in gewisser Weise durch Martyrium und Enthaltsamkeit bzw. Selbstbeherrschung dargebracht wird. Das dritte ist ein Gut äußerer Dinge, von denen Gott ein Opfer dargebracht wird".[39] Was in jedem Opfer Gott eigentlich dargeboten wird, was alle äußeren Gaben symbolisch ausdrücken, ist die innere Hingabe des Menschen selbst: „Das Opfer aber, das als äußeres dargebracht wird, bezeichnet ein inneres geistiges Opfer, in dem die Seele sich selbst Gott darbringt."[40] Im Artikel 4 der gleichen Quaestio sagt Thomas: „Das erste und hauptsächliche ist das innere Opfer, zu dem alle verpflichtet sind; alle nämlich sind gehalten, Gott einen hingebungsvollen Sinn darzubringen."[41] Das Opfer meint also im Grunde immer die menschliche Selbsthingabe.

(3) Im Opfer wird ein bestimmter Opferzweck angestrebt. Dieser besteht primär in der Verehrung Gottes (latreutischer Opferzweck). Dazu kann man als zweiten Opferzweck nennen: die Gemeinschaft mit Gott. Thomas sagt: „Ein wahres Opfer ist jedes Werk, das dazu vollbracht wird, daß wir Gott in heiliger Gemeinschaft verbunden sind."[42] Mit J. Kramp können wir festhalten: „Wie die Gottesverehrung die Verherrlichung des Schöpfers erreicht durch die Heiligung des Menschen, seine Annäherung an Gott, so ist auch der zweite, aber zugleich wirkliche Zweck des Opfers die Heiligung und

---

36 Kramp, a.a.O., 29.
37 DS 1738-1759.
38 Vgl. bes. DS 1743: „Una enim eademque est hostia, idem nunc offerens sacerdotum ministerio, qui se ipsum tunc in cruce obtulit, sola offerendi ratione diversa."
39 S. th. II-II, 85, 3 ad 2: „Primum quidem est bonum animae: quod Deo offertur interiori quodam sacrificio per devotionem et orationem et alios huiusmodi interiores actus. Et hoc est principale sacrificium. – Secundum est bonum corporis: quod Deo quodammodo offertur per martyrium, et abstinentiam seu continentiam. – Tertium est bonum exteriorum rerum, de quo sacrificium offertur Deo."
40 S. th. II-II, 85, 2c: „Significat autem sacrificium quod offertur exterius, interius spirituale sacrificium, quo anima seipsam offert Deo."
41 S. th. II-II, 85, 4c: „Quorum primum et principale est sacrificium interius, ad quod omnes tenentur; omnes enim tenentur Deo devotam mentem offerre."
42 S. th. II-II, 85, 3 obj. 1: „Verum sacrificium est omne opus quod agitur ut sancta societate inhaereamus Deo."

Weihe des Opfernden, die mit der Aussöhnung beginnt und stufenweise sich erhebend mit der Vereinigung abschließt".[43]

Worauf es uns hier ankommt, ist folgendes: Bei Thomas ist deutlich erkennbar, daß im Opfer zum Gehorsam die Darbringung (des Gehorsams) hinzugehört. B. Augier unterscheidet daher im Anschluß an Thomas von Aquin im Akt der Darbringung ein zweifaches Wollen: „L'offrande exige donc un double vouloir correspondant à la double information de la volonté: un vouloir de la réalité à offrir, spécifié par cette réalité; un vouloir ayant pour objet le vouloir de la réalité à offrir et rapportant au destinataire ce vouloir avec la réalité qui le spécifie."[44] Wir sahen, daß ebenso wie Thomas auch das Tridentinum in der Beschreibung des Opfers den Akzent auf die oblatio legt.

Im Kreuz Jesu Christi vollzieht sich das Opfer nicht im bloßen Erleiden der durch die Henker vollzogenen Tötung, sondern in der aktiven Lebenshingabe bzw. in der in ihr vollbrachten Selbstdarbringung. Die Selbstdarbringung bedeutet Darbringung des Todesgehorsams. Hier kommt Augiers Unterscheidung des für den Darbringungsakt konstitutiven zweifachen Wollens zur Geltung: „Pour constituer un sacrifice, le sacrifice pour le péché; la passion physique, la mort doit être offerte en l'honneur de Dieu comme la peine seule capable d'ajuster adéquatement l'hostie aux exigences de la justice divine."[45] Augier hebt deutlich das Geschehenlassen der Tötung ab von der Darbringung des Opfers: „Cette offrande du Christ à la mort n'est pas, de soi, l'offrande à Dieu de la mort rédemptrice. Le laisser-faire qu'en vue d'expier Jésus accorde aux bourreaux, n'est pas le vouloir offrant dont Dieu est le destinataire, mais son objet."[46]

b) Die Deutung des Todes Jesu als Opfer bei Barth

Barth bezeichnet in seiner Dogmatik das Werk der Versöhnung durchgängig auch als Opfer.[47] Er erkennt ausdrücklich die Eignung des Opfergedankens an zur theologischen Aussage des im Leiden und Sterben Jesu vollzogenen Versöhnungswerks. Zum Beweis dafür versucht er, in einem Appendix zu seiner Darstellung des Kreuzes als Gericht die hier getroffenen theologischen Aussagen in eine kultische Begrifflichkeit, d. h. in die Gedankenwelt des Opfers zu übertragen.[48] Er führt dies im einzelnen durch, indem er die vier

---

43 Kramp, a.a.O., 25.
45 B. Augier, Le sacrifice rédempteur, 415.
46 A.a.O., 417.
44 B. Augier, L'offrande, 18.
47 KD II/2, 135.189.546; KD III/2, 253ff.571.603f.; KD III/3, 205; KD IV/1, 101.269.303ff.337.347.353; KD IV/3, 1. Hälfte, 317.482.
48 KD IV/1, 302-311.

Hauptsätze seiner Gerichtsdarstellung[49] in die Opferterminologie übersetzt. ¹⁾ Der Satz „Jesus Christus ist als Richter an unsere Stelle getreten" kann nach Barth unter Beibehaltung seines Aussagewertes auf der kultischen Sprach- und Vorstellungsebene auch so formuliert werden: „Er ist der *Priester,* der für *uns,* für das von seinen Sünden niedergedrückte, um ihretwillen bedrohte, ihrer Sühnung bedürftige *Volk,* dem der Wille Jahves verborgen ist, das sich selbst über Jahves Rechte und Gesetz nicht authentisch belehren, das nicht selber wirksam opfern, nicht selber wirksam beten kann, *eintritt.*"[50]

Barth kommt es hier darauf an, besonders die Einzigartigkeit, Vollkommenheit und Überlegenheit des Priestertums Jesu Christi hervorzuheben. Jesus Christus ist in einer alle vorangehenden Möglichkeiten der alttestamentlichen Ordnung überbietenden Weise bevollmächtigt, das Volk wirksam vor Gott zu repräsentieren. Die Opfer und Darbringungen des aaronitischen Priestertums gelten ausnahmslos als unter ein Gesetz fallende Einzelfälle, die nicht bewirken können, worauf es ankommt: die Versöhnung des Menschen mit Gott. Das leistet erst das Priestertum Jesu Christi. Er ist der eigentliche, der wahre Priester. „Und er ist *der* Fall effektiv priesterlichen Tuns, der keinen neben sich hat, weil dieses Tun in ihm ein vollendetes ist, der nicht Symbol ist für eine über ihm stehende Allgemeinwahrheit, der Fall, in welchem die Genugtuung, d. h. das zur Versöhnung der Welt mit Gott Genügende schlechterdings *geschehen* ist — *satis fecit* — und nur als geschehen, und also gerade aus keinem Oberhalb dieses Geschehens als *notwendig* geschehen, begriffen werden kann."[51]

Damit ist die auf Jesu Richteramt bezogene Stellvertretungsaussage nur variiert. Sachlich ist eigentlich nichts entscheidend Neues ausgesagt. Für Barth bedeutet es in der Sache kaum einen Unterschied, ob Jesu Werk unter dem Aspekt des Priester- oder Richteramtes vorgestellt wird. „Man kann das Werk Jesu Christi in der Tat, dasselbe meinend und bezeichnend, als *hohepriesterliches* wie als *richterliches* Werk beschreiben. Hier wie dort tritt er an des Menschen Stelle, nimmt er ihm ein Amt ab, das versehen werden muß, das zu versehen er selbst aber nicht fähig ist. Hier wie dort tritt zur Begründung des neuen, d. h. zur wahrhaften Durchführung des alten Bundes eine ganz neue Ordnung in Kraft: in dem ganz anderen Mann nämlich, der hier wie dort als der Mensch gewordene Sohn Gottes das Heft in seine Hand nimmt, um es nun erst seinem Sinn entsprechend zu führen . . ."[52]

---

49 Vgl. Teil II, IV, 3 unserer Arbeit.
50 KD IV/1, 303.

51 A.a.O., 304.
52 Ebd.

Barth zieht diese Linie weiter aus, wenn er den zweiten und dritten Satz
seiner „Hauptüberlegung",[53] der Gerichtsdarstellung, zusammenfassend
folgendermaßen überträgt: Jesus Christus „hat sich selbst dazu hergegeben,
der für uns zur Beseitigung unserer Sünde *Geopferte* zu sein".[54] Damit ist der
entscheidende inhaltliche Unterschied des Priestertums Jesu Christi zu allem
vorangehenden alttestamentlichen Priesterdienst angesprochen. Allgemein,
d. h. abgesehen von seiner besonderen Verwirklichung in Jesus Christus,
läßt sich das Priesteramt folgendermaßen definieren: „Die höchste und
bezeichnendste Funktion des Priesters ist eben die Darbringung des
Opfers".[55] Diese Allgemeindefinition reicht jedoch nicht hin zur adäquaten
Beschreibung des wahren Priesters Jesus Christus bzw. seines Priesteramtes.
Sein Priestertum läßt sich unter diesem Allgemeinbegriff noch nicht befriedi-
gend zur Geltung bringen. Denn – so Barth –: *„Dieser* Priester . . . – hier
zerbricht das Bild völlig, hier versagt auch die Melchisedek-Parallele – ist
nicht nur der Opfernde, sondern selber auch das von ihm dargebrachte
Opfer."[56] Und dies wird nun näher erläutert: *„Er bringt nicht etwas* – und
wäre es das Höchste – er bringt schlicht sich selbst dar. Er vergießt also nicht
‚fremdes‘ Blut, das von Böcken und Kälbern, um mit dessen Darbietung ins
Heiligtum hineinzugehen (Hebr. 9,12.25). Sondern um sein eigenes Blut,
um die Preisgabe seines Lebens zur Tötung geht es. Sich selbst hat er ‚durch
den ewigen Geist makellos Gott dargebracht‘ (Hebr. 9,14.23.26, vgl. 7,27;
10,12.14)."[57]

Erst jetzt versucht Barth eine Bestimmung des Opferbegriffs. Er fragt:
„Was meint nämlich der Begriff des Opfers?"[58] Seine Antwort bringt die
Vorstellung des Opfers von vornherein in den Zusammenhang der durch die
menschliche Sünde eingetretenen Störung der Gemeinschaftsbeziehung
zwischen Gott und Mensch. Der Mensch ist von Hause aus der Sünder,
bleibt aber auch als solcher Gottes Eigentum, Gott gegenüber verpflichtet.
Im Blick auf das für die neutestamentliche Vorstellungswelt maßgebliche
„Opferinstitut des *Israel*bundes"[59] stellt Barth fest: Das Opfer ist die dem
Menschen *als Sünder* von Gott selbst gewährte Möglichkeit der unvollkom-
menen, weil von der Sünde depravierten Realisierung seiner Gottzugehörig-
keit. Im Opfer kommt es aber nicht zur Ausschaltung der Sünde als des
Störfaktors zwischen Gott und den Menschen, sondern lediglich zur
Herstellung einer den Zwiespalt wenigstens „vorläufig überbrückenden
Kommunikation und Kommunion des israelitischen Volkes und Men-

53 A.a.O., 305.
54 Ebd.
55 Ebd.
56 Ebd.

57 Ebd.
58 Ebd.
59 Ebd.

schen"[60] mit ihrem Bundesherrn. Damit sind sowohl der Wert als auch die wesentliche Unzulänglichkeit des Opfers markiert. Es handelt sich dabei immer nur um die Begegnung des *Sünders* mit Gott. An dessen grundlegender Situation ändert sich nichts. Denn er gibt Gott nur, indem er ihm als der Sünder, der er ist, das Eigentliche, seinen Gehorsam, versagt, etwas Unvollkommenes. So kann Barth sagen: „Opfer sind Ersatzleistungen für das, was er Gott eigentlich leisten sollte und doch nie leistet noch leisten wird: stellvertretende, seinen Gehorsamswillen nur eben aussprechende, sein Gott faktisch nicht dargebrachtes Leben wenigstens repräsentierende und symbolisierende Gaben aus dem Bereich seines besten Besitzes. Er darf sie darbringen. Er soll das auch tun."[61] Das eigentlich Problematische des Opfers besteht in seiner Insuffizienz, in seiner nur beschränkten Wirksamkeit: „Es konnte und sollte das alttestamentliche Opfer den Stand der Dinge zwischen Gott und seinem Volk nicht etwa aufheben und durch einen anderen ersetzen, sondern nur jeweils und bis auf weiteres (und soweit das ohne schwere Ahndungen tunlich war) wieder in Ordnung bringen, das gestörte, das mißliche Verhältnis zwischen beiden wenigstens offen und in der Schwebe halten, ihr Zusammensein immer wieder tragbar und möglich machen."[62] Daher schließt auch das Opfer die Notwendigkeit je neuer den Sünder strafender Gerichte nicht aus.

Dieser Opferbegriff ist auf das Erlösungswerk Jesu Christi nicht anwendbar. Um ein weiteres „Quidproquo",[63] um eine „weitere, vielleicht nun höchste Priester- und Opfergeschichte"[64] kann es sich im Kreuz Jesu Christi nicht handeln. Deshalb stellt Barth den im letzten unwirksamen Opfern des Alten Bundes das vollkommene Opfer Jesu Christi gegenüber: „Das *tatsächliche* Opfer für die Sünde, zu ihrer *Beseitigung* nämlich, zur Beschaffung und Proklamation gültiger und gänzlicher *Vergebung*, zur Heraufführung des vor Gott *gerechten* Menschen, den Israel mit seinen Opfern wie in den Gerichten, unter denen es leiden muß, wohl bezeugen, aber eben nur bezeugen, nur in Ersatzleistungen, nur in allerlei Quidproquo auf den Plan führen kann."[65] Was aber macht die Vollkommenheit dieses Opfers aus? Nach Barth ist es dies, daß Gott selbst hier eingreift und das zur Versöhnung des Menschen mit Gott Notwendige unternimmt. Der schattenhaften Abbildung der Versöhnung im alttestamentlichen Opfer steht im Kreuz Christi der „*Vollzug* der Versöhnung des Menschen mit Gott"[66] gegenüber. Denn in der Passion Jesu Christi handelt es sich „um ein in und mit dem Tun

60 Ebd.
61 Ebd.
62 A.a.O., 306.
63 A.a.O., 308.

64 Ebd.
65 A.a.O., 307.
66 Ebd.

dieses Menschen stattfindendes Tun *Gottes selbst*, in welchem deshalb eben das *geschieht*, was alles menschliche Opfern nur bezeugen kann, in welchem also der Vorbehalt, unter dem alles menschliche Opfern geschieht, in welchem sein bloß repräsentativer, bloß symbolischer, bloß signifikativer Charakter in Wegfall kommt, der Begriff des Opfers erfüllt, das wirkliche und darum auch wirksame Opfer *gebracht* wird".[67] Damit ist natürlich sofort die Frage gestellt, worin denn der Begriff des Opfers erfüllt ist, worin das *wirkliche* Opfer besteht.

Um hier die entscheidende Auskunft zu geben, macht Barth zunächst klar, worauf der Wille Gottes eigentlich zielt. Was fordert Gott vom Menschen? Barth antwortet zunächst positiv: Gott fordert „die *Erfüllung* des Bundes, den *neuen* Menschen, der nicht nur weiß und anerkennt und tätig zu verstehen gibt, sondern ganz und gar davon *lebt*, daß er ihm gehört, daß er *sein* Mensch ist".[68] Negativ ausgedrückt, heißt das: „Er will und fordert also die Preisgabe des ‚alten' Menschen (der dieser Mensch *nicht* ist noch werden, der eben nur sterben kann!), seine Beseitigung, seine Dahingabe in den Tod, der damit nicht vollzogen ist, daß er dies und das, und wäre es sein Bestes, dahingibt. Jetzt will und fordert Gott ihn selbst, und zwar, um mit ihm *Schluß* zu machen, damit er als jener neue Mensch Raum und Luft zu neuem Leben bekomme. Er will und fordert seinen Durchgang durch den Tod ins Leben. Er will und fordert, daß er als Mensch der Sünde sein Leben *lasse*, daß sein Blut als dieser Mensch endgültig verströme, zur Erde falle, sich verliere, daß er als dieser Mensch in Flammen und Rauch aufgehe."[69]

Damit ist nach Barth der Inbegriff des wirklichen, tatsächlichen Opfers umschrieben: „Das meint, darauf zielt doch das Opfer."[70] Was das Opfer Christi von allen Ersatzleistungen abhebt, „ist das Gericht, das sich in allen anderen Opfern nicht vollzieht".[71] Vom Kreuz Christi kann jedoch genau dies ausgesagt werden: „Im Opfer Jesu Christi, im Vergießen seines (1. Petr. 1,19) ‚kostbaren' Blutes, vollzieht es sich. Es hat die Kraft wirklicher Dahingabe und Hinwegnahme des sündigen Menschen, die Kraft zur Herbeiführung seines Endes und Todes als solcher und eben damit zur Erschaffung einer neuen Situation, in der Gott es nicht mehr mit diesem Menschen zu tun haben, in welcher seine Treue einem seinerseits treuen Volk und Menschen begegnen wird."[72] Die Wende in der durch die Sünde entstellten Beziehung des Menschen zu Gott tritt dadurch ein, daß Gott selbst in Jesus Christus „dieses Opfer nicht nur fordert, sondern auch

---

67 A.a.O., 307f.
68 A.a.O., 308.
69 Ebd.

70 Ebd.
71 Ebd.
72 Ebd.

bringt".[73] Die unmittelbare Fortsetzung beschreibt das Wesen dieses Opfers: In Jesus Christus „befiehlt er (scil.: Gott) nicht nur, sondern gibt er, was er befiehlt. In ihm tut er ja eben das selbst, was zur Beseitigung der Sünde, zur Aufhebung des Zwiespalts geschehen muß, wird er ja selbst – und er erweist sich eben darin als rein, heilig und sündlos, daß er sich dessen nicht weigert! – der größte aller Sünder, leistet er selbst die vom sündigen Menschen geforderte Buße und Umkehr, übernimmt er selbst das Bittere: der angeklagte, der verurteilte und nun eben: der gerichtete, der getötete Mensch der Sünde zu sein: damit – nachdem er *dieser* Mensch gewesen – kein anderer Mensch *dieser* Mensch wieder sein müsse und könne, damit an dessen Stelle ein anderer, der ihm wohlgefällige Mensch des Gehorsams Raum und Luft bekommen, leben könne".[74]

An entscheidender Stelle, dort nämlich, wo Barth das Opfer Christi in seinem Unterschied zu allen vorangehenden Opfern des Alten Bundes beschreibt, hat damit der Gerichtsgedanke, wie Barth ihn dargelegt hatte und wie wir ihn beschrieben haben,[75] Eingang gefunden in die Wesensbestimmung des Opfers Christi. Was zeichnet nämlich das Opfer Christi aus vor allen anderen Opfern? Nach Barth muß man antworten: Darin besteht seine Auszeichnung, daß in ihm Ereignis wird, was in allen anderen Opfern nicht stattfindet: „Und das eben ist das Gericht, das sich in allen anderen Opfern nicht vollzieht."[76] Was die Passion Jesu Christi für Barth zum wahren und wirklichen Opfer macht, ist das in ihr stattfindende Gericht über den einen großen Sünder. Wenn Barth darangeht, das Opfer Christi in seinem Wesensgehalt zu bestimmen, greift er zurück auf die entscheidenden Elemente seiner Gerichtstheologie. Die Beschreibung des Opfers Christi stimmt denn auch in den wesentlichen Punkten überein mit der Beschreibung des Gerichtsvorgangs, wie sie uns bereits bekannt ist.

Was konstituiert nämlich das Opfer Christi im einzelnen? Nach Barth ist zu antworten: Darin besteht das Opfer Christi, daß Jesus Christus bzw. Gott in ihm „der größte aller Sünder"[77] wird, sich nicht weigert, gerade dieser zu sein,[78] und als solcher erleidet, was sich als Folge aus dieser radikalen Identifizierung mit dem Sünder ergibt. Als der Sünder schlechthin leistet er nämlich „die vom sündigen Menschen geforderte Buße und Umkehr".[79] Die Fortführung des Satzes beschreibt, worin diese Buße und Umkehr besteht: Jesus Christus „übernimmt . . . das Bittere: der angeklagte, der verurteilte und nun eben: der gerichtete, der getötete Mensch der

73 Ebd.
74 A.a.O., 308f.
75 Vgl. Teil II, IV, 3 unserer Arbeit.
76 KD IV/1, 308.

77 Ebd.
78 Ebd.
79 Ebd.

Sünde zu sein . . . ".[80] Das Opfer Christi besteht also nach Barth darin, daß er „sich dazu *hergibt*".[81] Das „dazu" weist zurück auf Jesu Identifizierung mit dem Sünder, seine Übernahme der Anklage, der Verurteilung, des Gerichts und des Todes als Mensch der Sünde.

4) Barth rundet seine Darlegungen zum Opfer Christi ab, indem er auch für den das Geschehen des Gerichts positiv auslegenden Gedanken der Rechttat des an unsere Stelle getretenen Richters ein Äquivalent in der kultischen Denkform sucht. Die Erkenntnis, daß Jesus Christus, indem er im Gehorsam sich Gottes Gericht gebeugt hat, das Rechte getan hat, lasse sich auf der nunmehr betretenen Sprachebene folgendermaßen formulieren: „Er hat an unserer Stelle *vollkommen* geopfert – er, der als der vollkommene *Priester* an die Stelle aller menschlichen Priester trat – er, der, indem er sich selbst opferte, das vollkommene *Opfer* an die Stelle aller von Menschen dargebrachten Opfer gesetzt hat."[82] Dieser Satz enthält die wichtige Feststellung, daß Christi Opfer Gottes Wohlgefallen fand und von Gott angenommen wurde. Das heißt nichts anderes als daß in ihm der treue Gott dem treuen Menschen begegnet, „weil und indem in ihm das von Gott Geforderte *geschehen,* weil und indem es in ihm von Gott selbst *geschenkt* und *vollbracht* worden ist".[83] Mit anderen Worten, Gott kann Christi Kreuzestod als vollkommenes Opfer annehmen, weil in ihm das geschah, was alle vorgängigen Opfer bestenfalls schattenhaft abbilden konnten, aber nach Barth gerade nicht verwirklichten (per definitionem nicht leisteten):[84] „Der Vollzug des Gehorsams, der Demut, der Buße und eben damit der Umkehr des Menschen zu ihm hin und in dieser Umkehr die Erledigung, der Tod des alten, des rebellischen, die Geburt des neuen, des mit seinem Willen einigen Menschen."[85]

c) Anmerkungen zu Barths Interpretation des Kreuzes Christi als Opfer

aa) Es ist anzuerkennen: Barth spricht an zahlreichen Stellen vom Opfer Christi, von seiner am Kreuz vollzogenen Dahingabe und Darbringung. So kann er sagen: Jesus Christus „bringt nicht etwas – und wäre es das Höchste – er bringt schlicht sich selbst dar".[86] Nach ihm „bedeutet der Ausdruck ‚mein Bundesblut' im Kelchwort des Abendmahls (Mr. 14, 24) zweifellos

---

80 A.a.O., 309.
81 Ebd.
82 Ebd.

83 A.a.O., 310.
84 A.a.O., 306.
85 A.a.O., 310.

86 A.a.O., 305; KD IV/3, 1. Hälfte, 439.440.442, bezeichnet Barth Jesu Dasein als ein Gott „dargebrachtes" Leben. Im gleichen Zusammenhang, KD IV/3, 1. Hälfte, 441, gebraucht Barth zur Umschreibung der Zuwendung Jesu zu Gott den Begriff „Darbringung".

den Vergleich seiner eigenen Lebenshingabe mit dem nach Ex. 24,8 bei der Bundesschließung am Sinai über das Volk gesprengten Opferblut".[87] Barth trägt damit dem Sprachgebrauch des Neuen Testaments Rechnung. Nicht selten schließt er sich, wenn er von Opfer und Lebenshingabe Jesu spricht, eng entsprechenden neutestamentlichen Wendungen an oder zitiert direkt Dahingabe-Formeln aus dem Matthäusevangelium,[88] dem Epheserbrief[89] oder dem Hebräerbrief.[90]

In seinem oben zusammengefaßten Opfer-Exkurs will er der Interpretation des Todes Jesu als Opfer ein gewisses Recht einräumen neben seiner Deutung des Christusmysteriums als Gericht. Dabei ist allerdings zu prüfen, welche Stellung bzw. welcher Rang dem Opfergedanken im Gesamtduktus seiner Versöhnungslehre zukommt und wie sich seine Gerichtstheologie auswirkt auf den Versuch, das Kreuz Jesu Christi auch im Kontext der Opfervorstellung zur Sprache zu bringen. Dies soll im folgenden versucht werden.

bb) Barth sucht im Opfergedanken weniger einen neuen Ansatz zur theologischen Durchdringung des Kreuzesleidens Jesu Christi, er will vielmehr „repetieren und verifizieren",[91] was er im Rahmen seines gerichtstheologischen Entwurfs bereits vorgetragen hat. Zu diesem Zweck überträgt er die vier Leitsätze seiner Deutung der Passion als Gericht[92] in eine andere „Anschauungsform".[93] Er will den gleichen Gedankengang auf der Ebene kultischer Sprache, im Rahmen der Vorstellungsform des Opfers neu formulieren. Barth erkennt zwar die Nähe des Neuen Testaments und der ältesten Christenheit zur kultischen Sprache und Vorstellungswelt an, hält aber dafür, daß die ebenfalls schriftgemäße, der juristischen Sphäre entnommene Begrifflichkeit zur Erhellung des mysterium crucis den Vorzug verdient.[94] Er begründet auch, warum er seinen Ansatz zur Interpretation der Passion Jesu nicht primär auf den Opfergedanken stützt: „Wenn wir hier nun doch darauf verzichtet haben, das Ganze in diesen Rahmen zu stellen, so geschah das einerseits aus dem schlichten Grund, weil die ohnehin schwierige Materie nicht dadurch noch schwerer gemacht werden sollte, daß wir sie gerade unter dieser uns etwas fern liegenden Anschauungsform zu verstehen

---

87 KD IV/1, 305.
88 KD III/2, 70.395 (KD III/2, 395 trägt Barth weitere neutestamentliche Hingabe-Formeln zusammen).
89 KD II/2, 546; KD III/2, 255.
90 KD IV/1, 305.
91 A.a.O., 303.
92 Vgl. Teil II, IV, 3 unserer Arbeit.
93 KD IV/1, 302.
94 Ebd.

suchten, anderseits und vor allem aber, weil sie unter den vier von uns gewählten einfachen Begriffen aus der juristischen Sphäre des biblischen Denkens nun doch auch sachlich besser, bestimmter und auch umfassender in Sicht zu bekommen war, als es, wenn wir uns grundsätzlich auf den Boden der kultischen Anschauung begeben hätten, auch im besten Fall möglich gewesen wäre".[95] Eine Begründung dafür, warum der Tod Christi in der Vorstellung vom Gericht „sachlich besser, bestimmter und auch umfassender in Sicht zu bekommen" sei, ist zumindest an dieser Stelle nicht gegeben. Barth wertet damit zumindest indirekt den Opfergedanken gegenüber dem gerichtstheologischen Entwurf ab. Seine kurzgefaßte Darstellung des Werkes Christi als Opfer, die er dennoch versucht, erweist sich gegenüber der Gerichtsdarstellung als sekundär. Die formale Angleichung des Opfertraktats an die Gerichtsdarstellung (Übertragung der vier Gedankenschritte auf die sprachliche Ebene der Opfervorstellung) bestätigt diesen Befund.

Damit sind wir auf ein Problem gestoßen: Die Herabsetzung des Opfergedankens zu einem sekundären Interpretament des Kreuzes Jesu Christi ist katholischerseits nicht nachzuvollziehen. Für die katholische Soteriologie ist die Opferanschauung kein zweitrangiges Deutungskonzept des Todes Jesu, insbesondere deshalb, weil die katholische Theologie die Eucharistie als Vergegenwärtigung des Kreuzesopfers Jesu Christi versteht.[96] Es ist daher zu prüfen, ob die Gerichtstheologie Barths wesentlich mit dieser Folgerung verbunden ist oder ob diese von jener ablösbar ist. Es gibt jedenfalls zu denken, daß Barth sich im Sinne einer Abwertung des Opfergedankens äußert. Wenn er als Grund für diese Abwertung angibt, der Gerichtsgedanke könne „sachlich besser, bestimmter und auch umfassender" das Geheimnis des Todes Jesu aussagen, so ist zu fragen: Warum soll der Gerichtsgedanke die sachlich bessere Auslegung des Kreuzes hergeben? Soweit wir sehen, gibt Barth auf diese Frage keine explizite Antwort.

cc) Wie wirkt sich die Gerichtstheologie Barths auf seine Interpretation des Kreuzes Jesu als Opfer näherhin aus? Wir halten fest: Nach Barth leistet Jesus in der Unterwerfung unter Gottes Gericht am Kreuz strikten und vollkommenen Gehorsam. Das Opfer besteht nun für ihn darin, daß Jesus Christus sich „nicht weigert",[97] es „übernimmt"[98] bzw. „sich dazu *hergibt*",[99] der Sünder, der Gerichtete, der Getötete zu sein. Damit wird bei

---

95 Ebd.
96 Vgl. die in Anm. 33 genannten Arbeiten von J. Kramp, J. Brinktrine, G. L. Bauer; ferner A. Vonier, Das Geheimnis des eucharistischen Opfers, Berlin 1929.
97 KD IV/1, 308.
98 A.a.O., 309.
99 Ebd.

Barth, obwohl er im Anschluß an das Neue Testament Dahingabe-Formeln benutzt und aufgreift, dort, wo er das Opfer Jesu eigenständig (d. h. ohne Anlehnung an Formeln) erklärt und interpretiert, aus der Hingabe ein Sich-Hergeben. Der Gedanke der Hingabe bzw. Darbringung entgleitet Barth an entscheidender Stelle. Mit der Akzentuierung des am Kreuz geleisteten Gehorsams Jesu Christi ist die volle Wirklichkeit des Opferbegriffs noch nicht eingeholt. Denn der Gehorsam schließt, wie wir sahen, noch nicht die Darbringung (des Gehorsams) ein. Zum Opfer gehört aber als wesentliches Element die Darbringung (oblatio).

Barths Ausführungen lassen folgenden ungelösten Widerspruch erkennen: Dort, wo er die Sicht des Neuen Testaments zur Geltung zu bringen sucht, wo er in engem Anschluß an neutestamentliche vom Opferbegriff her genommene Deutungskategorien formuliert, spricht er zwar von Darbringung und Hingabe. Sobald er jedoch von seiner eigenen Theorie (der Gerichtstheologie) her denkt, gerät er in Schwierigkeiten, das zum Opfer gehörige Moment der Darbringung aufrecht zu erhalten. Von seiner Theorie her ist der Gedanke der Selbsthingabe schwierig zu vertreten. Deshalb wird bei ihm die Selbsthingabe umgeprägt zu einer Selbst*hergabe*. Selbsthergabe ist aber nichts anderes als die Bereitschaft zum Gehorsam. Wir konnten dagegen aufzeigen, daß der Opferbegriff einen gewissen Überschuß zum gehorsamen Geschehenlassen enthält, nämlich die Darbringung des Gehorsams.[100] Im Wortspiel, indem der Gedanke der Hingabe umgemünzt wird zum „Hergeben",[101] kommt die Verschiebung zum Ausdruck. Bei allem Bemühen, dem Opfergedanken ein gewisses, wenn auch untergeordnetes Recht zu konzedieren, erreicht Barth nicht die Ebene der Opfervorstellung, wenn er seinen eigenen gerichtstheologischen Denkansatz in die Form kultischer Anschauung zu übersetzen versucht.[102] Der Opfergedanke erscheint bei ihm verflüchtigt, weil das Entscheidende, nämlich die oblatio, verflüchtigt wird.

Dabei ist festzuhalten: Nicht der Gerichtsgedanke als solcher schließt notwendigerweise den Opfergedanken aus. Aber die Barthsche Überspitzung der Gerichtstheologie, die zum Ausdruck kommt in der Radikalisierung der Stellvertretungsaussage[103] (Jesus *ist* der Sünder schlechthin) und im

---

100 Vgl. Anm. 44.
101 KD IV/1, 309.
102 Vgl. auch die knappe Kommentierung von E. W. Wendebourg, Die Christusgemeinde und ihr Herr, 36f., Anm. 4: „Barth gibt ... in Parenthese auch eine Darlegung der Versöhnung mit Hilfe der kultischen Begriffe des Neuen Testamentes, Jesus Christus, der für uns geopferte ‚Priester' (siehe KD IV, 1 S. 302ff.). Der theologische Gehalt dieser Ausführungen bleibt derselbe."
103 S. o. Teil III, I, 1.

Außerachtlassen des analogen Sinns der Rede von der Jesus am Kreuz treffenden Strafe[104] (Barth spricht von Verwerfung, Verdammnis, Höllenstrafe) führt zu einer Aushöhlung des Opferbegriffs. Denn wenn Jesus nach Barth der eine große Sünder ist, der die dem Sünder zukommende Strafe erleidet (die angemessene Strafe für die Sünde wäre die ewige Verdammnis), ergibt sich die Schwierigkeit: Wie kann Jesus Christus als der Sünder schlechthin Gott sich selbst als das vollkommene und wohlgefällige Opfer darbringen? Das Leben des Sünders ist verwirkt, dem Tod verfallen. Denn der Sünder steht gegen Gott. Als solcher kann er aber nur vergehen. Was aber notwendig zum Vergehen bestimmt und dem Tod verfallen ist, kann nicht mehr Gott als Gabe dargeboten werden. Wenn Jesus der Sünder ist, kann sein Leben von Gott nur verworfen werden, trifft ihn Gottes Gericht über die Sünde mit unausweichlicher Konsequenz. Damit stellt sich aber die Frage: Wie kann er Gott als reine und heilige Gabe darbringen, was notwendigerweise nur verworfen werden kann?

Im Blick auf den der Lebenshingabe entsprechenden Todesgehorsam läßt sich die Frage folgendermaßen variieren: Wie kann Jesus Christus Gott den Todesgehorsam darbringen, d. h. als Gabe anbieten, wenn der Tod die unausweichliche Konsequenz seines Sünderseins ist? Im Bekenntnis zu seinem Sündersein kann Jesus zwar im Gehorsam Gottes Gericht anerkennen. Nach Barth vollzieht Jesus diesen Gehorsam, indem er sich nicht weigert, der Sünder zu sein und als solcher unter Gottes Gericht zu stehen. D. h. nach Barth *leistet* Jesus Gehorsam. Er *ist* gehorsam. Das heißt aber noch nicht, daß er Gott seinen Todesgehorsam *darbringt*.

Das im Opferbegriff definitionsgemäß enthaltene Moment der Hingabe bzw. Darbringung muß notwendigerweise entfallen, wenn es um den Tod des einen großen Sünders geht. Dessen einzige Gerechtigkeit kann – wie Barth darlegt – nur im Vollzug des Gehorsams bestehen, d. h. darin, das Urteil Gottes anzuerkennen und es an sich vollstrecken zu lassen. Der Begriff des Opfers ist damit jedoch ausgehöhlt.

Barth versucht zwar, den Opferbegriff zu sichern, die Konsequenz seines Denkansatzes führt ihn jedoch zu einer Aushöhlung der Vorstellung des Opfers. So kommt der Opfergedanke bei ihm nicht zur vollen Entfaltung.

Zusammenfassend können wir feststellen: Dort, wo Barth vom Gericht her denkt und nachträglich die Opfervorstellung in seine Gesamtperspektive des Heilsmysteriums zu integrieren sucht, dort tritt der Gedanke der Selbsthingabe zurück, dort entgleitet ihm das Moment der Darbringung. Hier aber sieht die katholische Tradition das Entscheidende. Hier öffnet sich

104 S. o. Teil III, I, 2.

auch die Opfervorstellung zum Gedanken der Genugtuung und des Verdienstes. Eine Zurücknahme hier bleibt bei Barth nicht ohne Auswirkung auf sein Verständnis der Genugtuung und des Verdienstes.

2. Barths Stellung zum Satisfaktionsbegriff

a) Der Satisfaktionsbegriff in der katholischen Theologie[105]

Anselm von Canterbury geht in seiner in „Cur deus homo" vorgelegten Erlösungslehre der Frage nach: Wie kann die Gerechtigkeit Gottes zum Ziel kommen angesichts der ihm in der Sünde des Menschen zugefügten Beleidigung? Für Anselm steht fest: Gottes Gerechtigkeit muß ebenso zum Ziel kommen wie sein Erbarmen. Wenn aber die Gerechtigkeit (angesichts des durch die Sünde des Menschen entstandenen Schadens) zum Zuge kommt, gibt es zwei Wege: Entweder muß Gott den Sünder strafen oder von ihm eine Genugtuung fordern.[106]

Die Deutung des Werkes Jesu Christi erhält bei Anselm ihr besonderes Gepräge durch die Erwägung, in welchem Verhältnis die beiden Wege zueinander stehen. Anselm antwortet auf das hier gestellte Problem sozusagen juristisch: Die beiden Wege bilden für ihn eine Alternative: *Aut poena aut satisfactio*. Die gerechte Bestrafung des Menschen wäre sein Verderben. Andererseits kann aber der Mensch die geforderte Genugtuung nicht leisten. So scheint der Mensch, da Genugtuung ihm unmöglich ist, verloren zu sein. Das scheinbar Unmögliche leistet jedoch Gott. Er sendet seinen Sohn Jesus Christus. Der Gottmensch bietet in seiner im Tod vollzogenen Lebenshingabe Gott ein Gut an, das die durch die Sünde Gott angetane Entehrung (exhonoratio[107]) und die mit ihr verbundene Schmach mehr als aufwiegt. So leistet er vollgültige, ja überfließende Wiedergutmachung für den durch die Sünde entstandenen Schaden.[108]

105 Vgl. zur katholischen Lehre von der Genugtuung Christi: B. Dörholt, Die Lehre von der Genugthuung Christi, Paderborn 1891; F. Bourassa, La satisfaction du Christ: Sciences Ecclesiastiques 15 (1963), 351-381; R. Haubst, Vom Sinn der Menschwerdung. Cur Deus homo, München 1969. Speziell zur Satisfaktionslehre Anselms vgl. L. Heinrichs, Die Genugtuungstheorie des hl. Anselmus von Canterbury. Neu dargestellt und dogmatisch geprüft: FChLDG, Bd. 9, H. 1, Paderborn 1909; J. McIntyre, St. Anselm and his critics. A reinterpretation of the Cur Deus homo, Edinburgh/London 1954; F. Hammer, Genugtuung und Heil. Absicht, Sinn und Grenzen der Erlösungslehre Anselms von Canterbury: Wiener Beiträge zur Theologie, Bd. 15, Wien 1967; R. Haubst, Anselms Satisfaktionslehre einst und heute: TThZ 80 (1971), 88-109; G. Greshake, Erlösung und Freiheit. Zur Neuinterpretation der Erlösungslehre Anselms von Canterbury: ThQ 153 (1973), 323-345.

106 Cur deus homo I, 13: „Necesse est ergo, ut aut ablatus honor solvatur aut poena sequatur. Alioquin aut sibi deus ipsi iustus non erit aut ad utrumque impotens erit; quod nefas est vel cogitare."

107 Cur deus homo I, 11.

108 Cur deus homo II, 11.14.18.

b) Die Entleerung des Satisfaktionsbegriffs bei Barth

Barth bietet in seiner Kirchlichen Dogmatik keine systematische Abhandlung zum Gedanken der satisfactio, auch nicht in Form eines seinen Darlegungen zum Opferbegriff vergleichbaren Exkurses. Aus seinen dennoch hier und da eingestreuten Bemerkungen und Stellungnahmen zur Vorstellung der Genugtuung läßt sich folgender Befund erheben: Zunächst: Barth macht keinen Hehl aus seiner kritisch ablehnenden Einstellung gegenüber einer Satisfaktions*theorie*.[109] Eindeutig distanziert er sich von Verzerrungen und Auswucherungen, die sich nach seiner Auffassung auf dem Grund der Genugtuungslehre gebildet haben.[110] Auch zu der Konstruktion Anselms in „Cur deus homo" stellt er kritische Fragen, aus denen seine Distanzierung zu der dort vorgelegten Antwort eindeutig hervorgeht.[111] Barth glaubt feststellen zu müssen, daß er sich in seinem eigenen Entwurf der Versöhnungslehre doch vom Weg Anselms getrennt habe.[112] Insgesamt, so ist weiter zu bemerken, stuft Barth den Satisfaktionsbegriff als problematisch ein.[113] Dennoch verzichtet er nicht gänzlich auf dessen Verwendung. Allerdings ist bei ihm eine Tendenz zu erkennen, dem Satisfaktionsbegriff einen im Vergleich zur Tradition neuen Inhalt und damit eine neue Bedeutung zu unterlegen.

Zunächst scheint Barth noch auf dem Boden des herkömmlichen Sprachgebrauchs und der traditionellen Vorstellung von der satisfactio Christi zu stehen, wenn er Jesu Christi Priestertum erklärt als den „Fall effektiv priesterlichen Tuns . . . , in welchem die Genugtuung, d. h. das zur Versöhnung der Welt mit Gott Genügende schlechterdings *geschehen* ist – *satis fecit* – und nur als geschehen, und also gerade aus keinem Oberhalb dieses Geschehens als *notwendig* geschehen, begriffen werden kann".[114] An die hergebrachte Redeweise erinnert auch noch folgende auf Person und

---

109 Vgl. KD IV/1, 304: „Und er (scil. Christus) ist *der* Fall effektiv priesterlichen Tuns, der keinen neben sich hat, weil dieses Tun in ihm ein vollendetes ist, der nicht Symbol ist für eine über ihm stehende Allgemeinwahrheit, der Fall, in welchem die Genugtuung, d. h. das zur Versöhnung der Welt mit Gott Genügende schlechterdings *geschehen* ist – *satis fecit* – und nur als geschehen, und also gerade aus keinem Oberhalb dieses Geschehens als *notwendig* geschehen, begriffen werden kann. In keiner Satisfaktions*theorie* also, sondern nur in der Anschauung und im Begreifen seines faktisch-praktisch vollbrachten *satis facere*"!

110 KD IV/1, 279; vgl. KD II/1, 453.

111 KD IV/1, 541f.; gegenüber B. Klappert, Die Auferweckung des Gekreuzigten, 221, Anm. 37, ist jedoch richtigzustellen: Barth lastet die, wie er sagt, dem Neuen Testament fremde Vorstellung, daß Jesus Christus durch das Tragen unserer Strafe „dem Zorne Gottes ‚genug getan', Satisfaktion geleistet habe" (KD IV/1, 279), nicht Anselm an, wie man nach Klappert annehmen muß, sondern „der Nachfolge *Anselms von Canterbury*" (ebd.).

112 KD IV/1, 541.

113 A.a.O., 280.

114 A.a.O., 304.

Werk Jesu Christi bezogene Feststellung: „Weil er Gott ist, darum hat und übt er die Kraft, als dieser Mensch die *Folge* unserer Übertretung, den Zorn und die Strafe, die uns treffen mußten, für uns Alle zu *erleiden* und so sich selber uns gegenüber genug zu tun."[115] Die Konturen des Satisfaktionsbegriffs verschwimmen jedoch, wenn Barth in unmittelbarem Anschluß daran fortfährt: „Und wieder weil er Gott ist, hat und übt er auch die Kraft, als dieser Mensch an unser Aller Stelle sein eigener *Partner* zu sein, der der Bestimmung des Menschen zum Heil, der wir Alle widersprechen, in freiem Gehorsam *gerecht* wird und so auch *uns* genug, d. h. auch das für uns positiv Genügende zu tun".[116] Die Verschiebung im Begriffsinhalt, so wie sie dann auf dem Höhepunkt der Versöhnungslehre greifbar wird, kündigt sich bereits an, wenn es im gleichen Zusammenhang des kursorischen Überblicks zum ersten Teil der Versöhnungslehre heißt: „Jesus Christus ist der Mann, in welchem *Gott* (Hervorhebg. vom Verf.) angesichts unserer Übertretung sich selbst und angesichts unseres Elends doch auch uns genug tut".[117] Wie aber ist das Werk der „Genugtuung" im Sinne Barths näher zu bestimmen?

Darauf ist zu antworten: Die „Genugtuung" geschieht nach Barth in Gottes Gericht. Gott tut genug, indem sein Zorn am Kreuz von Golgatha seinen eigenen Sohn schlägt. Barth spricht in diesem Zusammenhang von der „Radikalität der göttlichen *Liebe*, die sich selbst nur eben in der völligen Auswirkung ihres Zornes gegen den Menschen der Sünde, nur eben in seiner *Tötung*, Auslöschung und Beseitigung ‚genug tun' konnte".[118] Wir erfahren weiter: „Gott hat in der Passion Jesu Christi, in der Dahingabe seines Sohnes in den Tod das zum siegreichen Kampf gegen die Sünde, sollte dieser Sieg radikal und total sein, *Genügende* getan: das Genügende zu ihrer Beseitigung und also zur Herstellung der Ordnung zwischen sich als Schöpfer und seinem Geschöpf . . ."[119].

Genugtuung heißt also nach Barth: Das Genügende tun. Wer aber tut das Genügende? Für Anselm ist es selbstverständlich, daß die Genugtuung durch Jesus Christus geleistet wird. Der Gottmensch leistet darin Genugtuung, daß er in seiner Lebenshingabe Gott ein überreiches Gut als Ausgleich für die ihm in der Sünde zugefügte Beleidigung darbietet. Nach Barth tut Gott das Genügende, indem er im Gericht seinem Zorn freien Lauf läßt und

---

115 A.a.O., 12.
116 Ebd.
117 A.a.O., 19.
118 A.a.O., 280.
119 Ebd.; vgl. B. Klappert, Die Auferweckung des Gekreuzigten, 221f.: „Satisfactio meint. . . – die Beseitigung der Sünde inkludierend – die Beseitigung, das Aus-dem-Mittel-Schaffen des Sünders. Satisfactio meint das im Tode Jesu Christi – deshalb der *Tod* Jesu Christi! – Ereignis werdende hominem auferri peccato remanente."

am Kreuz von Golgatha den Sünder in der Person seines eigenen Mensch gewordenen Sohnes vernichtet. Die Perspektive hat sich gewandelt. Anselm meint mit Genugtuung: Der angerichtete Schaden wird wiedergutgemacht und es wird Sühne geleistet. In Jesus Christus hat Gott selbst es ermöglicht, daß von seiten des Beleidigers (der Menschheit) der gerechte, ja überfließende Ausgleich für die Sünde erbracht wird. In diesem Sinn greift auch Thomas von Aquin den Begriff auf. Nach ihm bedeutet Genugtuung Christi „recompensatio totius offensae humani generis".[120] Barth löst den Genugtuungsbegriff aus seiner terminologischen Fixierung, wenn er ihn übersetzt in die Formel: das Genügende wird getan. Was das Genügende sei, wird nicht mehr durch den Begriff der Genugtuung als solchen erklärt (recompensatio), sondern durch den Gedanken von Gericht und Strafe. Der Begriff der Genugtuung verliert damit seine durch die Tradition fixierte Konkretion.

Barth verleiht der Beziehung des Satisfaktionsbegriffs auf das Gerichtshandeln theologisches Gewicht und eine gewisse Sanktionierung, wenn er anmerkt: „Hier dürfte dieser problematische Begriff am Platz sein."[121]

Im Blick auf die in „Cur deus homo" erarbeitete Lösung des Problems, wie Gott seine Gerechtigkeit gegenüber dem Sünder wahren könne, ist festzustellen: Anselm hatte Genugtuung und Strafe scharf gegenübergestellt. Strafe (Gericht) und Genugtuung bilden den tiefsten Gegensatz, der nur denkbar ist. Bei Thomas fließt – wie wir zeigen konnten[122] – das pönale Element in den Satisfaktionsbegriff mit ein, jedoch ohne daß dadurch der begriffliche Rahmen gesprengt würde: Satisfaktion meint auch bei Thomas die von seiten des Beleidigers dem Beleidigten dargebotene Wiedergutmachung für den zugefügten Schaden. Materialiter besteht diese Wiedergutmachung im Erleiden der Strafe. Barth sieht im Vollzug des göttlichen Gerichts die Verwirklichung der „Genugtuung". Hier ist ganz deutlich, daß der Begriff der Genugtuung sich zum Begriff des „Genügenden" hin verschoben hat. Die nähere Bestimmung des „Genügenden" erfolgt durch den Gedanken des Gerichts.

Mit der inhaltlichen Verschiebung des Satisfaktionsbegriffs und dem darin implizierten Abrücken von der traditionellen Fassung dieses Begriffs stellt Barth sich jedoch noch nicht notwendig in einen Gegensatz zur katholischen Erlösungslehre, die daran festhält, daß Jesus Christus in seinem Kreuzesleiden Gott Genugtuung geleistet hat. Denn abgesehen davon, daß Barth trotz seines Vorbehalts gegen den Satisfaktionsbegriff in seinem von der Tradition her überkommenen Gehalt von der *satisfactio* und *intercessio Jesu Chri-*

120 S. th. III, 48, 2c.   121 KD IV/1, 280.   122 S. o. Teil III, I, 2.

sti"[123] sprechen und das priesterliche Tun Christi mit einem „*satis fecit*"[124] umschreiben kann, bleibt festzuhalten: Wesentliche Elemente, die nach katholischem Verständnis der Satisfaktionsbegriff enthält, kommen auch bei Barth zur Geltung. Lehrt doch auch er: Jesus Christus ist der neue und wahre Mensch, der gut gemacht hat, was Adam und alle übrigen Menschen böse gemacht haben.[125] Auf die Frage, worin diese Wiedergutmachung bestand, ist nach Barth zu antworten: In dem Gott geleisteten vollkommenen Gehorsam, zu dem Jesus Christus kraft der Erhebung seiner menschlichen Natur in die Personeinheit mit dem göttlichen Logos fähig war.[126] Diesen Gehorsam hat Jesus in seinem Ja zum Gericht am Kreuz bewährt. Das kommt dem sehr nahe, was auch die katholische Theologie lehrt.[127] Barth nennt nicht ausdrücklich die Liebe als das formelle Element des Leidensgehorsams Jesu. Daß er dennoch einen Liebesgehorsam meint, kann aus seiner Qualifizierung des Werkes Jesu als „freie Liebestat"[128] geschlossen werden.

Von Barths Bewertung des Genugtuungsbegriffs, wie wir sie oben skizziert haben, fällt nun auch ein gewisses Licht darauf, warum er den Gerichtsgedanken für die im Vergleich mit dem Opfergedanken sachlich bessere Deutung des Todes Jesu hält, von daher nämlich, daß er den Genugtuungsbegriff in eine andere Perspektive drängt. In der katholischen Tradition werden Opfer- und Genugtuungsgedanke als Einheit verstanden: Jesus Christus leistet in seinem Opfer Genugtuung. Wenn aber nun der Genugtuungsgedanke so umgedeutet wird, daß er primär Gottes Zorngericht über Jesus Christus bezeichnet, tritt damit ipso facto auch der Opfergedanke zurück. Denn die Genugtuung besteht dann nicht mehr in dem von Jesus dargebrachten Opfer, sondern im Gerichtshandeln Gottes.

c) Die Kritik an Anselms Erlösungslehre in „Cur deus homo"

Barth stimmt mit Anselm darin überein, daß die mit der Sünde eingetretene Situation „unhaltbar, objektiv unerträglich"[129] ist. Er räumt auch ein, daß sich daraus die Notwendigkeit zu einer Bereinigung der Situation ergibt.

123 KD I/2, 336.
124 KD IV/1, 304.
125 KD I/2, 172; KD IV/1, 13.283.
126 S. o. Teil II, V, 3 unserer Arbeit.
127 Vgl. J. Rivière, Le dogme de la Rédemption. Étude théologique, 313f; L. Richard, Le dogme de la Rédemption, 148; Pesch, a.a.O., 558: „Die Genugtuung Christi *geschieht* für die Sünde, sie *tilgt* dadurch die *Strafverfallenheit;* materiell *besteht* sie im *Ausleiden der Gesamtstrafe* aller Sünden des Menschengeschlechtes, hat aber vor Gott nur genugtuenden *Wert* und genugtuende *Wirkung* durch den reinen *Liebesgehorsam*, der die Genugtuung trägt und darin Gottes Gesetz in vollkommener Weise erfüllt."
128 KD IV/1, 336.
129 A.a.O., 540.

Auch die hierfür von Anselm gegebene Begründung bleibt als solche noch unangefochten: „Deum . . . non decet aliquid inordinatum in suo regno dimittere".[130] Nach Barth zieht jedoch Anselm aus dieser Feststellung unhaltbare Folgerungen, die seine Kritik herausfordern. Nach Barth begründet nämlich Anselm mit diesem Satz die Behauptung, „es sei Gottes *nicht* würdig, dem Menschen seine Sünde *sola misericordia,* also rein, schlechthin, bedingungslos zu vergeben. Es müsse das göttliche Vergeben vielmehr als bedingt gedacht werden durch eine zuvor stattgefundene Wiedergutmachung der Verletzung der Ehre Gottes, durch die Restitution dessen, was ihm durch den Menschen geraubt sei".[131]

An diese von ihm so umschriebene und dargestellte Position Anselms richtet Barth eine Reihe kritischer Anfragen. So fragt er: „Ist denn gerade die *Menschwerdung Gottes,* auf die ja Anselms ganzer Gedankengang hinzielt, wirklich nur die Erfüllung einer Vorbedingung, auf die hin Gott dann erst in die Lage käme, in der seiner würdigen Weise vergeben zu können?"[132] Dazu kommt der Einwurf: „Ist sie (scil.: die Menschwerdung) nicht der wirkliche *Vollzug* seines — und zwar gerade seines reinen, schlechthinnigen, bedingungslosen Vergebens: seines Vergebens *sola misericordia?*"[133] Die weiteren Einwände verstärken die hier ausgesprochene Kritik.

Barth hat in seinem Einwand richtig gesehen, daß nach dem göttlichen Heilsratschluß das Erlösungswerk sich in einer bestimmten Reihenfolge der einzelnen Heilsereignisse vollzieht. Im Werk der Erlösung folgen in der Tat Menschwerdung, Kreuzigung und Vergebung aufeinander. Dem Einwand ist nun auch zu entnehmen, daß Barth im Werk der Satisfaktion nach der Lehre Anselms „die Erfüllung einer Vorbedingung"[134] sieht. Diese Vorbedingung ist für ihn näher bestimmt: Nach ihrer Erfüllung kommt Gott in die Lage, „in der seiner würdigen Weise vergeben zu können".[135] Ferner unterstellt Barth in seiner Interpretation von „Cur deus homo", nach Anselm sei die Menschwerdung bzw. das Werk Jesu Christi noch nicht „die volle Wirklichkeit der Gnade Gottes".[136]

Barth führt damit eine Scheidung ein: Bei Anselm — so interpretiert er —

---

130 Cur deus homo I, 12; - vgl. KD IV/1, 541.
131 KD IV/1, 541.
132 Ebd.
133 A.a.O., 541f.
134 A.a.O., 541.
135 Ebd.
136 A.a.O., 542. Wenn Barth von Menschwerdung spricht, ist, wie sich aus dem Zusammenhang ergibt, das ganze Werk der Erlösung gemeint, auch wenn nur die Menschwerdung ausdrücklich angesprochen ist. Für Barth liegen Inkarnation und Kreuz eng beieinander. Das Kreuz ist die volle Konsequenz der Inkarnation. Vgl. Teil II, III, 3 unserer Arbeit.

bedeuten satisfactio als Vorbedingung und das göttliche Vergeben zwei verschiedene Schichten. Er ist der Auffassung, daß Anselm die Genugtuung Christi und das Vergeben Gottes voneinander scheidet. Die Genugtuung ist nach seiner Interpretation bei Anselm dem vergebenden Werk Gottes vorgeordnet. Thomas von Aquin, der den Satisfaktionsgedanken Anselms aufgreift, sieht eine solche Diastase zwischen Genugtuung und Vergebung nicht. In seiner Lehre existiert keine Scheidung von satisfactio hier und göttlicher Vergebung dort. Nach ihm ist Gott causa prima des Erlösungs-werks;[137] die satisfactio ist für ihn in keiner Weise ausgeschieden aus dem Werk der Barmherzigkeit Gottes. Gott erweist vielmehr gerade darin aufs höchste sein Erbarmen, daß er auf dem Weg der Genugtuung die Erlösung wirkt.[138] Nach Barths Interpretation bedeutet dagegen die Genugtuung im Sinne Anselms noch nicht das göttliche Werk der Vergebung, der Barmher-zigkeit selber. Dies ist dadurch bewiesen, daß er von der Genugtuung als Vorbedingung spricht. Was Vorbedingung einer Sache ist, liegt außerhalb der Sache selbst. Thomas hingegen denkt nicht daran, die satisfactio außerhalb des Werkes Gottes zu stellen.

Wir können in diesem Zusammenhang anmerken, daß Barth mit seiner Interpretation der Erlösungslehre Anselms in einer bestimmten Tradition protestantischer Anselm-Kritik steht. Bereits G. Aulén hatte Anselms Satisfaktionslehre im Sinne einer Scheidung von göttlichem und menschli-chem Werk gedeutet und ihr seine Kritik entgegengehalten.[139] A. Harnack hatte Anselms Lehre einen Antagonismus zwischen Gottes Barmherzigkeit und Gerechtigkeit vorgeworfen und damit insinuiert, das Werk der Erlösung sei für Anselm nicht vollständig und ganz und gar ein Werk der Barmherzig-keit Gottes.[140]

Was schließlich Barths kritische Distanzierung von einer „Satisfaktions-theorie"[141] angeht, so können wir uns dem durchaus anschließen. Auch die katholische Theologie weiß, daß menschliche Begriffe und Theorien dem

---

137 S. th. III, 48, 5.6.
138 Vgl. A. Hoffmann, Des Menschensohnes Leiden und Erhöhung, 356: „Aber auch die *Barmherzigkeit* Gottes bleibt bei aller Betonung der Gerechtigkeit nicht nur irgendwie gewahrt, sie leuchtet nach Thomas gerade in dem genugtuenden Leiden Christi heller auf als in der einfachen Erlassung der Schuld, an der der leidende Christus keinen Anteil gehabt hätte."
139 G. Aulén, Christus Victor. An historical study of the three main types of the idea of the atonement, London ⁹1965 (Nachdr. 1970), 86-92; vgl. H. P. Kopf, Die Beurteilung von Anselms Cur Deus Homo in der protestantischen deutschsprachigen Theologie seit Ferdinand Christian Baur, Basel 1956, 47: Kopf macht hier aufmerksam auf die Parallele Aulén - Barth in der Anselm-Kritik. Zur Darstellung und kritischen Auseinandersetzung mit der Anselm-Kritik Auléns vgl. McIntyre, a.a.O., 197-200. McIntyre weist die Kritik Auléns entschieden zurück.
140 A. Harnack, Lehrbuch der Dogmengeschichte, Bd. 3, Tübingen ⁴1910, 408f. Zur Auseinandersetzung mit Harnack vgl. McIntyre, a.a.O., 186-197.
141 KD IV/1, 304.

mysterium crucis nie völlig gerecht werden und es nicht adäquat zur Sprache bringen können. So stellt auch J. Rivière im Blick auf die traditionellen Begriffe Genugtuung, Opfer und Verdienst klar: „A l'analyse, en effet, chacune apparaît avec ses imperfections et ses lacunes; toutes ensemble ont le commun défaut de ne pas suffisament définir par elles-mêmes la réalité du mystère et, par conséquent, d'offrir au théologien qui cherche le comment de la Rédemption plutôt des cadres à garnir que des matériaux de construction."[142]

d) Zusammenfassung des Ergebnisses

Überschauen wir Barths Stellungnahme zum Satisfaktionsbegriff und seine Kritik an Anselms Erlösungslehre in „Cur deus homo", so können wir folgendes festhalten:

aa) Barth reduziert den in der Tradition fest umschriebenen Begriff satisfactio auf die Formel: das Genügende tun. Das Genügende geschieht für ihn darin, daß Gott im Gericht den Sünder vernichtet. Dennoch tilgt er den Begriff satisfactio im herkömmlichen Sinn nicht völlig. So kann er etwa von der „satisfactio und intercessio Jesu Christi"[143] sprechen und Christus in dessen Ausführung seines priesterlichen Amtes ein „satis fecit"[144] zuschreiben.

bb) Barth meldet starke Vorbehalte an gegen den Satisfaktionsbegriff Anselms, so wie er ihn glaubt verstehen zu müssen. Nach seiner Interpretation läuft die Anselmsche Genugtuungslehre einem Verständnis der Erlösung bzw. Versöhnung aus reiner Barmherzigkeit (sola misericordia) zuwider. Vergebung aus reiner Barmherzigkeit und Vergebung nach voraufgegangener Genugtuung bilden nach seiner Auslegung Anselms einen Gegensatz. Für Thomas von Aquin besteht ein solcher Gegensatz nicht. Nach seiner Lehre ist Gott causa prima bzw. causa remota[145] des Genugtuungsleidens Christi, Thomas bezieht also Gott als Prinzipalursache in das Geschehen der satisfactio mit ein. Gott wirkt die Erlösung aus reiner Barmherzigkeit, indem er in Jesus Christus ein Werk ausgleichender Genugtuung ermöglicht und so zugleich mit seiner Barmherzigkeit auch seine Gerechtigkeit zur Geltung bringt. Auf diese Weise kommt nach Thomas Gottes Barmherzigkeit in hervorragenderer Weise zur Geltung, als wenn Gott – was ihm möglich wäre – auf eine Genugtuung verzichten würde.[146]

---

142 J. Rivière, Le dogme de la Rédemption. Étude théologique, 192; vgl. auch a.a.O., 216-226; vgl. ferner Catao, a.a.O., Vf.4f.31ff.

143 KD I/2, 336.

144 KD IV/1, 304.

145 S. Anm. 137.

146 S. Anm. 138.

Barth wehrt sich dagegen, daß Gott von außen bestimmt wird, in der Weise, daß er erst auf Grund einer ihm dargebrachten Genugtuung „in die Lage käme, in der seiner würdigen Weise vergeben zu können".[147] Mit Anselms Gedanken von der Genugtuung verbindet sich für Barth die Vorstellung einer Fremdbestimmung Gottes, einer Einwirkung auf Gott von außen her: Gott müsse ein Preis gezahlt werden, damit er „dann erst" in die Lage kommt, vergeben zu können. Bei Thomas ist jedoch ein solches Mißverständnis ausgeschlossen. Nach seinem Verständnis bleibt Gott selbst führend im Geschehen der satisfactio. Er wirkt in Jesus Christus selbst, was dem Menschen unmöglich ist, die Wiedergutmachung für die Sünde. Insofern ist er Urheber der genugtuenden Sühne. Gott hat beschlossen, im Werk der Erlösung seine Barmherzigkeit so zu erweisen, daß zugleich seiner Gerechtigkeit Genüge geschieht. Diesen Weg der Erklärung der Menschwerdung und des Kreuzes Christi sieht Thomas in der Lösung Anselms beschritten. Deshalb kann er – im Gegensatz zu Barth – dessen Satisfaktionslehre aufgreifen.

Somit bleibt festzuhalten: Thomas und Barth interpretieren Anselms Satisfaktionslehre auf verschiedene Weise. Barth sieht in der durch Anselm entwickelten Vorstellung einer von Christus dem Vater geleisteten Genugtuung Gottes Barmherzigkeit bzw. seine Vergebung sola misericordia kompromittiert. Für Thomas wird gerade im genugtuenden Leiden Jesu Christi Gottes Barmherzigkeit aufs höchste wirksam, eben weil Gott selbst Urheber dieser Genugtuung und diese selbst somit integraler Bestandteil seines Wirkens in unendlicher Barmherzigkeit ist.

Dennoch muß man sagen: Von der thomasischen Interpretation des Genugtuungsleidens des Erlösers zu Barths eigener Auffassung der Tat Christi im Versöhnungsgeschehen sind die Übergänge fließend. In der Beschreibung des Erlöserwirkens Jesu Christi bestehen in wichtigen Punkten Gemeinsamkeiten. Auch Barth betont ja, daß Jesus Christus in seinem Ja zum Gericht vollkommenen Gehorsam geleistet hat. Gerade in diesem Gehorsam ist der Vollzug der Versöhnung möglich geworden. Als der Gehorsame hat Jesus Christus gut gemacht, was Adam und alle übrigen Menschen böse gemacht haben.[148] Ein nicht zu übersehender Unterschied bleibt allerdings: Barth gelingt es nicht, in der Beschreibung des Leidens Jesu Christi das Moment der Hingabe in vollem Umfang einzuholen. Er spricht zwar hier und da von der Selbstdarbringung Jesu Christi, vor allem in solchen Zusammenhängen, wo er auf neutestamentliche Formeln zurückgreift; an der entscheidenden Stelle seines Opfertraktats entgleitet ihm

---

147 KD IV/1, 541.   148 S. Anm. 125.

jedoch dieses Element. (Von daher mag es zu erklären sein, daß in Barths Stellungnahme zum Satisfaktionsbegriff eine gewisse Unausgeglichenheit zu beobachten ist). Ebenso ist eine Gemeinsamkeit zwischen Barth und der traditionellen katholischen Position da nicht mehr gegeben, wo der erstere seine Gerichtsaussage zu paradoxaler Schärfe zuspitzt.

3. Die Ablehnung des Verdienstgedankens

Barth nimmt mehrfach ausdrücklich und entschieden Stellung gegen die Möglichkeit eines Verdienstes des Menschen vor Gott. Der Mensch kann Gottes Zuwendung, seine Gnade nicht verdienen.[149] Den im Gehorsam und in Entsprechung zu Gottes Gnade vollzogenen menschlichen Handlungen kommt in keiner Weise ein verdienstlicher Wert zu.[150] Von dieser grundsätzlichen Ablehnung einer Verdienstmöglichkeit des Menschen vor Gott ist auch das Werk Jesu betroffen: Auch Jesus hat in seinem Leben und Sterben den Lohn Gottes, Gottes Gnade für den Menschen, nicht verdient. „Schon der Lohn, den Jesus Christus selber empfängt für den Gehorsam, in welchem er für uns eintritt – unsere Befreiung, Rechtfertigung und Versöhnung nämlich – ist ja, da er als Sohn dem Vater gehorsam ist, kein Verdienst, sondern die freie Zuwendung des Vaters aus dem Schatze seiner Güter, die auch die des Sohnes sind."[151]

Barth geht, wenn er für das Werk Jesu Christi eine verdienstliche Wirkung ausschließt, einen Schritt weiter als Luther und die protestantische Orthodoxie, die bei aller Ablehnung und kritischen Einstellung gegenüber dem

---

149 KD II/1, 398.

150 KD II/1, 409: „Daß er (scil. der Mensch) seinerseits heilig werde, ist also nicht ein Gebot, durch das ihn Gott veranlassen wollte, sich ihm gegenüber irgendeine Würde oder Verdienst zu verschaffen, sondern als Gebot Gottes sehr einfach das Gebot, sich an seine Gnade zu halten". A.a.O., 410: „Und so kann das Halten des ‚Heiligkeitsgesetzes‘ von ferne nichts bedeuten, was als verdienstlich sein wollende Werkgerechtigkeit auftreten könnte." KD II/2, 643: „Gerade weil es nach Röm. 8,33 keine Anklage gibt gegen die Erwählten Gottes und nach Röm. 8,1 keine Verurteilung derer, die in Christus Jesus sind, werden diese sich wohl hüten, der Freiheit und also der realen Güte ihrer Werke dadurch verlustig zu gehen, daß sie sie als ihre eigene, von ihnen hervorgebrachte und geleistete Güte in Anspruch nehmen und gegen Gottes Güte auch nur im geringsten Teil, auch nur einen Augenblick lang ausspielen würden. Eben darum kann diese Güte auch nicht den Charakter eines ‚Verdienstes‘ bekommen." KD III/3, 288: „Der christliche Gehorsam ist einerseits gewiß keine Leistung, mit der sich der Christ ein *Verdienst* und einen Anspruch erwerben, mit der er sich im Verhältnis des Menschen zu Gottes Gericht, Verheißung und Hilfe irgendeine Vorzugsstellung verschaffen oder erhalten könnte."

151 KD II/2, 849; die beiden Stellen KD I/2, 390 und KD II/2, 125, wo Barth beiläufig und unreflektiert vom Verdienst Christi spricht, stellen die hier, KD II/2, 849, ausgesprochene grundsätzliche Ablehnung nicht in Frage.

Verdienst im allgemeinen am verdienstlichen Charakter des Werkes Jesu festhielten.[152]

Leider gibt Barth keine präzise Definition dessen, was er unter Verdienst versteht, noch legt er explizit die Gründe dar, die ihn zur Ablehnung dieses Gedankens veranlassen. Dennoch läßt sich unschwer erschließen, aus welchen Überlegungen heraus er den Verdienstbegriff verwirft. In seiner Ablehnung des Verdienstes Christi hatte er erklärt: Der Lohn, der Jesus Christus zuteil wird, ist „kein Verdienst, sondern die freie Zuwendung des Vaters".[153] Ganz offenkundig sieht Barth also einen Gegensatz zwischen menschlichem Verdienst und göttlicher Zuwendung. Zu diesem Schluß führt auch die Analyse einer anderen Stelle, die ebenfalls unser Problem im Auge hat: In einer Betrachtung, die er dem Thema „Der wahrhaftige Zeuge" widmet,[154] untersucht Barth unter anderem den Zusammenhang zwischen dem gehorsam in den Dienst Gottes gestellten Leben Jesu und dessen göttlicher Auszeichnung. Auch wenn hier nur der persönliche Lohn Jesu zur Diskussion steht (die Auszeichnung, die ihn selbst betrifft) und nicht der Lohn unserer „Befreiung, Rechtfertigung und Versöhnung",[155] werfen Barths Ausführungen ein helles Licht auf unsere Frage.

Barth stellt hier fest: „Die der Zuwendung dieses Menschen zu Gott entsprechende *Darbringung*, sein Gehorsamsakt, seine Dienstleistung ist seine *freie* Tat. Sie ist nicht veranlaßt, nicht motiviert, nicht bedingt durch die Absicht auf einen von Gott zu empfangenden Lohn. Er tut sie nicht um der von Gott verheißenen und zu erwartenden Auszeichnung willen, nicht im Blick auf deren Nützlichkeit und Annehmlichkeit, nicht als Mittel zu deren Erwerb, nicht als Bezahlung des Preises, um den sie zu gewinnen sein möchte – und selbstverständlich auch nicht aus Furcht vor irgendwelchen Übeln, die der Unterlassung dieses Werkes, der Nichtbezahlung dieses Preises folgen möchte, nicht zur Vermeidung einer Strafe, die ihn, wenn er da versagen sollte, treffen könnte... Und genau so ist auch die der Zuwendung Gottes zu diesem Menschen entsprechende *Auszeichnung*, mit der er diesen Menschen krönt, Gottes *freie* Tat. Er verleiht sie ihm ungeschuldet. Sie ist nicht seine Gegenleistung zu dessen von ihm geforder-

---

152 P. Althaus, Verdienst Christi: RGG³ 6, 1270f.; H. Schultz, Der sittliche Begriff des Verdienstes und seine Anwendung auf das Verständnis des Werkes Christi. Eine dogmatische Frage vom ethischen Gesichtspunkt aus betrachtet: ThStK 67 (1894) 556-561.568-585; P Manns, Fides absoluta – Fides incarnata. Zur Rechtfertigungslehre Luthers im Großen Galaterkommentar. In: Reformata Reformanda. Festgabe für H. Jedin, hrsg. E. Iserloh u. K. Repgen, Bd. 1, Münster 1965, 275.
153 S. Anm. 151.
154 KD IV/3, 1. Hälfte, 425-499.
155 S. Anm. 151.

ter und von jenem erfüllter Leistung. Sie ist wohl Gottes großer Lohn, sie ist aber keine Bezahlung, keine Abgeltung, zu der er auf Grund irgendeines höheren Gesetzes moralisch oder rechtlich verpflichtet wäre. Sie ist keine Ware, die Gott diesem Menschen für den von ihm vorausbezahlten Preis seiner Darbringung, seines Gehorsams, seines Dienstes zu liefern hätte. Gott ist diesem Menschen zu nichts verpflichtet. Er muß ihn nicht auszeichnen, er tut es in eigenster Initiative, in seiner ihm gegenüber überströmenden Güte. Er muß ja auch sein ihm dargebrachtes Leben nicht gutheißen, nicht annehmen. Er muß dieses Menschen Dienst nicht brauchen. Es ist seine eigene höchste, aber freie Weisheit und Gerechtigkeit, wenn er ihn gutheißt, annimmt, braucht. Er krönt ihn, der ihm sich selbst darbringt, aber nicht deshalb, weil dieser solches tut, nicht im Blick auf einen Wert, den das für ihn hätte, auf einen Nutzen und Vorteil, den ihm das einbrächte, sondern einzig und allein in dem souveränen Wohlgefallen, das er an ihm hat, um seiner Erwählung dieses Menschen – also erstlich und letztlich einzig und allein um dieses Menschen willen. Auch die Auszeichnung dieses Menschen ist darin Gottes freie Tat, daß er sie diesem Menschen abgesehen von diesem einzigen Grund grundlos, unverpflichtet, uninteressiert, umsonst, gratis zuteil werden läßt."[156]

Aus diesen Sätzen spricht eindeutig Barths Sorge um die Wahrung der absoluten Gnadenhoheit Gottes. Barth kämpft gegen jeden Versuch, Gottes Gnade und die menschliche Leistung so einander zuzuordnen, daß Gnade letztlich doch irgendwie für den Menschen verfügbar wird. Er will vermeiden, daß ein menschliches Werk in Konkurrenz zur Gnade Gottes tritt, Gott irgendwie zum Schuldner des Menschen und der Mensch in die Lage versetzt würde, Gott gegenüber Ansprüche geltend zu machen, die die Gnadenhaftigkeit des Lohns in Frage stellen müßten. Andererseits erkennt er jedoch ausdrücklich an, daß Gottes Wille in der Erwählung Jesu Christi auf den Menschen hinzielt, der im Gebet „zum Träger eines legitimen, notwendigen und dann auch wirksamen und durchschlagenden Anspruchs wird",[157] daß andererseits Gott „mit seinem Geschöpf *verkehren* und in diesem Verkehr mit ihm sich auch von ihm her *bestimmen* lassen will".[158]

Ja, er kann ausdrücklich davon sprechen, daß Gott nach dem Vollzug der Verwerfung des Sünders in Christus es „sich selbst, und weil sich selbst, um der Liebe willen, in der er uns in ihm geliebt hat, auch uns *schuldig* ist, uns als solche anzunehmen, die, von aller Verurteilung und Verwerfung frei, ihm recht und wohlgefällig sind".[159]

156 KD IV/3, 1. Hälfte, 441f.; vgl. KD III/3, 288f.
157 KD II/2, 197.
158 KD III/3, 323.   159 KD II/2, 849.

Damit ist die Frage nach dem Verhältnis von Gnade und Verdienst aufgeworfen: Steht der Verdienstgedanke in der Gefahr, die Gnade Gottes, seine Gnadenhoheit und die Gnadenhaftigkeit seiner Zuwendung zum Menschen zu verdunkeln? Anders formuliert: Tritt das Verdienst in Konkurrenz zur Gnade Gottes? Ist Gott nicht mehr ganz und gar gnädig, wenn der Mensch vor ihm verdienen kann? Bevor wir dem Gedankengang Barths weiter nachspüren, um insbesondere zu prüfen, zu welchen Konsequenzen in der Frage der Heilszuwendung im Werk Jesu Christi seine Ablehnung des Verdienstgedankens führt, wollen wir uns der hier gestellten Frage kurz zuwenden.

In einer Untersuchung der Lehre des hl. Thomas[160] zum Verdienst Christi fixiert W. Lynn genau unser Problem, wenn er fragt: „Is God made a debtor to us because of our merit?"[161] Die Antwort darauf kann nach Thomas nur lauten: „On the one hand, supposing a divine ordination establishing the order of merit, man merits a reward which God is bound in justice to grant; on the other hand, God is in no way placed under obligation to His creatures, for in rendering what is due to creatures, He is in reality rendering what is due to Himself, inasmuch as it pertains to His own perfection to see that the order of exigency founded in His essence and decreed by His divine ordination should be fulfilled."[162] Damit ist klargestellt: „Merit does not exercise its causality on God, moving His will to grant us a favor."[163]

Zum gleichen Ergebnis kommt F. Bourassa, der in seinem Aufsatz zum Verdienst Christi[164] stärker als Lynn an der Bestimmung der inneren Qualität („raison intrinsèque", „qualité intérieure à l'action créée"[165]) interessiert ist. Er beschreibt den verdienstlichen Akt folgendermaßen: „Il s'agit

---

160 Zur Verdienstlehre des hl. Thomas vgl. bes. S. th. I-II,114; zum Verdienst Jesu Christi vgl. S. th. III, 48, 1.

161 W. D. Lynn, Christ's redemptive merit. The nature of its causality according to St. Thomas, Rom 1962, 35.

162 A.a.O., 43.

163 Ebd.; Lynn erklärt dies näher, wenn er a.a.O., 43f. ausführt: „It is not, then, our merits which cause God's benevolence towards us, but rather His will which is the ultimate cause of our merits; for by one and the same divine ordination, He has decreed to raise man to a supernatural state, endow him with grace, which is the principle of merit, and reward him for good works proceeding from grace. When we by one act of the will determine an end, and by another act of the will select the means to obtain that end, the desire of the end moves us to desire the means. But it is not in this way that God wills to reward our merits. In one and the same act He wills the end — our beatitude — and the means for attaining that end — our merits. Our merits, then, are the cause of our beatitude, but not the cause of God's willing our beatitude." Der entscheidende Satz bei Thomas, den auch Lynn hier zitiert, lautet: „Vult ergo (scil. Deus) hoc esse propter hoc, sed non propter hoc vult hoc." — S. th. I, 19, 5c.

164 F. Bourassa, La Rédemption par le mérite du Christ: Sciences Ecclésiastiques 17 (1965), 201-229.

165 A.a.O., 215.

donc, dans l'acte surnaturel, d'une relation de Dieu à Dieu, c'est-à-dire entre Dieu comme auteur et Dieu consommateur de la foi, Dieu qui, par sa prévenante charité, inspire la charité à son égard, pour consommer l'amitié avec lui, Dieu principe de l'opération et Dieu qui récompense, en se faisant lui-même la récompense de l'action qu'il suscite."[166] Bourassa stellt fest: Das, was den Menschen vor Gott liebenswert macht und was das Wesen seines Verdienstes ausmacht (seine Liebe zu Gott nämlich), ist ganz Ausfluß und Gabe der ursprünglichen und überschwenglichen Liebe Gottes zu ihm. Gottes Liebe ist in dem Sinn schöpferisch, daß sie die freie Gegenliebe des Geschöpfes weckt.[167]

Daß der Verdienstgedanke in keiner Weise die Gratuität der Gnade antastet, wird vollends deutlich bei Duns Skotus. Dieser betont, daß die göttliche acceptatio erst die in der Gnade bzw. caritas gewirkte Tat, den actus caritate formatus, zur verdienstlichen Handlung erhebt.[168] Das heißt, die Verdienstlichkeit des in der Gnade vollbrachten Aktes kommt diesem erst von Gott her zu, insofern nämlich, als er von Gott akzeptiert ist. Die ratio meriti ist die acceptatio divina.[169] Damit wird offenkundig, daß das Verdienst ganz in Gottes Gnade begründet ist. Der Unterschied zur Sicht des hl. Thomas besteht dabei in folgendem: „Die volle Gnadenhaftigkeit steht nicht nur am Anfang, der dann gleichsam eine gewisse Nötigung Gottes, das ewige Leben zu verleihen, einleitet, sondern gnadenhaft ist auch das Ende. Es besteht keine *innere* Notwendigkeit, daß Gott dem begnadeten Menschen den Lohn des ewigen Lebens verleiht."[170] Dennoch muß man auch nach

166 A.a.O., 208.

167 Vgl. a.a.O., 217f.: „Enfin, dans le cas de l'amour surnaturel, qui est formellement le mérite, Dieu a tellement aimé la créature qu'il lui a donné la charité, c'est-à-dire l'Esprit Saint, dans lequel la créature puisse l'aimer dans la réciprocité de cet amour dont Dieu l'aime, et devenir ainsi l'objet de sa complaisance. Donc, bien que Dieu agisse librement, lorsqu'il confère à la créature la bonté qu'il puisse aimer en elle, toutefois, en aimant ainsi le bien et l'amour dans la créature, il aime d'abord et avant tout la Bonté divine, cette Bonté qu'il est lui-même, et qu'il puisse communiquer à la créature dans l'acte même de son amour. Et aimant la créature qui l'aime, il l'aime en lui, car la charité est Dieu, et qui demeure dans la charité demeure en Dieu et Dieu en lui; ou, réciproquement, il s'aime lui-même dans la créature, et l'aime d'un amour tel qu'il se rend présent en elle et se donne à aimer, de telle sorte qu'il ne peut pas ne pas s'aimer en elle, afin que, s'aimant lui-même eternellement d'un amour nécessaire, il puisse également s'aimer dans la créature qu'il aime, et l'aimer en lui-même, pour ainsi l'entrainer ,dans la joie de son Seigneur', c'est-à-dire dans l'extase de son propre amour. Ainsi, la raison ultime, la source pure du mérite est cette amour nécessaire dont Dieu, dans l'intimité de sa propre essence, dans le secret de son cœur, aime sa propre bonté et l'amour qu'il est lui-même..."

168 W. Dettloff, Die Lehre von der acceptatio divina bei Johannes Duns Scotus mit besonderer Berücksichtigung der Rechtfertigungslehre: Franziskanische Forschungen, 10. H., Werl 1954, 44-58. – Der Gedanke der acceptatio divina begegnet auch schon bei Thomas von Aquin. Vgl. S. th. III, 89, 4 ad 1. 5c.

169 A.a.O., 57.115.122.160; vgl. auch P. Minges, Der Wert der guten Werke nach Duns Scotus: ThQ 89 (1907), 79f.

170 Dettloff, a.a.O., 217.

Duns Skotus sagen: Gott hat sich de potentia ordinata, d. h. in der von ihm beschlossenen Heilsökonomie insofern selbst gebunden, als er die acceptatio den in der caritas gewirkten Akten folgen bzw. den die caritas besitzenden Menschen zuteil werden läßt.[171] Der Akzent liegt also eindeutig auf der freien göttlichen Anordnung. Der erste Grund der acceptatio liegt, da nach Skotus nichts Außergöttliches Gott schlechthin bestimmen kann, im göttlichen Willen. Das heißt, „daß der Besitz der caritas die göttliche Akzeptation zum ewigen Leben nur deshalb zur Folge hat, weil es von Gott selbst so angeordnet ist".[172] Die caritas ist demnach die ratio formalis obiectiva secundaria der acceptatio divina.[173] Oder, wie man nach Skotus auch sagen kann: „Die caritas ist nur eine ratio *habilitans* acceptationis: sie macht nur etwas geeignet, terminus der göttlichen Akzeptation zu sein."[174]

Aus den hier vorgetragenen Darlegungen läßt sich nur der Schluß ziehen: Eine recht verstandene und unverzerrte Verdienstlehre untergräbt in keiner Weise den Primat bzw. die Gratuität der Gnade Gottes, wie Barth insinuiert.[175]

Kehren wir nun zum Gedankengang Barths zurück! Wie wir sahen, ist Barths Anliegen die Wahrung der absoluten Gnadenhoheit Gottes. Gott ist in keiner Weise seinen Gnadenlohn dem Menschen schuldig. Auch der Lebenshingabe Jesu bzw. dem Menschen Jesus schuldet Gott keinen Lohn. Wir hörten: „Gott ist diesem Menschen zu nichts verpflichtet. Er muß ihn nicht auszeichnen, er tut es in eigenster Initiative, in seiner ihm gegenüber überströmenden Güte."[176] Diese Formulierung mag erinnern an Gedankengänge des Duns Skotus. Denn auch Skotus lehrt ja, daß das menschliche Werk Jesu Christi als geschaffenes Gut der acceptatio divina bedarf, um als Verdienst wirksam zu sein.[177] Für Barth liegt allerdings – anders als für

---

171 Vgl. a.a.O., 160: „Der absolut freie göttliche Wille hat sich aber selbst gebunden, alle Menschen und Akte für das ewige Leben zu akzeptieren, wenn sie die caritas besitzen bzw. unter der activen Mitwirkung der caritas hervorgebracht sind." Vgl. ferner a.a.O., 57.100.

172 A.a.O., 89.

173 A.a.O., 87.90f.103.

174 A.a.O., 87.

175 Zum katholischen Verständnis des Verdienstgedankens vgl. auch: J. Auer, Die Entwicklung der Gnadenlehre in der Hochscholastik, Bd. 2: Das Wirken der Gnade: FreibThSt, 64. H., Freiburg 1951, 58-111.145-166; Th. A. Deman, Der Neue Bund und die Gnade. Kommentar zu I-II, 106-114: DThA, Bd. 14, Heidelberg/Graz 1955, 417-441; K. Rahner, Zur Theologie der Gnade. Bemerkungen zu dem Buch von Hans Küng: Rechtfertigung. Die Lehre Karl Barths und eine katholische Besinnung: ThQ 138 (1958), 63f.66, Anm. 11; Pesch, a.a.O., 771-784; Catao, a.a.O., 48-65.

176 KD IV/3, 1. Hälfte, 441f.

177 P. Minges, Beitrag zur Lehre des Duns Scotus über das Werk Christi: ThQ 89 (1907), 241-279 (268-279!).

Skotus — die Preisgabe des Verdienstgedankens in der Konsequenz dieser Sicht der Gnade bzw. der Gnadenhaftigkeit des göttlichen Lohns.

Der Gedanke, daß Gottes in Christus gnadenhaft gewirkte Versöhnung des Sünders auch dem Leben und Wirken Jesu selber gegenüber völlig ungeschuldet bleibt, m. a. W. die Thematik „kein Verdienst, sondern die freie Zuwendung des Vaters"[178] erhält noch einmal eine äußerst scharfe Zuspitzung in den Überlegungen Barths zum Thema „Das Urteil des Vaters".[179] Ein kurzer Blick auf diesen Abschnitt soll darüber Aufschluß geben, bis zu welchem Punkt Barth sein Bemühen um die Sicherung der Freiheit und Ungeschuldetheit der Gnade im Werk der Versöhnung vorantreibt.

Barth untersucht hier im Rahmen der übergreifenden Erörterung der Frage, wie denn Jesu Heilswerk der sündigen Menschheit zugute komme, den Zusammenhang von Tod und Auferstehung Jesu. Er führt dazu unter anderem aus: Die Auferweckung war Gottes „richterliche Feststellung, daß Jesu Christi Tun und Leiden nicht ohne, nicht gegen, sondern nach seinem heiligen und guten Willen, und vor Allem: daß es als sein Sterben an unserer Stelle nicht umsonst, sondern *gültig*, und nicht zu unserem Verderben, sondern zu unserem *Heil* geschehen sei. Sie war — und insofern war sie eben ein zweiter göttlicher Rechtsakt *nach* jenem ersten — dessen göttliche Validierung, die Anerkennung des von Jesus Christus geleisteten Gehorsams, die Annahme seines Opfers, die Proklamation und das Inkrafttreten der Folge, und zwar der *heilvollen* Folge seines Tuns und Leidens an unserer Stelle."[180]

Barth macht also klar, daß Jesu Tun faktisch Gottes Anerkennung, in der Heilszuwendung an die Menschen Gottes Lohn gefunden hat. Wie aber hängen hier die menschliche Gehorsamstat Jesu und das „Urteil des Vaters" zusammen? Wie ist die Auferweckung Jesu als Tat Gottes auf das Werk Jesu, das im Tod zur Vollendung kommt, bezogen? Barth weiß, daß auch die Auferstehung Jesu im Zeichen des göttlichen δεῖ steht. „Es *mußte* so geschehen."[181] Und weiter heißt es: „Dieses ‚mußte' schließt nun aber gerade nicht in sich, daß Gott in diesem Ereignis nicht ebenso frei gehandelt hätte wie in der Dahingabe seines Sohnes, wie in der Gottestat von dessen Gehorsam bis zum Kreuzestod. Seine Auferstehung folgte nicht *aus* seinem Tod, sondern souverän *auf* seinen Tod. Sie war nicht dessen Konsequenz. Sie hing mit ihm nur in *einer* Folgerichtigkeit zusammen: in der souveränen, ungeschuldeten Treue, des souveränen, frei und immer wieder neu (!)

178 S. Anm. 151.
179 KD IV/1, 311-394.

180 A.a.O., 336f.
181 A.a.O., 335.

entscheidenden Erbarmens Gottes. "[182] Was aber folgt nach Barth aus dieser Verknüpfung von Tod und Auferstehung Jesu, von Jesu Christi menschlichem Werk und dessen göttlicher Annahme? Barth fordert, die Möglichkeit sei ernst zu nehmen, daß nicht in der Auferstehung, sondern im Kreuz Gottes letztes Wort gesprochen worden sei. Der Verlassenheitsruf Jesu Mk 15,34 weise in „die Nähe dieser furchtbaren Möglichkeit. Es *konnte* sein, daß Gott sein Angesicht endgültig von uns abwendete. Es *konnte* sein, daß er es damit sein Bewenden haben ließ, daß er der Welt und dem Menschen durch dasselbe ewige Wort, durch das er ihnen als Schöpfer das Dasein gegeben, das Dasein wieder nehmen, mit ihrer Verkehrtheit und Sünde sie selbst vergehen lassen wollte. Er *konnte* das Verhältnis zwischen sich und seiner Kreatur auch in der Weise in Ordnung bringen, daß er ihr ihre verwirkte Wirklichkeit entzog."[183]

Das bedeutet: Gott hätte es auch so fügen können, daß Jesu „Sendung in jener neunten Stunde des Karfreitags zu ihrem Ende gekommen wäre, sich also darin erschöpft hätte, in seiner Person das Nein des göttlichen Zornes über die Welt zu vollziehen und zu erleiden".[184] Und schließlich äußert Barth, bezogen auf Stellen des NT, die die Funktion des Hl. Geistes im Heilswerk Jesu beleuchten (1 Kor 15,45; Joh 3,6; Hebr 9,14): „Wenn man von einer *Notwendigkeit* seiner Auferweckung reden wollte, dann müßte und könnte man es wohl von hier aus tun, etwa in Abwandlung der Frage Gal. 3,3: ob denn, was im Geiste begonnen und fortgesetzt wurde, im Fleische — hier nun: in dessen Verderben — sich vollenden konnte? Man wird aber besser tun, dieser Spur *nicht* zu folgen, sich vielmehr an Joh. 3,8 zu erinnern: ‚Der Geist weht, wo er will und seine Stimme hörst du, weißt aber nicht, von woher sie kommt und wohin sie fährt‘, und nochmals an 2. Kor. 3,17: ‚Wo der Geist des Herrn ist, da ist Freiheit‘ — und also daran zu denken, daß, wer ‚Geist‘ sagt, *per definitionem* nicht von einem notwendigen, sondern von einem *freien* Sein und Wirken Gottes redet."[185]

Die Hervorkehrung der Freiheit des Seins und Wirkens Gottes, die Unterstreichung der Freiheit seiner Gnade,[186] um derentwillen Barth glaubt, den Verdienstgedanken abweisen zu müssen, führt auf der Ebene der Versöhnungslehre in letzter Konsequenz zu der Behauptung: Gott hätte es auch können bewenden lassen beim Tod des gerichteten Richters,[187] ohne daß aus diesem Tod als dessen Frucht das Heil der Welt hervorgegangen

182 Ebd.
183 A.a.O., 337f.
184 A.a.O., 339.
185 A.a.O., 340.
186 Zur Betonung der Freiheit (der Gnade) Gottes bei Barth vgl. H. Ott, Der Gedanke der Souveränität Gottes in der Theologie Karl Barths: ThZ 12 (1956), 409-424 (410ff!).
187 KD IV/1, 339.

wäre, ohne daß es in der Auferstehung zur Annahme dieses Opfers gekommen wäre.

Barth argumentiert hier auf der Ebene der potentia Dei absoluta. Darin liegt eine gewisse kerygmatische Bedeutung. Die Gnadenhaftigkeit der Erlösung und die Furchtbarkeit des Gerichts lassen sich so deutlich nachempfinden. Barth denkt sich gewissermaßen in die Situation des Karfreitags hinein. Nun ist jedoch zu bedenken, daß uns durch das Osterereignis die potentia Dei ordinata bekannt geworden ist, hinter die wir nicht mehr zurückgehen können.

Die Position, die Barth hier bezieht, weist unverkennbar eine Nähe zum spätmittelalterlichen Nominalismus auf. Der Gedanke, Gott hätte auch beim Zorngericht des Karfreitags stehenbleiben und das Werk Jesu Christi nicht annehmen können, erinnert an W. von Ockham, der in seiner Akzeptationslehre noch einen Schritt weiter geht als Duns Skotus. Ockham lehrt ausdrücklich, in seiner absoluten Freiheit betrachtet, könne Gott auch einen Menschen, der die Gnade besitzt, nicht annehmen.[188] Andererseits sahen wir jedoch, daß Barth auch von einem legitimen Anspruch des Beters an Gott sprechen kann,[189] vom Willen Gottes, sich von der Kreatur bestimmen zu lassen,[190] ja sogar von einer Schuldigkeit Gottes sich selbst und auch uns, den Menschen, gegenüber.[191] Hätte sich nicht von hier aus ein Zugang finden lassen zum legitimen Anliegen und zur unverzerrten Gestalt der katholischen Verdienstlehre?

188 Auer, a.a.O., 110f.163f.
189 S. Anm. 157.
190 S. Anm. 158.
191 S. Anm. 159.

QUELLEN- UND LITERATURVERZEICHNIS

1. QUELLEN

a) Werke K. Barths

- Kollegnachschrift der von W. Herrmann im Wintersemester 1907/08 gehaltenen Vorlesung Dogmatik II. Eine handschriftliche Kopie der Mitschrift von W. Häberli, Marburg 1908.
- Auf das Reich Gottes warten (= Rezension von Hausandachten Chr. Blumhardts): „Der freie Schweizer Arbeiter" vom 15. und 22. 9. 1916; zit. n. Suchet Gott, so werdet ihr leben! Predigtsammlung von K. Barth u. E. Thurneysen, Bern 1917, Neuauflage München 1928, 175-191.
- Suchet Gott, so werdet ihr leben! Predigtsammlung von K. Barth u. E. Thurneysen, Bern 1917, Neuauflage München 1928.
- Vergangenheit und Zukunft. Friedrich Naumann und Christoph Blumhardt: „Neuer Freier Aargauer", 14. Jg. 1919, Nr. 204 u. 205; zit. n. Anfänge der dialektischen Theologie, Teil 1: Karl Barth, Heinrich Barth, Emil Brunner, hrsg. J. Moltmann: ThB, Bd. 17, München ²1966, 37-49.
- Der Römerbrief, Bern 1919; München ²1922; 11. unveränderter Abdruck der neuen Bearbeitung von 1922 Zürich 1976.
- Komm Schöpfer Geist! Predigtsammlung von K. Barth u. E. Thurneysen, München 1924, Zollikon-Zürich ⁴1932.
- Das Wort Gottes und die Theologie. Gesammelte Vorträge, Bd. 1, München 1924.
- Die christliche Dogmatik im Entwurf, Bd. 1: Die Lehre vom Worte Gottes. Prolegomena zur christlichen Dogmatik, München 1927.
- Ludwig Feuerbach. Fragment aus einer im Sommersemester 1926 zu Münster i. W. gehaltenen Vorlesung über „Geschichte der protestantischen Theologie seit Schleiermacher". Mit einem polemischen Nachwort: ZZ 5 (1927) 11-40.
- Rechtfertigung und Heiligung. Vortrag gehalten an der Ostseetagung der C.S.V. in Putbus auf Rügen am 9. und 10. Juni 1927: ZZ 5 (1927) 281-309.
- Der römische Katholizismus als Frage an die protestantische Kirche. Vortrag gehalten in Bremen am 9. März, in Osnabrück am 15. März und an der Niederrheinischen Prediger-Konferenz in Düsseldorf am 10. April 1928: ZZ 6 (1928) 274-302.
- Die Theologie und die Kirche. Gesammelte Vorträge, Bd. 2, München 1928.
- Die protestantische Theologie im 19. Jahrhundert. Ihre Vorgeschichte und ihre Geschichte, Zollikon-Zürich 1947, ²1952.
- Die Kirchliche Dogmatik
  Bd. I/1 Die Lehre vom Wort Gottes, München 1932, Zürich ⁹1975.
  Bd. I/2 Die Lehre vom Wort Gottes, Zollikon 1938, Zürich ⁶1975.
  Bd. II/1 Die Lehre von Gott, Zollikon-Zürich 1940, Zürich ⁵1975.
  Bd. II/2 Die Lehre von Gott, Zollikon-Zürich 1942, Zürich ⁵1974.
  Bd. III/1 Die Lehre von der Schöpfung, Zollikon-Zürich 1945, Zürich ⁴1970.
  Bd. III/2 Die Lehre von der Schöpfung, Zollikon-Zürich 1948, Zürich ³1974.
  Bd. III/3 Die Lehre von der Schöpfung, Zollikon-Zürich 1950, Zürich ²1961.
  Bd. III/4 Die Lehre von der Schöpfung, Zollikon-Zürich 1951, Zürich ³1969.
  Bd. IV/1 Die Lehre von der Versöhnung, Zollikon-Zürich 1953, Zürich ³1975.
  Bd. IV/2 Die Lehre von der Versöhnung, Zollikon-Zürich 1955, Zürich ²1964.
  Bd. IV/3, 1. und 2. Hälfte. Die Lehre von der Versöhnung, Zollikon-Zürich 1959, Zürich ²1974.
  Bd. IV/4 Das christliche Leben (Fragment). Die Taufe als Begründung des christlichen Lebens, Zürich 1967.
- K. Barth – R. Bultmann, Briefwechsel 1922-1966, hrsg. B. Jaspert: Karl Barth – Gesamtausgabe, Abt. V, Zürich 1971.
- Ethik I. Vorlesung Münster Sommersemester 1928, wiederholt in Bonn, Sommersemester 1930, hrsg. D. Braun: Karl Barth – Gesamtausgabe, Abt. II, Zürich 1973.
- K. Barth – E. Thurneysen, Briefwechsel, Bd. 1, 1913-1921, hrsg. E. Thurneysen: Karl Barth – Gesamtausgabe, Abt. V., Zürich 1973.
- K. Barth – E. Thurneysen, Briefwechsel, Bd. 2, 1921-1930, hrsg. E. Thurneysen: Karl Barth – Gesamtausgabe, Abt. V., Zürich 1974.

- Erklärung des Johannesevangeliums (Kapitel 1-8). Vorlesung Münster Wintersemester 1925/1926, wiederholt in Bonn, Sommersemester 1933, hrsg. W. Fürst: Karl Barth – Gesamtausgabe, Abt. II, Zürich 1976.
- Das christliche Leben. Die Kirchliche Dogmatik IV/4, Fragmente aus dem Nachlaß. Vorlesungen 1959-1961, hrsg. H. A. Drewes u. E. Jüngel: Karl Barth – Gesamtausgabe, Abt. II, Zürich 1976.

b) Weitere Quellen

Anselm von Canterbury,
   Cur deus homo: Opera omnia, Bd. 2, hrsg. F. S. Schmitt, Rom 1940, 37-133.
Beck, J. T.,
   Leitfaden der christlichen Glaubenslehre für Kirche, Schule und Haus, Erste Abt.: Lehrsätze, Stuttgart 1862.
- Erklärung des Briefes Pauli an die Römer, hrsg. J. Lindenmeyer, 2 Bde., Gütersloh 1884.
Bengel, J. A.,
   Hinterlassene Predigten. Zum erstenmal gesammelt und herausgegeben von M. J. Chr. F. Burk, Reutlingen 1839.
- Gnomon. Auslegung des Neuen Testamentes in fortlaufenden Anmerkungen. Deutsch von C. F. Werner, Bd. I-II/1.2, Stuttgart/Berlin ⁷1959/60.
Blumhardt, Chr.,
   Eine Auswahl aus seinen Predigten, Andachten und Schriften, hrsg. R. Lejeune,
   Bd. 1: Jesus ist Sieger! Predigten und Andachten aus den Jahren 1880-1888, Erlenbach-Zürich/Leipzig 1937.
   Bd. 2: Predigten und Andachten aus den Jahren 1888-1896, Erlenbach-Zürich/Leipzig 1925.
   Bd. 3: Ihr Menschen seid Gottes! Predigten und Andachten aus den Jahren 1896-1900, Erlenbach-Zürich/Leipzig 1928.
   Bd. 4: Gottes Reich kommt! Predigten und Andachten aus den Jahren 1907-1917, Erlenbach-Zürich/Leipzig 1932.
Denzinger, H. – Schönmetzer, A.,
   Enchiridion Symbolorum, Definitionum et Declarationum de rebus fidei et morum, Barcelona/Freiburg/Rom/New-York ³⁴1967.
Ehmann, K. Chr. E. (Hrsg.),
   Friedrich Christoph Oetingers Leben und Briefe, als urkundlicher Commentar zu dessen Schriften, Stuttgart 1859.
Heidelberger Katechismus
   Der Heidelberger Katechismus und vier verwandte Katechismen . . . Mit einer historisch-theologischen Einleitung, hrsg. A. Lang, Darmstadt 1967.
Heppe, H.,
   Die Dogmatik der evangelisch-reformierten Kirche, dargestellt und aus den Quellen belegt, Elberfeld 1861; Neuausgabe von E. Bizer mit einem Geleitwort von K. Barth, Neukirchen 1935, ²1958.
Herrmann, W.,
   Christlich-protestantische Dogmatik. In: Die Kultur der Gegenwart. Ihre Entwicklung und ihre Ziele, hrsg. P. Hinneberg, Teil 1, Abt. IV,2: Systematische christliche Religion, Berlin/Leipzig ²1909, 129-180.
- Dogmatik. Mit einer Gedächtnisrede auf Wilhelm Herrmann von Martin Rade, Gotha 1925.
Kohlbrügge, H. F.,
   Acht Predigten über Evangelium Johannis Cap. 3, V. 1-21 nebst einer Schluß-Predigt über Römer 8, Vers 32, Elberfeld ⁴1855.
- Zwanzig Predigten im Jahre 1846 gehalten, Halle 1857.
- Passionspredigten in den Jahren 1847, 1848 und 1849 gehalten, H. 1-3, Elberfeld 1875/76.
- Im Anfang war das Wort. Sieben Predigten über Evang. Joh. Cap. 1, Vs. 1-18, Elberfeld 1877.

228

- Die Herrlichkeit des Eingeborenen vom Vater, H. 1-2, Elberfeld 1877/78.
- Passionspredigten, Elberfeld ³1913.

Luther, M.,
Kommentar zum Galaterbrief 1531 (1535): WA 40 I u. II, 1-184.

Oetinger, F. Chr.,
Die Theologie aus der Idee des Lebens abgeleitet und auf sechs Hauptstücke zurückgeführt, deren jedes nach dem *sensus communis*, dann nach den Geheimnissen der Schrift, endlich nach dogmatischen Formeln, auf eine neue und erfahrungsmäßige Weise abgehandelt wird. In deutscher Übersetzung und mit den nothwendigen Erläuterungen versehen, hrsg. J. Hamberger, Stuttgart 1852.

Rupprecht, J.,
Hermann Bezzel als Theologe, München 1925.

Schmidt, H.,
Die Dogmatik der evangelisch-lutherischen Kirche, dargestellt und aus den Quellen belegt, Frankfurt/Erlangen ⁴1858.

Thomas von Aquin,
Summa theologiae: Opera Omnia iussu impensaque Leonis XIII P. M. edita, Bd. 4-12, Rom 1888-1906.

2. LITERATUR

Alfaro, J.,
Natura pura: LThK² 7, 809f.
- Natur und Gnade: LThK² 7, 830-835.

Althaus, P.,
Theologie und Geschichte. Zur Auseinandersetzung mit der dialektischen Theologie: ZSTh 1 (1923/24) 741-786.
- Die Theologie Martin Luthers, Gütersloh 1962.
- Verdienst Christi: RGG³ 6, 1270f.

Auer, J.,
Die Entwicklung der Gnadenlehre in der Hochscholastik, Bd. 2: Das Wirken der Gnade: FreibThSt, 64. H., Freiburg 1951.

Augier, B.,
L'offrande: RThom 34 (1929) 3-34.
- Le sacrifice: RThom 34 (1929) 193-218.
- Le sacrifice du pécheur: RThom 34 (1929) 476-488.
- Le sacrifice rédempteur: RThom 37 (1932) 394-430.

Aulén, G.,
Christus Victor. An historical study of the three main types of the idea of the atonement, London ⁹1965 (Nachdr. 1970).

von Balthasar, H. U.,
Karl Barth. Darstellung und Deutung seiner Theologie, Einsiedeln ⁴1976.
- Mysterium Paschale. In: Mysterium Salutis. Grundriß heilsgeschichtlicher Dogmatik, hrsg. J. Feiner u. M. Löhrer, Bd. III/2, Einsiedeln/Zürich/Köln 1969, 133-326.
- Crucifixus etiam pro nobis: Internationale katholische Zeitschrift 9 (1980) 26-35.

Barrois, A.,
Le sacrifice du Christ au Calvaire: RSPhTh 14 (1925) 145-166.

Bauer, G. L.,
Das heilige Meßopfer im Lichte der Grundsätze des hl. Thomas über das Opfer: DTh 28 (1950) 5-31.

Berger, J.,
Die Verwurzelung des theologischen Denkens Karl Barths in dem Kerygma der beiden Blumhardts vom Reiche Gottes, Masch. Diss. Berlin 1955.

Berkouwer, G. C.,
Der Triumph der Gnade in der Theologie Karl Barths, Neukirchen 1957.

Bizer, E.,
Coccejus (Coch), Johannes: RGG³ 1, 1841f.

Botte, B.,
„Deus meus, Deus meus, ut quid dereliquisti me?": Les questions liturgiques et paroissiales 11 (1926) 105-114.

Bouillard, H.,
Karl Barth, Bd. I: Genèse et évolution de la théologie dialectique: Études publiées sous la direction de la faculté de théologie S. J. de Lyon-Fourviére, Bd. 38, Paris 1957. Bd. II/1.2: Parole de Dieu et existence humaine: Études publiées sous la direction de la faculté de théologie S. J. de Lyon-Fourvière, Bd. 39, Paris 1957.

Bourassa, F.,
La satisfaction du Christ: Sciences Ecclésiastiques 15 (1963) 351-381.
– La Rédemption par le mérite du Christ: Sciences Ecclésiastiques 17 (1965) 201-229.

Brinktrine, J.,
Das Opfer der Eucharistie. Dogmatische Untersuchungen über das Wesen des Meßopfers, Paderborn/Wien/Zürich 1938.

Buess, E.,
Zur Prädestinationslehre Karl Barths: ThSt (B), H. 43, Zollikon-Zürich 1955.

Busch, E.,
Karl Barths Lebenslauf. Nach seinen Briefen und autobiographischen Texten, München ²1976.

Carra de Vaux Saint Cyr, M. B.,
L'abandon du Christ en croix. In: Problèmes actuels de Christologie. Travaux du Symposion de l'Arbresle 1961, recueillis et présentés par H. Bouessé et J.-J. Latour, Brügge 1965, 295-316.

Catao, B.,
Salut et Rédemption chez S. Thomas d'Aquin. L'acte sauveur du Christ, Paris 1965.

Congar, Y. M.-J.,
Regards et réflexions sur la christologie de Luther. In: Das Konzil von Chalkedon. Geschichte und Gegenwart, hrsg. A. Grillmeier u. H. Bacht, Bd. 3: Chalkedon heute, Würzburg 1954, 457-486.

Deman, Th. A.,
Der Neue Bund und die Gnade. Kommentar zu I-II, 106-114: DThA, Bd. 14, Heidelberg/ Graz 1955.

Dettloff, W.,
Die Lehre von der acceptatio divina bei Johannes Duns Scotus mit besonderer Berücksichtigung der Rechtfertigungslehre: Franziskanische Forschungen, 10. H., Werl 1954.

Diekamp, F.,
Katholische Dogmatik nach den Grundsätzen des heiligen Thomas, hrsg. K. Jüssen, Bd. 2, Münster ¹¹/¹²1959.

Dörholt, B.,
Die Lehre von der Genugtuung Christi, Paderborn 1891.

Ebneter, A.,
Der Mensch in der Theologie Karl Barths, Zürich 1952.

Elert, W.,
Morphologie des Luthertums, Bd. 1: Theologie und Weltanschauung des Luthertums hauptsächlich im 16. und 17. Jahrhundert, München 1958 (verbesserter Nachdruck der 1. Aufl.).

Gloege, G.,
Zur Prädestinationslehre Karl Barths. Fragmentarische Erwägungen über den Ansatz ihrer Neufassung. In: Ders., Theologische Traktate, Bd. 1: Heilsgeschehen und Welt, Göttingen 1965, 77-132.

– Zur Versöhnungslehre Karl Barths. In: Ders., Theologische Traktate, Bd. 1: Heilsgeschehen und Welt, Göttingen 1965, 133-173.

Gollwitzer, H.,
Zur Einheit von Gesetz und Evangelium. In: Antwort, 287-309.

Greshake, G.,
Erlösung und Freiheit. Zur Neuinterpretation der Erlösungslehre Anselms von Canterbury: ThQ 153 (1973) 323-345.

Guardini, R.,
Der Herr. Betrachtungen über die Person und das Leben Jesu Christi, Würzburg 1937.

Günther, W.,
Die Christologie Karl Barths, Diss. Mainz 1954.

Härle, W.,
Die Theologie des „frühen" Karl Barth in ihrem Verhältnis zu der Theologie Martin Luthers, Diss. Bochum 1969.
– Sein und Gnade. Die Ontologie in Karl Barths Kirchlicher Dogmatik: Theologische Bibliothek Töpelmann, Bd. 27, Berlin/New York 1975.

Hammer, F.,
Genugtuung und Heil. Absicht, Sinn und Grenzen der Erlösungslehre Anselms von Canterbury: Wiener Beiträge zur Theologie, Bd. 15, Wien 1967.

Hardy, L.,
La doctrine de la Rédemption chez saint Thomas, Paris 1936.

Harnack, A.,
Lehrbuch der Dogmengeschichte, Bd. 3, Tübingen 41910.

Haubst, R.,
Vom Sinn der Menschwerdung. Cur Deus homo, München 1969.
– Anselms Satisfaktionslehre einst und heute: TThZ 80 (1971) 88-109.

Hedinger, U.,
Der Freiheitsbegriff in der Kirchlichen Dogmatik Karl Barths: SDGSTh, Bd. 14, Zürich/ Stuttgart 1962.

Heinrichs, L.,
Die Genugtuungslehre des hl. Anselmus von Canterbury. Neu dargestellt und dogmatisch geprüft: FChLDG, Bd. 9, H. 1, Paderborn 1909.

Hoffmann, A.,
Des Menschensohnes Leiden und Erhöhung. Kommentar zu III, 46-59: DThA, Bd. 28, Heidelberg/Graz 1956.

ten Hompel, M.,
Das Opfer als Selbsthingabe und seine ideale Verwirklichung im Opfer Christi mit besonderer Berücksichtigung neuerer Kontroversen: FreibThSt, 24. H., Freiburg 1920.

McIntyre, J.,
St. Anselm and his critics. A re-interpretation of the Cur Deus homo, Edinburgh/London 1954.

Jäckh, E.,
Christoph Blumhardt. Ein Zeuge des Reiches Gottes, Stuttgart 1950.

Jagnow, A. A.,
Karl Barth and Wilhelm Herrmann: Pupil and Teacher: JR 16 (1936) 300-316.

Jenson, R. W.,
Cur Deus homo? The Election of Jesus Christ in the Theology of Karl Barth, Diss. Heidelberg 1960.

Jersild, P. Th.,
The Holiness, Rigtheousness and Wrath of God in the Theologies of Albrecht Ritschl and Karl Barth, Diss. Münster 1962 (nur auszugsweise zugänglich in: The Lutheran Quarterly 14 (1962) 239-257; 328-346).

Jouassard, G.,
L'abandon du Christ d'après saint Augustin: RSPhTh 13 (1924) 310-326.
– L'abandon du Christ en croix dans la tradition grecque du IVe et Ve siècles: RevSR 5 (1925) 609-633.

Jüngel, E.,
Gottes Sein ist im Werden. Verantwortliche Rede vom Sein Gottes bei Karl Barth. Eine Paraphrase, Tübingen ²1967.

Klappert, B.,
Die Auferweckung des Gekreuzigten. Der Ansatz der Christologie Karl Barths im Zusammenhang der Christologie der Gegenwart, Neukirchen ²1974.
– Promissio und Bund. Gesetz und Evangelium bei Luther und Barth: Forschungen zur systematischen und ökumenischen Theologie, Bd. 34, Göttingen 1976.

Klein, D.,
Was ist Opfer?: ThPQ 91 (1938) 429-455.

Koch, G.,
Herrmann, Johann Wilhelm: RGG³, 275-277.

Konrad, J. F.,
Abbild und Ziel der Schöpfung. Untersuchungen zur Exegese von Genesis 1 und 2 in Barths Kirchlicher Dogmatik III, 1: Beiträge zur Geschichte der biblischen Hermeneutik, Bd. 5, Tübingen 1962.

Kopf, H. P.,
Die Beurteilung von Anselms Cur Deus Homo in der protestantischen deutschsprachigen Theologie seit Ferdinand Christian Baur, Basel 1956.

Kramp, J.,
Die Opferanschauungen der römischen Meßliturgie. Liturgie- und dogmengeschichtliche Untersuchung, Regensburg 1920.

Kreck, W.,
Die Lehre von der Heiligung bei H. F. Kohlbrügge: FGLP, 8. Reihe, Bd. 2, München 1936.

Krötke, W.,
Sünde und Nichtiges bei Karl Barth: Theologische Arbeiten, Bd. 30, Berlin 1970.

Küng, H.,
Rechtfertigung. Die Lehre Karl Barths und eine katholische Besinnung. Mit einem Geleitbrief von Karl Barth: Horizonte, Bd. 2, Einsiedeln 1957.

Kupisch, K.,
Karl Barth in Selbstzeugnissen und Bilddokumenten, Stuttgart 1977.

Lüthi, K.,
Gott und das Böse. Eine biblisch-theologische und systematische These zur Lehre vom Bösen, entworfen in Auseinandersetzung mit Schelling und Karl Barth: SDGSTh, Bd. 13, Zürich/Stuttgart 1961.

Lynn, W. D.,
Christ's redemptive merit. The nature of its causality according to St. Thomas, Rom 1962.

Mahieu, L.,
L'abandon du Christ sur la croix: Mélanges de science religieuse 2 (1945) 209-242.

Manns, P.,
Fides absoluta – Fides incarnata. Zur Rechtfertigungslehre Luthers im Großen Galaterkommentar. In: Reformata Reformanda. Festgabe für H. Jedin, hrsg. E. Iserloh u. K. Repgen, Bd. 1, Münster 1965, 265-312.

Marquardt, F. W.,
Theologie und Sozialismus. Das Beispiel Karl Barths: Gesellschaft und Theologie, Abt.: Systematische Beiträge, Nr. 7, München/Mainz 1972.

Masure, E.,
Le sacrifice du Chef, Paris 1932.

232

Minges, P.,
Der Wert der guten Werke nach Duns Scotus: ThQ 89 (1907) 76-93.
– Beitrag zur Lehre des Duns Scotus über das Werk Christi: ThQ 89 (1907) 241-279.

Ott, H.,
Der Gedanke der Souveränität Gottes in der Theologie Karl Barths: ThZ 12 (1956) 409-424.

Otto, S.,
Natur (II. Theologisch): HThG 2, 217-221.

Pell, G.,
Der Opfercharakter des Erlösungswerkes, Regensburg 1915.

Pesch, O. H.,
Die Theologie der Rechtfertigung bei Martin Luther und Thomas von Aquin. Versuch eines systematisch-theologischen Dialogs: Walberberger Studien, Bd. 4, Mainz 1967.

Pohle, J. – Gummersbach, J.,
Lehrbuch der Dogmatik, Bd. 2, Paderborn [10]1956; Bd. 3, Paderborn [10]1960.

Premm, M.,
Katholische Glaubenskunde. Ein Lehrbuch der Dogmatik, Bd. II, Wien 1952, Bd. III/1, Wien 1954.

Prenter, R.,
Karl Barths Umbildung der traditionellen Zweinaturlehre in lutherischer Beleuchtung. Eine vorläufige Beobachtung zu Karl Barths neuester Darstellung der Christologie: StTh 11 (1957) 1-88.

Quadt, A.,
Gott und Mensch. Zur Theologie Karl Barths in ökumenischer Sicht: Abhandlungen zur Philosophie, Psychologie, Soziologie der Religion und Ökumenik, H. 34 der Neuen Folge, München/Paderborn/Wien 1976.

Rahner, K.,
Über das Verhältnis von Natur und Gnade. In: Ders., Schriften zur Theologie, Bd. 1, Einsiedeln/Zürich/Köln 1954, 323-345.
– Zur Theologie der Gnade. Bemerkungen zu dem Buch von Hans Küng: Rechtfertigung. Die Lehre Karl Barths und eine katholische Besinnung: ThQ 138 (1958) 40-77.
– Natur und Gnade. In: Ders., Schriften zur Theologie, Bd. 4, Einsiedeln/Zürich/Köln 1960, 209-236.
– Opfer (V. Dogmatisch): LThK[2] 7, 1174f.

Richard, L.,
Le dogme de la Rédemption: Bibliothèque catholique des sciences religieuses, Bd. 48, Paris 1932.

Rivière, J.,
Le dogme de la Rédemption. Étude théologique, Paris [2]1914.
– Rédemption: DThC XIII/2, 1912-2004.

Rupprecht, P.,
Der Mittler und sein Heilswerk. Sacrificium Mediatoris. Eine Opferstudie auf Grund einer eingehenden Untersuchung der Äusserungen des hl. Thomas von Aquin, Freiburg 1934.

Scheeben, M. J.,
Handbuch der katholischen Dogmatik, Bd. V/2, hrsg. C. Feckes, Freiburg [2]1954.

Schmaus, M.,
Katholische Dogmatik, Bd. II/2, München [6]1963; Bd. IV/1, München [6]1964.
– Der Glaube der Kirche, Handbuch der katholischen Dogmatik, Bd. 1, München 1969.
– Der Glaube der Kirche, Bd. IV/1, St. Ottilien [2]1980.

Schützeichel, H.,
Der Todesschrei Jesu. Bemerkungen zu einer Theologie des Kreuzes: TThZ 83 (1974) 1-16.

Schultz, H.,
Der sittliche Begriff des Verdienstes und seine Anwendung auf das Verständnis des Werkes Christi. Eine dogmatische Frage vom ethischen Gesichtspunkt aus betrachtet: ThStK 67 (1894) 7-50; 245-314; 554-614.

233

Seeberg, E.,
Luthers Theologie. Motive und Ideen, Bd. 2: Christus. Wirklichkeit und Urbild, Stuttgart 1937.

de Senarclens, J.,
La concentration christologique. In: Antwort, 190-207.

Sentzke, G.,
Die Theologie Johann Tobias Becks und ihr Einfluß in Finnland, Bd. 1: Die Theologie Johann Tobias Becks: Schriften der Luther-Agricola Gesellschaft, Bd. 8, Helsinki 1949.

So, M.,
Die christologische Anthropologie Karl Barths, Diss. Göttingen 1973.

Thurneysen, E.,
Die Anfänge. Karl Barths Theologie der Frühzeit. In: Antwort, 831-864.

Tiililä, O.,
Das Strafleiden Christi. Beitrag zur Diskussion über die Typeneinteilung der Versöhnungs-motive: Annales Academiae Scientiarum Fennicae, Bd. XLVIII, 1, Helsinki 1941.

Torrance, Th. F.,
Karl Barth. An Introduction to his Early Theology, 1910-1931, London 1962.

Volk, H.,
Die Christologie bei Karl Barth und Emil Brunner. In: Das Konzil von Chalkedon. Geschichte und Gegenwart, hrsg. A. Grillmeier u. H. Bacht, Bd. 3: Chalkedon heute, Würzburg 1954, 613-673.

Vonier, A.,
Das Geheimnis des eucharistischen Opfers, Berlin 1929.

Warnach, V.,
Vom Wesen des kultischen Opfers. In: B. Neunheuser (Hrsg.), Opfer Christi und Opfer der Kirche, Düsseldorf 1960, 29-74.

Weier, R.,
Die Erlösungslehre der Reformatoren. In: HDG III/2c, 1-34.

Wendebourg, E. W.,
Die Christusgemeinde und ihr Herr. Eine kritische Studie zur Ekklesiologie Karl Barths: Arbeiten zur Geschichte und Theologie des Luthertums, Bd. 17, Berlin/Hamburg 1967.

Wolf, E.,
Die Christusverkündigung bei Luther. In: Ders., Peregrinatio. Studien zur reformatori-schen Theologie und zum Kirchenproblem, München 1954, 30-80